国学经典

龙文鞭影

张万钧 韩富荣 注译

中州古籍出版社

龙文鞭影

前　言

《龙文鞭影》是一部重要的国学启蒙读物,以不到五千字的四字韵语,浓缩了一千多个历史人物的故事和典故。既是一部内容丰富的知识性、趣味性读物,又是一部实用的文史工具书,同时,还可作为讲述历史的良好教材使用。因此,数百年来,风行海内,历久不衰。

本书署名为明萧良友撰、杨臣诤增订。萧良友,湖北汉阳人,明万历六年状元。生而颖异,有神童之名,官至国子监祭酒,自是教育名家。杨臣诤,安徽桐城人。明亡,隐居不仕,著有《禹贡笺》、《礼经会元》等书,均不传。唯《龙文鞭影》一书盛行于世。但是,如果追本溯源,此书实际是一部历史悠久、经多人赓续的集体著作。据文献记载,此书原形,乃唐人李瀚撰的《蒙求》,以四字为一句,两句为一节,下各有详注,以后遂成诸书的定例。到了宋代,出现了不署撰人的《蒙求集注》和徐子光撰的《补注蒙求》。元代胡炳文又编为《纯正蒙求》,又有俞文彬的续编。以上诸书改变不大,到了明末萧良友手中才有了崭新面貌。萧良友的功绩在于对四字韵文有较大修改,经过艺术加工,在用词上,不仅将故事概括得更加精确,而且又按上下平声分韵汇编,读起来朗朗上口,便于记忆、诵读和检索。不足之处主要在于书名取为《蒙养故事》,平淡无奇。数十年后杨臣诤又加以增补修订,最重要的是为本书取了一个响亮的名字:《龙文鞭影》，起到了画龙点睛的妙用。此书一出，立刻不胫而走，成为"盛行于乡塾间"的畅销书。

龙文，是骏马名。《汉书·西域传》记载了"蒲梢、龙文、鱼目、汗血"四种西域宝马的名称。引申开来，千里马、千里驹又用于比喻才华出众的子弟。《北齐书·杨愔传》中，杨愔堂兄称赞他说："此儿驹齿未落，已是我家龙文，及十岁后，当求之千里外。""鞭影"则出自佛家语，"良马见鞭影而飞驰"，意为望俊秀子弟迅速成才，示以鞭影，促其飞奔。

原书每条分为两部分，一是四字一句，二句一联的韵文。二是附于韵文下的注解，对韵文提示的故事作简明扼要的叙述。由于本书的畅销，因此自清初迄今，版本已达数十种之多。清代的多种坊刻本，对原书辗转翻刻，以至鲁鱼亥豕，迭出不穷。尤其是其注解部分，不仅错处较多，且有对原书的注解任意删改而不加考订者，结果是以讹传讹，违背历史事实者有之，弄错人物朝代者有之，张冠李戴者有之，姓名、字号、官衔等与史不一者有之。如此种种，误导读者，其害匪浅。这种弊病，在近几年某些校点本中依然存在。

为了能向读者提供一部高质量的《龙文鞭影》注译本，我们搜集了五六种清代至民国时期印刷的不同版本，加以对比，认真进行了订正。

我们这个注译本共分三部分，一是原文，二是注释，三是解说。实际上，也就是在原书的基础上增加了注释部分。注释部分，以对原文中所提到的人物姓名、字号、生卒年、籍贯、履历等加以简介为主，同时对于个别冷僻字词作简单注释。原文四字一句，包含了一个甚至多个故事，是高度概括的文字。显然，要将其直译是无法讲清楚的，只能采用意译的办法，将原文中所含的故事或典故叙述清楚。所谓意译，也就是依据原书中的注解部分，进行适当加工。所谓加工，是因为原书的注解部分较通俗易懂，可以说是文白参半。我们根据情况，将其中不易弄懂的文言词语改写为白话，而不是全部重新译白，以之作为解说部分。同时，我们搜集到的五六种不同版本的《龙文鞭影》，其注解部分虽然大同小异，但没有一本在文字上完全相同的。显然是清代一些坊本讹传或笔削造成的。因此，我们在解说部分中只能对照异同，择善而从。

这样做，似乎对原书的注释加工整理很省气力。其实不然，这是最费气力的一部分。原书注解部分，是讹误最多之处，为了保证本书注译的质量，我们不仅将手头几种不同版本互相对照，而且还要追本溯源，找出其引用书籍原文加以核对。因之，在加工中，参阅了二十四史、四书五经、《庄子》、《孔子家语》、《新序》、《抱朴子》、《水经注》以及一些地方志等数十种图书，纠正了其中不少错误。比如，在卷四"十蒸韵""燕投张说"一条，原注解称"永泰中，策贤良方正第一"，经核对，"永泰"（765～766）是唐代宗的年号。而张说是唐玄宗时宰相，代宗永泰元年时，张说已去世三十五年，显然有误。经核对新旧《唐书》，永泰是永昌之误。又如"十二侵""梦穴唾金"一条，称"南康武都县西有石室"。经核对，南康郡根本无武都县，武都县在今甘肃省，南康郡则在今江西省，显然有误。经找出记载此故事的原文（原载于南朝梁任昉《述异记》），才知"武都"系"雩都"之误。纠正了一个地名，却又发现《龙文鞭影》所载与《述异记》中文字尚有不同之处。但，仅有《述异记》只是孤证，不能证明《龙文鞭影》引文有误。因而进一步查证了《太平御览》、《说郛》、《广博物志》等书，各书记载与《述异记》完全一致，证明了《龙文鞭影》中此段注解虽仅五十余字，错掉字尚有："梦口穴"漏一口字、"盘上"误作"船上"。如此种种，全书纠正错误近百处之多，不再赘述。

原书系三百多年前的古人所编，由于其所处时代的局限性，不可避免地会编入一些宣扬封建迷信、因果报应等不科学的内容。尽管有些内容荒诞不经，但是，经过千百年的流传，已成为重要成语和典故，是中国思想文化发展史上不可缺少的一环。所以我们只能按原文加以注释，以尽量再现历史的真实面貌，不作删改和评论。我们相信，在大力提倡用科学发展观去看待历史文化的今天，读者自会分辨真伪，汲取其精华，祛除其糟粕。

注译者

2009年9月29日

原叙

　　王荆公教元泽求馆师须博学善士。或曰：童蒙何必尔？公曰："先入者为主，观于今之求师者与夫师之为师，其先入者可知已。"彼诗礼趋庭，饶有世业，貂蝉累叶，不乏嘉宾者可无论。自馀而外，凡一切委巷穷乡稍能自给之家，未有不竭力事师以期子之成者。顾或三四年或五六年或七八年者而学终自若，岂其中遂无汗血驹具一日千里之资者？卒之贤愚同病，咎且定谁归也？余心悯久之，每遇有裨幼学之书，往往不惜较雠，岂得已哉！

　　《蒙养故事》，明中楚萧汉冲先生为加惠幼学而作，取古事之相类者摘而成偶，又各谐之以韵，聪慧者日可数十事，迟钝者亦日可数事，不似声杂无伦者之难可强记也。为父为师，欲其逸而功倍，此乌可以废焉？惜其征事过少，而夏广文注又多舛谬疏略，是亦不可以已乎！

　　岁丙申，授经沙提，偶有暇暑，因取次一为更定，复益以安平李瀚《蒙求》对偶及江右俞文彬续集，然亦嫌征事多无味，而注更疏舛，其可存才千百之什一耳。庚子春，息影城西，朝来爽气，恒惬心情，缘取曩书，复为增订，迄秋尽而告竣，遂不止倍差于前，益思以博学为先人，自不禁其幅之溢也。友人王子、陆子与有同好，俱不辞搦管襄事，且怂恿余曰："君家龙文，又加一鞭影矣。"因更名《龙文鞭影》，付诸剞劂。凡属驹齿未落者，皆当见鞭影而驰，以无负不佞较雠之苦志，斯可矣。曹吉利有言："长大而能勤学者，惟吾与袁伯业。"心窃企之。

龙眠杨臣诤题

目 录

卷一	11
一东	11
二冬	27
三江	34
四支	40
五微	66
六鱼	71
七虞	79
卷二	96
八齐	96
九佳	101
十灰	104
十一真	112
十二文	123
十三元	129
十四寒	136
十五删	150

卷三	157
一先	157
二萧	174
三肴	180
四豪	185
五歌	194
六麻	201
七阳	210
卷四	235
八庚	235
九青	258
十蒸	262
十一尤	267
十二侵	287
十三覃	299
十四盐	304
十五咸	311

卷 一

一 东

粗成四字① **诲尔童蒙**②

[注释]

①粗：粗浅，粗略，此处含有简略、撮要之意。②童蒙：蒙，指愚昧而知识未开。儿童幼稚而蒙昧，故称为童蒙。应尽早加以教诲，开发其智力。故传授儿童知识的读物，被称为启蒙读物。

[解说]

现将每个故事加以删节撮要，编成四字一句的通俗韵文，用以启发儿童的智力。

经书暇日① **子史须通**②

[注释]

①经书：儒家的经典著作，是古代儒生必读的书籍，主要有五经和四书。五经指《易经》、《书经》（即《尚书》）、《诗经》、《春秋》、《礼记》。四书指《大学》、《中庸》、《论语》、《孟子》。还有十三经，是包括五经在内进一步扩充学习的读物。②子史：中国古代把图书分为经、史、子、集四大部类。经部

包括儒家经典和解释文字的形、音、义的著作；史部包括历史、地理、人物传记和政书；子部包括先秦诸子百家的著作，以及以后的哲学、科技、艺术等图书；集部包括个人或多人的诗文集等。

[解说]

经书是儒家日常必读的主要图书，在学习经书的空闲时间，还应当读些子书和史书以增加必要的知识。

重华大孝[①]　武穆精忠[②]

[注释]

①重华：即虞舜。本姚姓，其先人所建部落在虞地（今山西永济东南），所以称为有虞氏。上古传说五帝之一，后人以为他能继承唐尧文德的光华，故称之为重华。②武穆：宋代岳飞谥号。岳飞（1103～1142），字鹏举，相州汤阴（今属河南）人，宋代抗金名将，后为奸臣秦桧所害。母尝刺"精忠报国"四字于其背。宋孝宗时追谥武穆，后又追封为鄂王，改谥忠武。

[解说]

重华年轻时，父亲和继母宠爱继母的儿子，多次想把重华害死，而他则对父母更加孝顺，对兄弟更加友爱。后来做了唐尧的臣子，受尧禅让当了天子，国号虞。孔子与孟子皆称其为大孝之人。汉代扬雄称其为绝孝。

宋朝的岳飞，年轻时学习刻苦，矢志抗金，他去投军时，母亲在他背上刺了"精忠报国"四个字，终生奉行，被后人奉为忠臣的典范。

尧眉八彩[①]　舜目重瞳[②]

[注释]

①尧：上古传说中帝喾（kù）的儿子，初封于陶，后封于唐，故号陶唐氏（今山西临汾），史书称之为唐尧，传说中五帝之一。因其儿子丹朱不肖，故传位于舜。②重瞳：眼球中有两个瞳人，叫做重瞳。

[解说]

传说唐尧的眉毛呈现八种色彩,虞舜的眼球有重瞳,都是不同于一般人的贵相。后来的西楚霸王项羽的眼球也有重瞳,司马迁以为他是虞舜的后代,不确。

商王祷雨① 汉祖歌风②

[注释]

①商王:即商朝的建立者汤,又称成汤、武汤、商汤等。商朝的建立者。②汉祖:即汉高祖刘邦(前256或前247~前195),沛(今江苏沛县)人,秦末响应农民起义,参加项梁军队,后与项羽争夺天下,最终击败项羽,建立汉朝。

[解说]

商汤建立商朝后,传说遇上连续七年大旱,他便剪去头发与指甲,在一个叫桑林的地方筑坛求雨,并以为政失职的六项罪名自责。结果天降大雨。

刘邦统一天下,做了皇帝,在家乡沛县召集父老乡亲一同饮酒,他敲着乐器,高兴地唱起一首歌:"大风起兮云飞扬,威加海内兮归故乡,安得猛士兮守四方。"后人将这首歌定名为《大风歌》。

秀巡河北① 策据江东②

[注释]

①秀:即刘秀(前6~57),字文叔,刘邦九世孙。东汉王朝的建立者,谥号光武。西汉末年王莽篡夺汉朝天下,实行繁重的赋役和严酷的法令,结果导致全国性的农民起义,主要有绿林军与赤眉军。刘秀曾一度参加绿林军,后以光复汉室为口号,最终统一天下。定都洛阳,史称东汉。②策:即孙策(175~200),东汉末年长沙太守孙坚长子,孙权之兄。孙坚死后,十八岁的孙策投靠淮南袁术。后带兵渡过长江,收服江南,占据长江东南地盘(今长

江以南的江苏、安徽、浙江、江西等地)。

[解说]

刘秀领兵巡视河北地方,一路废除王莽实行的繁苛法令,受到广大百姓拥护,接着平定割据势力,壮大了自身力量,为恢复汉朝统治奠定了坚实基础。

孙策占据了江东地盘,后被刺杀,其弟孙权在赤壁大败曹操,又占领荆州,擒杀蜀汉关羽,势力渐强,后在建康(今南京)称帝,国号吴,促成三国鼎立的局面。

太宗怀鹞① 桓典乘骢②

[注释]

①太宗:即李世民(599~649),庙号太宗。隋末随父李渊起兵反隋,封秦王,后继承帝位,年号贞观。他在位时,注意使百姓安居乐业,休养生息,继续推行均田制,注重人才选拔任用,发展科举制度,使人口增加、经济繁荣,史称"贞观之治"。②桓典(?~201):东汉时沛郡龙亢(今安徽怀远)人,汉灵帝时任侍御史,灵帝崩,迁羽林中郎将,执法极严。骢:青白相杂的马,亦指御史所乘的马。

[解说]

唐太宗喜欢一只宠物鹞鹰。有一次他正在逗鹰玩,大臣魏徵前来奏事,为了保持皇帝的尊严,太宗便把鹞鹰藏到怀里。魏徵早已看到,便故意说了很长时间。由于畏惧魏徵的耿直,太宗始终未敢取出鹞鹰;等魏徵走后,鹞鹰已被闷死怀中。

桓典执法严厉,所以很多人怕他。他常骑马在京城街道上巡视治安。京城人便相互告诫说:"路上要谨慎行走,注意回避骢马御史。"

嘉宾赋雪① 圣祖吟虹②

[注释]

①嘉宾：对客人的尊称。嘉，美好。赋：作诗。②圣祖：古时尊称皇帝的祖先，多指开国皇帝。此处是讲明太祖朱元璋的故事，故称圣祖。

[解说]

西汉文帝的儿子梁孝王刘武，建了一座私家花园——菟园，常在此招待宾客。一天，他召见邹阳、枚乘、司马相如三个文人，不久天空中飘下雪花，梁孝王便让司马相如当场作一篇《雪赋》，邹阳读后十分佩服，也即兴吟出《积雪之歌》与《白雪之歌》。因为这则文人咏雪的故事，后来南朝的谢惠连也作一篇《雪赋》，对这个故事作了详细描述。

明朝初年有个小官彭有信，一天偶然遇到穿着便衣出来游玩的明太祖朱元璋。因他不认识皇帝，便和朱元璋随意说话。朱元璋一时高兴，作了两句《虹霓诗》："谁把青红线两条，和云和雨系天腰。"让彭有信续完，彭有信接续道："玉皇昨夜鸾舆出，万里长空架彩桥。"朱元璋听了很高兴。第二天即召见彭有信，给他升了官。

邺仙秋水① 宣圣春风②

[注释]

①邺仙：指李泌（722~789），字长源，魏八柱国李弼后代，辽东襄平（今辽宁辽阳北）人，历仕唐玄宗、肃宗、代宗、德宗四朝，在军事、政治、外交诸方面成就卓著，官至同中书门下平章事，封邺侯。喜欢道术，人称"邺仙"。②宣圣：对孔子的尊称。孔子（前551~前479），名丘，字仲尼，鲁国（今山东曲阜）人。春秋末期思想家、政治家、教育家，儒家创始者。被后来封建皇帝封为"文宣王"，尊为圣人，故称"宣圣"或"宣父"。

[解说]

李泌幼年时十分聪慧，宰相张九龄称呼他为小朋友。诗人贺知章见了李泌，则称赞他眼光如同秋水一样清澈明亮，是做卿相的相貌。

汉武帝问东方朔："孔子和颜渊相比，谁的道德更高尚？"东方朔答："颜渊如桂，香馨一山。孔子如春风，至则万物生。"

恺崇斗富① 浑濬争功②

[注释]

①恺：即王恺，字君夫，晋东海郯（今山东郯城）人，名儒王肃子，司马昭妻弟，官至龙骧将军。崇：即石崇（249~300），西晋文学家。字季伦。渤海南皮（今属河北）人，曾任荆州刺史。②浑：即王浑（223~297），字玄冲，太原晋阳（今山西太原）人，官至司徒、侍中。濬：即王濬（206~286），弘农湖县（今河南灵宝西南）人，官益州刺史。后为抚军大将军。

[解说]

晋朝贵族王恺和石崇以奢侈著名于时，常常互相斗富。王恺做紫丝布屏障四十里长，石崇便做锦屏五十里长来压他。王恺比不过，便求外甥晋武帝援助。晋武帝送他一株二尺高的珊瑚树，王恺请石崇来看，以示炫耀。石崇看了，用铁如意将珊瑚树击得粉碎，说："我赔你。"遂搬出自家六七株三四尺高的珊瑚树，像王恺那样大小的则多得很。王恺终比不过，心情颇丧。

王浑、王濬二人奉命伐吴，王浑大败吴兵后，却一时迟疑不敢过江。而王濬用战船顺长江直下，抢先一步攻入建康（今南京），迫使吴国皇帝孙皓投降。王浑因此对王濬十分不满，常请治其罪。

王伦使虏① 魏绛和戎②

[注释]

①王伦（1084~1144）：莘县（今属山东）人，南宋高宗时使官。谥号愍节。②魏绛：春秋时晋国大夫，有政绩。卒谥庄。其后世代为晋大臣，后与赵、韩两氏三家分晋，建立魏国，为战国七雄之一。

[解说]

南宋高宗时，王伦出使金国迎接徽宗、钦宗二帝的棺木回宋，并参加与金国议和的谈判,因而受主战派弹劾。最后出使金国被扣,不肯降金而死。

春秋时晋国大夫魏绛,曾向悼公提出和戎五利。劝与周围戎狄国家议和,结为联盟。悼公采纳其建议,八年内九次会盟诸侯,使晋国继续保持春秋各国盟主的地位。

恂留河内① 何守关中②

[注释]

①恂:即寇恂(?~36),上谷昌平(今属北京)人,东汉名将。辅佐刘秀平定燕、代。河内:即河内郡。汉高祖即位次年置,位于太行山东南与黄河以北,治所在今河南沁阳境。②何:即萧何(?~前193),西汉时沛(今江苏沛县)人,随刘邦起兵,为刘邦制定法令、总理行政事务,汉朝建立后任相国,与张良、韩信并称"兴汉三杰"。关中:古代指函谷关以西,今陕西省一带。

[解说]

东汉光武帝刘秀领兵北征燕、代(今北京至山西北部一带),让寇恂留守河内郡,寇恂击退洛阳来犯之敌,巩固后方,向前线输送粮草,保证了刘秀北征的胜利。

刘邦与项羽争夺天下,楚汉战争历时五年。刘邦让萧何留守后方。萧何保证了军需的及时供应,使刘邦大军粮饷无缺。天下既定,萧何功居第一,为"兴汉三杰"之首。

曾除丁谓① 皓折贾充②

[注释]

①曾:即王曾(978~1038),青州益都(今属山东)人,字孝先。官至枢密使、同中书门下平章事。谥文正。丁谓(966~1037):字谓之,江苏长洲(今苏州)人。历官工、刑、兵三部尚书。②皓:即孙皓(242~284),字元宗,三国吴的第四代君主。贾充(217~282):字公闾,平阳襄陵(今湖北郧

西）人，魏豫州刺史贾逵子。官至侍中。曾修《泰始律》，有文集五卷。

[解说]

宋仁宗赵祯即位时，京师便有传言："欲得天下宁，当拔眼中丁。欲得天下好，莫如召寇老。"丁指丁谓，寇指寇准。乾兴元年（1022），真宗死，仁宗年幼，太后听政，丁谓权重一时，首先清除寇准等忠臣，趁机把持朝政。时宦官雷允恭任建造真宗皇陵的都监，与判司天监邢中和擅自移改陵穴，犯下死罪，丁谓庇护雷允恭，最终被王曾查清，触怒太后，雷允恭被诛，丁谓被贬为崖州（今海南省）司户参军。

晋太康元年（280），孙皓被武帝司马炎俘虏。贾充问孙皓："你凿人目，剥人面皮，此何等罪孽？"孙皓对曰："因为他们弑君不忠。"贾充不语，甚是惭愧。原因是贾充曾追随司马昭，带兵杀死了势力悬殊的魏主曹髦，逐杀魏国忠臣诸葛诞，为司马氏篡位立下汗马功劳。

田骄贫贱[①]　赵别雌雄[②]

[注释]

[①]田：即田子方，战国时期人。[②]赵：即赵温，东汉大臣。曾任京兆丞。

[解说]

战国时，田子方是魏文侯的老师。一天，太子击在路上遇到田子方，急忙下车向他行礼，田子方却不还礼。太子生气地问田子方："是富贵之人可以怠慢人，还是贫贱之人可以怠慢人？"田子方答道："当然是贫贱之人可以怠慢人，富贵之人岂能怠慢别人?！因为国君骄横则会失去他的王国，大夫骄横则会失去他的封地。而贫贱之人则没有顾忌，当意见不被采纳，行动不合时宜时，便可拂袖而去。"

东汉末年，京兆丞赵温年轻有才，常不得志。曾在朋友面前感叹:"男子汉大丈夫应当像雄鹰那样展翅高飞,怎能像雌鸟一样趴在地上!"不久,赵温弃官返乡,正赶上灾荒,毅然用家中存粮救济穷人,名扬州郡。

王戎简要① 裴楷清通②

[注释]

①王戎(234~305):字濬冲,琅邪临沂(今山东临沂北)人。官至司徒。"竹林七贤"中年龄最小的一位。②裴楷(237~291):字叔则,河东闻喜(今属山西)人。曾任屯骑校尉、右军将军、侍中等。晋武帝司马炎的近臣。

[解说]

晋朝初年,文帝司马昭问大将钟会:"谁能担任吏部郎?"钟会答:"王戎简练扼要,裴楷清明通达,可以胜任这个职位。"于是两人皆成为吏部郎。

子尼名士① 少逸神童②

[注释]

①子尼:即蔡充,字子尼,陈留考城(今河南兰考)人。晋惠帝永康初为博士。有集二卷。②少逸:即刘少逸(977~?),苏州(今属江苏)人。淳化二年(991)进士。官至尚书员外郎。北宋诗人。

[解说]

晋朝名士王澄路过陈留,问当地官吏,这个郡里有哪些名士?官吏答道:"江应元,蔡子尼。"王澄说:"陈留郡有很多位高权重的人,为什么只说这两个人?"官吏回答说:"我以为您只是问谁有名,而不是问谁地位高。"

北宋刘少逸,十三岁御试诗赋,授校书郎。初,他的老师潘阆带着他去见王元之、罗思纯,把他的诗拿给二位看,并请他们验证他的作诗能力。罗思纯先出一句:"无风烟焰直。"刘少逸答:"有月竹阴寒。"罗思纯又说:"日移竹影浸棋局。"少逸答:"风送花香入酒卮。"王元之说:"风雨江城暮。"少逸答:"波涛海寺秋。"王元之又说:"一回酒渴思吞海。"少逸答:"几度诗狂欲上天。"几个回合都不假思索,因此王、罗二人向朝廷推荐了刘少逸。少逸终应试中选,成为最年轻的进士。

巨伯高谊① 许叔阴功②

[注释]

①巨伯:即荀巨伯。东汉许州(今河南许昌)人。因典故而留名。②许叔:即许叔微(1079~1154),字知可,真州(今江苏仪征)人。绍兴进士。宋代名医。著有《伤寒百证歌》、《伤寒发微论》等,均已失传,今仅有《类证普济本事方》存世。

[解说]

荀巨伯去远方探望病中的朋友,遇到贼寇攻打朋友所在的城池。朋友劝他逃生,荀巨伯说:"我远道而来,你却叫我舍弃友情而临阵脱逃,我怎能做出这样的事情?"贼寇打进城内,问荀巨伯:"全城人都跑了,你怎么敢一人留下?"荀巨伯说:"朋友身患重病,我不忍心舍弃他,情愿替他去死!"贼寇被他的义举所感动,主动放弃了已得到的城池。全城的人也因此得以保全性命。

宋朝许叔微,专心经史,尤精于医学。高宗建炎初年,大疫,叔微亲自深入街巷为人治病,救活很多人。夜梦神人告诉他:"上帝以汝阴功,赐汝以官。"后参加科举考试,以第六名中进士,朝见皇帝,又被改为第五。

代雨李靖① 止雹王崇②

[注释]

①李靖(571~649):唐初军事家。原名药师,雍州三原(今陕西三原县

东北）人。官拜尚书右仆射，封卫国公。②王崇：西汉人。历任御史大夫、大司空等，封扶平侯。

[解说]

《唐人小说》载：李靖未成名时，到山中狩猎，晚上借住在一个村庄，夜里传来非常急促的敲门声。听见一位老夫人对李靖说："您住的这地方是龙宫。天廷诏命龙宫下雨，我的两个儿子都不在。想请您代劳。"于是让苍头给李靖牵来青鬃马，并嘱咐道："遇到马叫就在马鬃上滴一滴水，那么平地上就会下水深三尺的大雨。"

西汉末年，王崇父母双亡，伤心至极，备感孤独。又遇夏天下冰雹，冰雹所到之处家畜丧生、草木死亡，但下到王崇家的农田边时，戛然而止。人们都认为是王崇的孝心感动了上天。

和凝衣钵① 仁杰药笼②

[注释]

①和凝（898～955）：字成绩。郓州须昌（今山东东平）人。五代时文学家、法医学家。后晋时官拜中书侍郎、同中书门下平章事。著有《疑狱集》两卷。②仁杰：即狄仁杰（630～700），字怀英，唐代并州太原（今属山西）人。武则天当政时曾两度为相，以不畏权势著称，善于发现和荐举人才，先后举荐张柬之等数十人，均称一代名臣。卒后赠梁国公，故后人称其为狄梁公。

[解说]

五代后梁贞明二年（916），十九岁的和凝登进士第，排名第十三。后唐明宗长兴四年（933），和凝主持科举考试，大名（今属河北）人范质（五代及宋初名臣）登进士第，亦排名第十三。和凝对范质说："你将传承老夫我的衣钵。"

唐朝元澹，字行冲，以字显，河南人。举进士后，狄仁杰非常器重他。他曾对狄仁杰说："下级侍奉上级，就仿佛是富贵人家平时储存财物以供来日使用一样。脯、腊、膎、胰等美味佳肴，用作滋补；人参、白术、伏苓、肉桂等中药，用以预防疾病。现在门下省中能担大任的人才已经很多，小人我愿充当一味防病养身的中药！"狄仁杰说："你正是我药笼中物，不可一日无也！"

义伦清节① 展获和风②

[注释]

①义伦：即沈义伦（909~987），后因避太宗讳而单名伦，字顺宜，开封太康（今属河南）人。北宋开国功臣之一，仕太祖和太宗两朝，官至宰相。②展获：春秋时鲁国大夫，即柳下惠。字禽，食邑柳下，一称柳下季，"惠"为谥号。

[解说]

北宋初年，沈义伦领兵驻守四川，经常独居一室，仅食蔬菜。返回京城时，随身携带的也只有几卷图书而已。太祖调查后才知道，沈义伦为官极其清廉，遂把他提拔为枢密副使。

春秋时鲁国大夫展获，官拜士师。因为官不合时宜，弃官归隐，居于柳下（今濮阳柳屯）。相传在一个寒冷的夜晚，有一女子来投宿，柳下惠恐其冻死，将其用外衣裹紧，同坐一夜，柳下惠因此便有了"坐怀不乱"的美誉。孟子赞曰："柳下惠，圣之和者也。"故世称"和圣"。

占风令尹① 辩日儿童

[注释]

①令尹：即尹喜。尹喜，甘肃天水人，字公文或公渡，号文始先生。精通历法，善观天文，习占星术。

[解说]

尹喜为函谷关令时，忽然望见紫气东来，便预感有仙人路过此地。不久，老子果然到此，将五千言的《道德经》留给尹喜，飘然而去。因此，尹喜被称为"占风"。

春秋时，相传孔子至东海游览，见有两个小孩在争论问题，便上前询问。其中一个小孩说："我认为太阳刚出来时离人近，而中午时离人远。"另一个小孩说："我认为太阳刚出来时离人远，中午时则离人近。"认为早上太阳离人近的小孩说："太阳刚出来时像车盖一样大，中午则小如盘盂，不正是离人远时小而离人近时大吗？"认为早上太阳离人远的小孩解释说："太阳刚出来时天气阴凉，到中午则热得难受，这不正是近者热而远者凉吗？"孔子也不能决断。两个小孩讥笑孔子说："谁说你足智多谋？"

敝履东郭①　粗服张融②

[注释]

①东郭：即东方朔（前154～前93），字曼倩，平原厌次（今山东陵县人）。西汉辞赋家。曾任常侍郎、太中大夫等职。②张融（444～497）：字思光，吴郡（今江苏苏州）人。南朝齐文学家。刘宋时任封溪令、仪曹郎等，入齐后官至司徒右长史。

[解说]

汉武帝在位时，东方朔曾长期在公车署内待职，以至于衣食不保，大雪天竟然穿着一双有帮无底的鞋子，招来路人的耻笑。当时武帝喜欢在官内养侏儒来取乐，东方朔便借机上奏："侏儒身高三尺，他的俸禄是一袋粟，另加二百四十钱。而臣下我身高九尺三寸，钱和粟都不够用。侏儒的俸禄多得快要被撑死，而我饥寒交迫将要被饿死。"东方朔的奏章惹得武帝哈哈大笑，于是给予他大量赏赐。

南朝齐高帝曾专门下诏书赏赐张融衣服。诏书说："我见你衣着破旧，确实太朴素了。怎奈你衣衫褴褛，太伤朝廷风雅。现在特送来我穿过的一套旧衣服，看起来还比较新，已让人按你的身材修改过。"

卢杞除患[①]　彭宠言功[②]

[注释]

①卢杞（？～约785）：唐朝大臣。字子良，滑州灵昌（今河南滑县西南）人。官至门下侍郎、同中书门下平章事。为人阴险狡诈。②彭宠：东汉光武帝部将。字伯通，南阳宛（今河南南阳）人。曾为渔阳太守。

[解说]

卢杞做虢州刺史时，当地有三千头官家的猪经常祸害百姓。唐德宗命令他把这些猪转移到沙苑去。卢杞说："那个地方同样也是陛下的百姓。我以为不如把它们杀吃了好。"德宗夸奖卢杞说："你驻守虢州，却能为他州着想，具有做宰相的才能。"其实这是卢杞谋私利的狡诈表现之一。

东汉初年，光武帝出兵讨伐王郎，渔阳太守彭宠不断地为光武帝的军队运送粮草，自以为功劳很大，心想一定会升迁。朱浮给他写信说："辽东的猪，自古以来都是黑色的，生下一个猪仔却长着白色的头，大家觉得是很稀奇的东西，就决定把猪仔献给皇上。走到河东时，发现那里的猪全是白色的，愧疚地退了回来。假若把你的功绩呈报给朝廷，就会像辽东的猪一样没什么值得炫耀的。"

放歌渔者　鼓枻诗翁[①]

[注释]

①枻（yì）：亦作"栧"。船舷或船桨。鼓枻：亦作"鼓栧"，划桨，此谓泛舟。

[解说]

晚唐时，崔铉在江陵做太守，见当地有一个奇怪的渔民，没人知道他的姓氏名号，他经常在楚江钓鱼，钓来的鱼马上拿去换酒，然后饮酒放歌。一次，崔铉见他钓鱼归来，便问他："您是隐居的渔民吧？"对方答道："姜子牙、严子陵，世人都以为他们是隐士，殊不知他们是在做欺世盗名之事。"

宋朝有个叫卓彦恭的人，曾路过洞庭湖，看见明月下一老翁在旁边摇桨。卓彦恭问老者有没有鱼，老者答："没有鱼只有诗歌。"说着，遂一边划船一边吟诵起来："八十沧浪一老翁，芦花江上水连空。世间多少乘除事，良夜月明收钓筒。"卓彦恭询问老者的姓名，老者没有回答，不再言语。

韦文朱武[①]　阳孝尊忠[②]

[注释]

①韦文（283~?）：指韦逞母宋氏，前秦女经学家。朱武：指东晋名将朱序（字次伦，今河南桐柏人）之母韩氏。②阳：即王阳，汉朝人，曾任益州刺史。尊：即王尊，汉朝人，曾任益州刺史。

[解说]

《晋书》载：前秦君主苻坚到太学视察，博士卢壶说："《周礼》的课程尚无合适的老师，听说太常韦逞之母宋氏，家传周官之学。除她之外，无人能胜任。"于是，苻坚到韦府拜访，并在韦府开设讲堂，让一百多个太学生听宋氏垂幔帐授课，周官之学得以保存流传。世称韦母为"宣文君"。

东晋大将朱序镇守襄阳时，苻坚派大军围攻他，形势危急。朱序母韩氏亲自登上城头观战，认为襄阳城的西北角可能先受敌军攻击，于是率领一百多人和城里的妇女，在西北角筑起二十余丈高的城墙。后敌军果然从此袭城，大败而归。人们称这座城墙为"夫人城"。

《汉书·赵尹韩张两王传》记载：汉朝人王阳奉命守益州，走到九折坡时，突然感叹道："我的身体是父母所赐，怎能让它处于如此危险的境地？"于是转身打道回府。后来，王尊亦奉命守益州，到达九折坡时，询问当地官吏："这就是王阳不敢通过的地方吗？"当地官吏应答后，王尊则大声命令车夫："冲过去，王阳为孝子，王尊做忠臣！"王尊在益州驻守两年，威震四方。

倚闾贾母① 投阁扬雄②

[注释]

①闾：里巷的大门。贾母：战国时期王孙贾（齐闵王之近臣）的母亲。②扬雄（前53~公元18）：字子云，蜀郡成都（今属四川）人。辞赋家、语言学家。

[解说]

齐闵王执政时，王孙贾为官中随从。楚人淖齿叛乱，齐闵王仓皇出逃，下落不明，王孙贾只好回到家中。他母亲对他说："你早晨出去晚上回来，我就在家门口等待；你若是傍晚出去不回来，我就会到巷子口等待。如今君主出走，你却不知道他在哪里，为什么还回这个家？"王孙贾听了母亲的话语，遂率国人剿灭叛军，立齐闵王的儿子为王，从此齐国得以安定。

西汉末年，扬雄在天禄阁校书，因受他人株连，治狱使者来抓他，他害怕被杀遂从天禄阁跳下，几乎摔死。京城便传言："怕寂寞，自投阁。"

梁姬值虎① 冯后当熊②

[注释]

①梁姬：即梁红玉（1102~1135），南宋抗金将领韩世忠的夫人。②冯后：即汉元帝婕妤冯氏，汉平帝之祖母。

[解说]

相传梁红玉未嫁韩世忠前，曾在深夜看见一只老虎卧在走廊中，慌忙跑开大叫，不一会儿众人赶到。上前细看，乃是一个熟睡的士兵。问他姓名，叫韩世忠。梁红玉回家后将此事告知母亲，遂备酒邀请韩世忠，并与韩世忠结为伉俪。

《汉书·外戚传》载：汉元帝建昭年间，傅婕妤、冯婕妤等随皇上到虎圈观斗兽，突然有一只熊从里边跑出来，众人皆逃散，唯有冯婕妤毫不犹豫地上前用身体挡住熊。元帝问她原因，冯婕妤答："熊靠近御座，我怕陛下受害。"冯婕妤从此更受宠。

罗敷陌上① 通德宫中②

[注释]

①罗敷：即秦罗敷，传说中的汉代美女。②通德：即樊通德，汉代淮南相、江东都尉伶玄之妾。

[解说]

相传汉代王仁的妻子罗敷是邯郸地方的美女，王仁是赵王的家令。一天，罗敷到田野里采摘桑叶，不料被登高远望的赵王看见并喜欢上了，于是借饮酒之机想占有她。罗敷擅长弹奏古筝，便弹了一曲《陌上桑》来表明自己对爱情的坚贞，回绝了赵王的要求。

汉代的樊通德是成帝皇后赵飞燕的女仆，经常凄婉地给丈夫伶玄讲述后宫中成帝迷恋赵飞燕姊妹的荒唐事。伶玄感叹道："一切都将灰飞烟灭了！"遂悄然写成《飞燕传》。

二 冬

汉称七制① 唐羡三宗②

[注释]

①七制：指汉高祖刘邦、文帝刘恒、武帝刘彻、宣帝刘询，东汉光武帝刘秀、明帝刘庄、章帝刘炟。隋代王通认为以上七帝有"大功"，故称"七

制"。②三宗：指唐太宗李世民、玄宗李隆基和宪宗李纯。

[解说]

汉高祖刘邦灭秦立汉，文帝与民休养生息，开创"文景之治"。武帝时民富国强，宣帝体察民情、励精图治，史称"中兴"。东汉光武帝恢复汉室政权，实现汉朝之"中兴"。明帝与其子章帝在位三十年，经济繁荣，国泰民安，史称"明章之治"。故被隋朝大儒王通赞为"七制"。

唐代是中国古代历史上为数不多的昌盛朝代。其中有三朝皇帝令人称赞。他们是开创"贞观之治"的唐太宗李世民，将唐朝推入鼎盛时期、创建"开元盛世"的玄宗李隆基和削藩平乱、重振唐威的宪宗李纯。

杲卿断舌① 高祖伤胸②

[注释]

①杲（gǎo）卿：即颜杲卿（692～756），字昕，唐朝长安万年（今陕西西安）人，和颜真卿同为颜师古五代孙。②高祖：即刘邦。见一东韵"汉祖歌风"。

[解说]

颜杲卿任常山太守时，安禄山与史思明起兵反唐，不久，史思明攻陷常山，杲卿被擒，大骂叛贼。安禄山恼羞成怒，命人钩断杲卿的舌头，杲卿最终喷血而死。文天祥《正气歌》诗句"为颜常山舌"便是称赞他的壮烈。

《汉书·高帝纪》载：汉王刘邦与项羽在荥阳广武争雄，激怒项羽，项羽放弩射中刘邦胸部。汉王为安定军心，却弯腰捂住脚说："敌人伤了我的脚趾。"

魏公切直① 师德宽容②

[注释]

①魏公：即韩琦（1008~1075），字稚圭，自号赣叟，相州安阳（今属河南）人。封魏国公。北宋著名政治家、军事家。著有《安阳集》等。②师德：即娄师德（630~699），字宗仁，原武（今河南原阳）人，唐朝大臣。

[解说]

北宋大臣韩琦，以直谏著称。仁宗有三个儿子，均早亡，迟迟未定皇嗣，韩琦与欧阳修等大臣苦劝几年，终于确立皇储。仁宗病死后，继位的英宗因病不能执政，由太后曹氏垂帘听政，一些宦官进谗言，挑拨两宫关系，韩琦等又直言相劝，使双方关系渐趋缓和，曹氏也撤帘还政。不久，韩琦进右仆射，封魏国公。

唐代武后执政时，娄师德为相，以宽厚仁慈著称。曾对其弟说："人朝你脸上吐唾沫，让它自己干就行了。"后向武后推荐狄仁杰为相，而狄仁杰却几度排挤他。武后取出娄师德写的推荐奏章让狄仁杰看，狄仁杰愧疚不已："娄公盛德，我为之所容久矣！"

祢衡一鹗① 路斯九龙②

[注释]

①祢衡（173~198）：字正平，平原般县（今山东临邑）人。东汉末年名士，文学家。鹗：鸟名，雕属，性凶猛，俗称鱼鹰。②路斯：即张路斯。唐朝景龙年间任宣城县令。

[解说]

汉末祢衡，少有才辩，性高傲。与孔融友善，孔融爱其才，向曹操上疏推荐："鸷鸟累百，不如一鹗，使衡立朝，必有可观。"曹操要求立刻见祢衡，祢衡却称病不去，惹怒了曹操。曹操让他做鼓吏以示羞辱，祢衡则击鼓骂曹。终因狂妄自大而为黄祖所杀。

唐初，张路斯为宣城令，体恤百姓疾苦，耕治荒地，深受百姓敬仰。他死后，便有人传说：张路斯自称龙，其夫人石氏生有九子，曾与同样为龙的郑祥远作战，九子助父打败郑祥远之青绡兵，皆化龙而去。

纯仁助麦①　丁固梦松②

[注释]

①纯仁：即范纯仁（1027～1101），字尧夫，吴县（今江苏苏州）人，范仲淹次子。北宋大臣。②丁固：字子贱，三国吴山阴（今浙江绍兴）人。仕吴为左御史大夫、司徒。

[解说]

范纯仁曾尊父命押送五百斛麦子回苏州，路上遇到文学家石曼卿，曼卿称家中拮据，有三个故去的人还未安葬，范纯仁就把麦子全送给他办丧事。接着，曼卿又说两个女儿尚未出嫁，于是，范纯仁把运麦子的船也送给他。回到开封，范纯仁把路上的事情告诉了父亲范仲淹。范仲淹对儿子说："你的做法正合我意。"

三国时期，吴国的丁固，小时候曾梦见自己腹上长出松树，就对人说："松字拆开，即为十八公。说明将来我到十八岁时，可以做个公卿了。"结果，正如他所言。

韩琦芍药①　李固芙蓉②

[注释]

①韩琦：见二冬韵"魏公切直"。②李固：即李固言（782～860），字仲枢，赵郡（今河北赵县）人。曾任太子太傅等职。

[解说]

江都芍药共有二十二种，其中"金带围"的品种非常难得。相传韩琦任江都郡守时，偶然发现"金带围"开放四朵，恰逢江都郡佐王圭、幕官王安石、卫尉陈升之来访，于是在难得一见的花下设宴款待来客。后来，席中四人相继入朝为相。

唐朝人李固言未及第前，曾遇见一位老夫人，老夫人对他说："郎君明年芙蓉镜下及第。"第二年果然中了状元，且试卷中有"人镜芙蓉"之语。

乐羊七载① 方朔三冬②

[注释]

①乐羊：即乐羊子。东汉时河南（今河南洛阳）人。事见《后汉书》。明人小说《东周列国志》为了增加故事性，将其事移植于战国魏将乐羊身上，与历史不符。②方朔：即东方朔。见一东韵"敝履东郭"。

[解说]

乐羊子到远处拜师求学，一年后返回。妻子问他怎么这么快回来，乐羊子答："出去久了，就想回家。"他的妻子听了，拿把刀来到织布机前，说："这些布实际上来自蚕茧，用机杼来织成，一丝一丝集成寸，又一寸寸不停地织，才能集成几丈几匹。你外出求学修道，假如中途退却，那跟砍断机杼有什么区别呢？"于是，乐羊子重新出去求学，连续七年未归。

《汉书》卷二十五载：汉武帝即位后，征召各地士人，东方朔上疏自荐："我幼年即无父母，十二岁学书三冬，通晓文史，十五岁练击剑，十六岁学诗书，十九岁研读孙子、吴起兵法，能摆阵布局，熟悉兵器、钲鼓的使用方法，这样的人可以做天子的大臣吧！"

郊祁并第① 谭尚相攻②

[注释]

①郊祁：即宋朝宋郊和宋祁兄弟二人。宋郊（宋仁宗命改为宋庠）（996~1066），字公序；宋祁（998~1061），字子京。祖籍雍丘（今河南民权双塔集）。②谭尚：即东汉袁绍的长子袁谭（？~205）、三子袁尚（约180~207）。

[解说]

宋仁宗天圣二年（1024）宋庠、宋祁同科进士及第后，章宪太后认为弟不可先于兄，将本在榜首的宋祁列为第十，宋庠擢为第一，世称"兄弟双状元"。

东汉末年，袁绍死后，袁尚继位，引起其兄袁谭不满，自号车骑将军，与他的弟弟连年交战。他借用曹操的势力击败兄弟，然后背叛曹操，终被曹操灭掉。

陶违雾豹① 韩比云龙②

[注释]

①陶：指周朝陶地方的大夫答子。②韩：即韩愈（768~824），字退之，河阳（今河南孟州）人。世称韩昌黎（祖籍河北昌黎）。晚年任吏部侍郎，又称韩吏部。谥号"文"，亦称韩文公。唐代文学家、哲学家。居唐宋八大家之首。有《昌黎先生集》四十卷、《外集》十卷。

[解说]

答子在陶这个地方为官三年，功绩了了，自己家中却愈加富裕。其妻苦苦相劝："我听说南山有玄豹，雾雨七日而不下食者，何也？目的是想让自己的皮毛润泽，纹路清晰。故不伤害他人是为了隐藏自己。猪不择食，迅速肥胖，很容易被杀死。当今你来治理陶地，家富国贫，君不敬，民不戴，将后患无穷。"答子不听，后来果然被杀。

韩愈与孟郊（字东野）友善，曾写有一首《醉留东野》，诗云："吾愿身为云，东野变为龙，四方上下逐东野，虽有离别无由逢。"

洗儿妃子① 校士昭容②

[注释]

①妃子：指杨玉环（719~756），唐玄宗李隆基的宠妃。②昭容：指上官

婉儿（664~710），唐代女官、女诗人，唐中宗昭容。

[解说]

唐玄宗喜欢节度使安禄山，杨贵妃将其收为义子，并在宫中用锦绣把安禄山包裹起来，为其行"洗儿礼"。玄宗大喜，赐贵妃洗儿银钱，并重赏安禄山。

唐中宗李显到昆明池春游，命侍臣作诗应对，吩咐昭容上官婉儿从中选出第一名。大部分诗作都被淘汰，仅剩下沈佺期、宋之问的两首诗，上官婉儿反复比较之后，决定将宋之问的诗定为第一名，并给出评语："最后两首诗功力匹敌，只是宋诗的末句'不愁明月尽，自有夜珠来'更胜一筹。"

彩鸾书韵① 琴操参宗②

[注释]

①彩鸾：传说中的仙女。②琴操：宋朝钱塘歌妓。

[解说]

吴猛之女彩鸾曾跟随丁义之女秀英学道，后来嫁给书生文箫，文箫家境贫寒不能自给，彩鸾需每天抄写一部韵书，用出售的钱来糊口。但她始终不离不弃文箫，坚持十年，终感动了上帝，遂各跨一虎升天为仙。

苏轼做杭州知府时，与十六岁的歌妓琴操不期而遇，成为知己。一天，苏轼携琴操游西湖，对琴操说："我扮长老，你来向我参禅，如何？"琴操随口问道："什么叫做湖中景？"苏轼答："落霞与孤鹜齐飞，秋水共长天一色。"问："什么叫做景中人？"答："裙拖六幅湘江水，鬓扫巫山一段云。"问："什么叫做人中意？"答："门前冷落车马稀，老大嫁作商人妇。"琴操忽然明白，于是削发为尼。

三 江

古帝凤阁^①　刺史鸡窗^②

[注释]

①古帝：此处指黄帝。姓公孙，生于轩辕之丘，故称为轩辕氏。建国于有熊，亦称为有熊氏。被尊为中华民族的人文始祖。②刺史：指晋朝兖州刺史宋宗。

[解说]

传说有凤凰曾在宫殿筑巢，黄帝不认识这种鸟，就去问天老，天老告诉他，这种鸟雄的叫凤，雌的叫凰。早晨叫是登晨，白天叫是上祥，傍晚叫是归昌，夜里叫是保长。凤凰一出，表明天下安宁，应该是大祥的征兆。于是，黄帝就在宫殿祭祀，果然引来了遮天蔽日的凤凰，它们栖息在梧桐树上，以竹子为食，停留三日后飞走。

晋代宋宗做兖州刺史时，得到一只长鸣不止的鸡，非常喜欢，就把它养在窗户下。后来鸡竟然会讲人话，能与宋宗交谈，语言还富有哲理。从此，宋宗的玄学水平大有长进。

亡秦胡亥^①　兴汉刘邦^②

[注释]

①胡亥（前230～前207）：嬴姓。秦始皇第十八子，太子扶苏的弟弟。秦始皇出游南方，病死途中，在赵高与李斯的帮助下，胡亥杀害太子，当上皇帝，或称二世皇帝。②刘邦：见一东韵"汉祖歌风"。

[解说]

胡亥继位后，宠信佞臣，施行暴政，导致各地农民起义爆发，最终为扶他即位的赵高所除掉。胡亥死时年仅二十三岁,当了三年皇帝,后来以黔首(即百姓)礼埋葬。

胡亥死后,子婴继位,后被西楚霸王项羽所杀,秦朝灭亡。接着,项羽与汉王刘邦进行了长达五年的楚汉战争,结果,刘邦战胜项羽,成为汉朝的开国皇帝,史称汉高祖。

戴生独步① 许子无双②

[注释]

①戴生:即戴良。字叔鸾,汝南慎阳(今河南正阳)人。举孝廉,再辟司空府,俱不就。《后汉书》卷八十三《逸民列传》有传。②许子:即许慎(约58~约147),字叔重,东汉汝南召陵(今河南漯河市召陵区)人,汉代经学家、文字学家、语言学家。

[解说]

戴良才识高达,议论追求奇特,常语出惊人。同郡谢季孝问他:"你自己认为天下人谁能与你相比?"良答:"我好比鲁国的仲尼,西羌的大禹,天下无双,谁与为偶!"

许慎少即博学经籍,时人夸赞他:"《五经》无双许叔重。"曾师从经学大师贾逵。他历经二十一年著成《说文解字》,开创了中国文字学的先河。

柳眠汉苑① 枫落吴江②

[注释]

①柳眠:休眠的柳树。②枫落吴江:指唐崔信明的诗句"枫落吴江冷"。

[解说]

清人张澍辑《三辅旧事》载:汉苑有一种柳树,外形像人,称为人柳,一日三眠三起,很是奇特。

唐代贞观年间,崔信明为秦川令,常以文人自诩,众人赞其

"枫落吴江冷"为名句。一天,扬州参军郑世翼于江中偶遇崔信明,便向崔信明要求拜读其余诗文,崔欣然拿出,郑世翼没有看完,就说:"所见不如所闻。"遂将崔氏作品投到水中,怅然离去。

鱼山警植① 鹿门隐庞②

[注释]

①鱼山:位于山东东阿县城东南的黄河北岸,属泰山西来余脉。曹植曾被封为东阿王。植:指曹植(192~232),字子建。沛国谯(今安徽亳州)人。曹操第三子,封陈思王。三国时魏国文学家,有《曹子建集》。②鹿门:指鹿门山,原名苏岭山,在湖北襄阳东南约十五公里处,临汉江。庞:指庞德公。东汉末襄阳(今湖北襄樊)人,隐士。与隐居襄阳的徐庶、司马徽、诸葛亮过从甚密。传为诸葛亮老师。其侄庞统,为刘备主要谋士。

[解说]

曹植登临鱼山巡视东阿时,忽然听见一处山洞里传来诵经声,由远及近,愈加清晰。不禁驻足细品,敬意油然而生。

东汉庞德公,以耕读为业,荆州刺史刘表数次邀请皆不应,后携妻进鹿门山采药不返,隐居山中。

浩从床匿① 崧避杖撞②

[注释]

①浩:指孟浩然(689~740),本名浩,字浩然,襄州襄阳(今湖北襄樊)人,世称"孟襄阳"。唐代田园诗人。②崧:即药崧。东汉河内(今河南沁阳)人。官至南阳太守。

[解说]

孟浩然和王维是好朋友。有一天,王维私自将孟浩然带到皇宫内的办公场所,恰好遇到唐玄宗来访,孟浩然慌忙躲入床下,王维如实告诉玄宗孟浩然在此,玄宗听说孟浩然有诗名,遂请他出来吟诗。孟浩然随口吟诵他自己的诗作,当吟诵到"不才明主弃"一句时，玄宗打断他："你未曾求官，我也不曾抛弃你，为何诬陷我？"于是放孟浩然回乡为民。

东汉药崧曾因事激怒明帝，明帝便举起手杖敲打药崧，他钻入床下，口中叫道："天子穆穆，诸侯煌煌，未闻人君，自起撞郎。"明帝只得罢手。

刘诗瓿覆① 韩文扛鼎②

[注释]

①刘：指刘基（1311～1375），字伯温，青田（今属浙江）人。元末明初军事家、政治家、文学家。明朝开国元勋之一。著有《郁离子》和《诚意伯文集》等。②韩：即韩愈。见二冬韵"韩比云龙"。

[解说]

刘基博学多才，元末中进士后，为官廉直，常得罪豪绅，两次辞官归隐，作有诗文《覆瓿集》，暗喻才能不得施展的失落与伤感。

唐代文学家韩愈诗文《病中赠张十八》中有"龙文百斛鼎，笔力可独扛"之句，借喻诗文之精辟豪放。

愿归盘谷① 杨忆石淙②

[注释]

①愿：指李愿，唐朝人。韩愈曾作《送李愿归盘谷序》。盘谷：在今河南济源市境。李愿曾在此隐居。②杨：指杨一清（1454～1530），字应宁，号邃庵，云南安宁人。幼时以奇童闻名。历仕成化、弘治、正德、嘉靖四朝，博学善政，官至首辅。

[解说]

韩愈在《送李愿归盘谷序》中讲述李愿的故乡盘谷位于太行南麓，泉甘土肥，草木丛茂，居民稀少，令愤世嫉俗、看破红尘的隐士们向往。

杨一清在朝廷中位极权重，历尽宦海风波，晚年被诬削职。他常常念及云南故乡的螳螂川，水流石间，铮铮作响，誉为石淙。其作品亦称为《文襄石淙集》、《石淙诗稿》等。

弩名克敌① 城筑受降②

[注释]

①弩：用机械力量发的弓。克敌：良弓名。②受降：汉代受降城在今内蒙古自治区乌拉特中旗以北。

[解说]

宋韩世忠于金入寇时，造克敌弓以挡敌，用克敌弓射出的箭可达百米远，其力度可穿透重甲。

汉武帝太初元年（前104），杅（yú）将军公孙敖曾在塞外筑受降城接受匈奴投降。唐中期，突厥势力强盛，屡次南下威胁大唐。景龙二年（708），朔方道大总管张仁愿在黄河北岸的阴山以南地带建筑了三座受降城，各据交通要道，首尾照应，对稳定边境起到了重要作用。

韦曲杜曲① 梦窗草窗②

[注释]

①韦曲：韦安石在长安城南修建的别墅。韦，指韦安石，京兆万年（今陕西西安）人。举明经，武则天久视中，任鸾台侍郎同凤阁鸾台平章事。杜曲：杜，指杜佑（734~812），字君卿，唐京兆万年（今陕西西安）人，历仕唐玄宗、肃宗、代宗、德宗、顺宗、宪宗六朝，累官至宰相。编著《通典》二百卷。②梦窗：指吴文英（1212~1272），字君特，号梦窗，晚年又号觉翁，四明（今浙江鄞县）人。南宋词人。一生未第，曾为浙东安抚使吴潜及赵与芮门下客。草窗：指周密（1232~1298），字公谨，号草窗，又号四水潜夫、弁阳老人、华不注山人。南宋词人，文学家。吴兴（今浙江湖州）人。宋恭宗时曾为义乌令。入元隐居不仕。潜心诗文，著作颇丰。

[解说]

樊川，位于西安城南少陵原与神禾原之间，其间风景如画。汉初，曾是西汉名将樊哙的封地，到了唐代，这儿又成为贵族名流的聚居之地，名相韦安石、杜佑等便在此建造了自己的别墅，园林亭台，别具风格。诗圣杜甫赞叹"韦曲花无赖，家家恼杀人"，"杜曲花光浓似酒，少陵春色苦于人"。

吴文英的词，用笔幽邃，遣词清丽，且数量丰富，有《梦窗词》等。周密的词，风格清雅秀润，词集有《草窗词》，与吴文英并称"二窗"。

灵征刍狗① 诗祸花尨②

[注释]

①刍狗：用草编织的狗，常被古人用作祭神之物。刍，蒿草。②尨(máng)：狗。

[解说]

《三国志·魏书·方技传》载：文帝曹丕在位，郡吏周宣（字孔和）以占卜闻名。曾有人问周宣："吾昨夜梦见刍狗，这预示着什么？"宣答："君欲得美食耳！"不一会儿，果遇丰膳。后又问宣："昨夜曾梦见刍狗，预示着什么？"宣曰："君欲堕车折脚，应当小心。"不久，果如宣言。后又问宣："昨夜梦见刍狗预示着什么？"宣曰："君家失火，应当好好保护你的家。"话音刚落，便望见起火。此人告诉周宣："前后三次，都不曾梦见刍狗。只是想见识一下您的预测能力，为什么都应验了？"宣对曰："这是神灵给你的感应，所以与真梦没有差别。"

明初长洲（今江苏苏州）诗人高启（字季迪），为人孤傲耿直，朱元璋拟委任他为户部右侍郎，固辞不赴，曾以失宠宫女的口吻赋诗《宫女图》："女奴扶醉踏苍苔，明月西园侍宴回。小犬隔花空吠影,夜深宫禁有谁来?"引起朱元璋的忌恨。

嘉贞丝幔① 鲁直彩缸②

[注释]

①嘉贞:指张嘉贞(666~729),蒲州猗氏(今山西临猗)人。唐初宰相。后来其子张延赏、孙张弘靖皆位至宰相,世称"三代相门"。②鲁直:指黄庭坚(1045~1105),字鲁直,号山谷道人,晚号涪翁,洪州分宁(今江西修水)人。"苏门四学士"之一。北宋诗人,词人,书法家。著有《豫章黄先生文集》、《豫章黄先生词》等。

[解说]

中唐时,宰相张嘉贞见武将郭元振才貌双全,欲纳为婿,便叫自己的五个女儿各手持一根红丝线站于幔后,让元振从中挑根红线,选中的即成为其妻,张嘉贞貌美贤惠的三女儿被选中。

黄庭坚的儿子迎娶苏轼的孙女时,把放彩礼的大缸用大红绸缎缠裹起来,人称彩缸。

四 支

王良策马① 傅说骑箕②

[注释]

①王良:星官名。②傅说(yuè):(约前1335~前1246),殷商王武丁之相,傅氏家族之始祖,殷商时卓越的政治家、军事家。

[解说]

《史记·天官书》载:"汉中四星,曰天驷。旁一星曰王良。王良策马,车骑满野。"《星经》云:"王良五星,在奎北,居河中。四星曰天驷,亦曰天马,旁一星曰王良。一星若居马膈(gā),或移王良旁,则为策马,那么就会天下大乱。"

《庄子·大宗师》:"傅说得之以相武丁,奄有天下,乘东维,骑箕尾,而比乎列星。"今箕尾间有傅说一星,主管祭祀,明大则王者多子孙,亡则社稷无主,入尾则被天下人咒骂,庄子盖取此以相比,非真谓傅说能上升也。

伏羲画卦① 宣父删诗②

[注释]

①伏羲:又作宓羲、庖牺、包牺、伏戏,亦称牺皇、皇羲、太昊,《史记》中称伏牺。中华民族的人文始祖,所处时代约为新石器时代早期。是我国史籍中记载的最早的王,三皇之首。②宣父:即孔子,见一东韵"宣圣春风"。

[解说]

传说伏羲帝在黄河岸边观天象时,突然有龙马从河中浮出,龙马的背部瞬间变成一幅图,呈现出阴阳奇偶之数,伏羲看见后随即仿照临描,从而画成八卦图。

孔子,哀公谏为尼父。西汉褒谥成宣,后又加称至圣文宣王。孔子曾任鲁国司寇,因仕途不顺,便携弟子周游列国,后回鲁国专心执教。并修订《诗》、《书》,编定《礼》、《乐》,序《周易》,作《春秋》。

高逢白帝① 禹梦玄彝②

[注释]

①高:指汉高祖刘邦。见一东韵"汉祖歌风"。②禹:亦称大禹、夏禹、戎禹,原为夏后氏部落首领,奉舜命治理洪水,十三年过家门而不入,在兴修水利、发展农业上有很大贡献,因而被舜选为继承人。后来禹的儿子启又继承禹建立了中国历史上第一个奴隶制国家夏。

[解说]

刘邦为亭长时,醉酒后夜行于沼泽中,见有一条大蛇卧在前面,便提剑把蛇斩为两段。后来,路人从此经过,见一老夫人对蛇痛哭,便询问原因。夫人说:"我儿子本为白帝子,化为蛇卧于道中,却被赤帝斩杀。"

大禹在衡山治理水害时,曾梦见穿一身红色衣服的男子来到跟前,自称是玄彝苍水使者,告诉大禹要想治水,必须在黄帝宫祭祀三日,大禹遂照办。果然拿到了玄彝苍水使者送来的金简玉牒,从而知道了治水的关键。

寅陈七策① 光进五规②

[注释]

①寅:指胡寅(1098~1156),字明仲,建宁崇安(今属福建)人,北宋学者胡安国之侄。②光:指司马光(1019~1086),北宋陕州夏县涑水乡(今山西运城安邑镇东北)人,字君实,号迂夫,晚年号迂叟,世称涑水先生。官至尚书左仆射,为相。追封温国公,因又称司马温公。谥文正。北宋著名政治家、史学家、散文家。编撰《资治通鉴》二百九十四卷,并著有《司马文正公文集》等。

[解说]

宋高宗登基后,起居郎胡寅上奏七条建议:第一条是罢和议修战略,第二条是置行台,第三条是务实效,第四条是整饬军队,第五条是都荆巢,第六条是选宗室,第七条是重振朝廷纲纪。同中书门下平章事吕颐浩嫉恨其进谏切直,指使人上告罢其官。

宋仁宗嘉祐六年,司马光为起居舍人同知谏院,以三剳子上奏皇帝:其一论君德,曰仁,曰明,曰武;其二论御臣,曰任官,曰信赏,曰必罚;其三论拣军,言养兵之术,务精不务多。继而又进五规:一曰保业,二曰惜时,三曰远谋,四曰谨微,五曰务实。帝嘉纳之。

鲁恭三异① 杨震四知②

[注释]

①鲁恭：东汉人。字仲康，扶风平陵人，历仕章帝、和帝、殇帝、安帝四朝，官拜司徒。②杨震（59～124）：字伯起，东汉弘农华阴（今属陕西）人，官至太尉。

[解说]

东汉末，鲁恭为中牟令，有三大政绩：在县内施行仁政，进而保护禽兽；童子怀仁心，不抓幼小的飞雉；蝗虫过其境而不入。河南尹袁安旌表并向朝廷推荐了鲁恭。后为大司徒。

汉朝末年，杨震上任东莱太守时，路过昌邑，他曾举荐过的昌邑令王密，趁着黑夜向他敬献金子，被杨震拒绝。王密说："黑夜中没有人知道。"杨震说："天知，地知，你知，我知，何谓无知？"

邓攸弃子① 郭巨埋儿②

[注释]

①邓攸（？～326）：字伯道，平阳襄陵（今山西襄汾东北）人，官至尚书右仆射。②郭巨：东汉隆虑（今河南安阳林州）人，中国古代"二十四孝"故事中的主人公之一。

[解说]

晋朝末年，石勒叛乱，打入京城，时任河东太守的邓攸毅然劝说妻子丢弃自己的亲生儿子，舍命保护失去父母的侄子逃生。

汉朝时，郭巨家贫不能供母，每当母亲吃饭时，还要分一点给郭巨的儿子。为了让母亲吃饱饭，夫妇俩想活埋自己的儿子，在挖坑埋儿时，却得到一瓮黄金。

公瑜嫁婢[①]　处道还姬[②]

[注释]

①公瑜：即钟离瑾（约967～1030），字公瑜，安徽合肥人。官至开封知府。《宋史》有传。②处道：即杨素（544～606），字处道，弘农华阴（今属陕西）人，隋朝重要的军事家和诗人。以战功封越国公，掌朝政。参与宫廷阴谋，废太子杨勇，拥立炀帝。

[解说]

宋代钟离瑾做德化知县时，女儿将要出嫁，买一女仆配嫁，得知此女仆是前县令的女儿，便把她作为自己的女儿一同出嫁。

唐孟棨《本事诗·情感》载：南朝陈将要灭亡时，驸马徐德言与妻乐昌公主估计不能相保，就把一面铜镜分开各执其半，相约于正月十五日各至市上出售破镜，借此相聚。陈朝灭亡，乐昌公主沦为杨素的侍妾。到了约定的正月十五，徐德言辗转进京，果然遇到卖半镜者，杨素知道了真情，便让他们夫妻俩破镜重圆。

允诛董卓[①]　玠杀王夔[②]

[注释]

①允：即王允（137～192），字子师，太原祁县（今属山西）人，东汉献帝司徒。董卓（？～192）：字仲颖，陇西临洮（今甘肃临洮）人，东汉少帝、献帝两朝权臣，官至太师，封郿侯。②玠：即余玠（？～1252），字义夫，号樵隐，蕲州（今湖北蕲春）人。南宋名将，官至兵部尚书。王夔：曾任利州（今属四川广元）都统。素残悍，号"王夜叉"。《宋史》有传。

[解说]

汉献帝时，王允为司徒，董卓专横跋扈于朝廷。王允便与吕布商议，设计诛杀董卓，陈尸于闹市。

余玠为四川宣谕使时，都统王夔素残悍，不受节制，蜀人备受其苦。余玠至嘉定，王夔帅所部迎接，余玠与亲将阳成密谋，让阳成领兵潜伏旁边，趁他与王夔议事时，出其不意，为民除害。

石虎矫捷① 朱亥雄奇②

[注释]

①石虎：即桓石虎（？~388），小字镇恶，谯国龙亢（今安徽怀远）人，东晋猛将。②朱亥：战国时期魏国人（一说朱廖，大梁人）。《史记》有载。

[解说]

晋桓石虎骁勇有才干，随桓温入关后，威震四方。桓温弟桓冲被苻坚军包围，桓石虎跃马向前，把桓冲从数万军中救出。

朱亥原是一个勇武过人的屠夫，后经侯嬴推荐成为魏公子信陵君的门客。信陵君派他出使秦国，秦王大怒，把他放入虎圈，朱亥怒发冲冠，双目直视老虎，虎不敢动，秦王见势遂以礼相待。后又奉命在衣袖中隐藏四十斤铁锤，击杀不肯出兵的魏将晋鄙，使信陵君得以夺取兵权，出兵击退秦军，救助了赵国。

平叔傅粉① 弘治凝脂②

[注释]

①平叔：即何晏，字平叔，南阳宛县（今河南南阳）人。曹操的"假子"。三国魏玄学家。后为司马懿所杀。②弘治：指杜乂（yì），名乂，字弘治。东晋京兆杜陵（今陕西西安东南）人，曾任丹阳丞，封当阳侯。

[解说]

三国魏何晏，英俊潇洒，面容白净。魏明帝怀疑他用了粉妆，便在酷暑时节让何晏吃热汤饼。刚吃下，他便大汗淋漓，用衣袖擦汗，其脸庞瞬间又显出皎洁的本色。

东晋的美男子杜乂仪表典雅，面容清秀，书圣王羲之见了，对他赞不绝口："面庞洁白细腻，仿佛凝结的油脂，眼珠乌黑明亮，仿佛点了黑漆，简直是仙人下凡！"

伯俞泣杖① 墨翟悲丝②

[注释]

①伯俞：即韩伯俞，汉代梁州（今陕西汉中）人。②墨翟（dí）：墨氏，名翟，鲁国人。战国时期著名的思想家、教育家、军事家，墨家学派的创始人。著有《墨子》。

[解说]

韩伯俞非常孝顺，一次犯了过错，母亲抬起手杖打他，韩伯俞伤心地哭起来。母亲不解地问他："从前多次用拐杖打你都没哭过，今天为什么哭？"他回答："以前拐杖打在身上感觉痛，说明母亲康健，而今天我却感觉不痛，说明母亲体力减弱，所以我心痛。"

一天，墨子见有人在给丝线染色，由衷地感叹道："用黑色染则变为黑色，用黄色染则变为黄色，用五种颜色染则变为五色，一定要谨慎啊！不但染丝要这样，治国也是同样道理。"

能文曹植① 善辩张仪②

[注释]

①曹植，见三江韵"鱼山警植"。②张仪（？~前310）：战国魏大梁（今河南开封）人，魏国贵族后裔。与苏秦同师鬼谷子学习纵横术。曾为秦、魏二国相，封武信君。主张连横，劝诸侯与秦结盟，以破坏六国联合抗秦的合纵战略。

[解说]

曹植年幼聪颖，十岁善属文，才思敏捷。曹操曾怀疑他是请托别人代笔，曹植对答："出言为论，下笔成文，皆当面试，怎能倩人。"当时目为绣虎。谢灵运曾称赞他："天下才共一石，子建独得八斗。"

张仪是楚相门客，一次楚相举办宴会，有人诬陷他偷了玉璧，因此被打得遍体鳞伤。回家后问其妻："看我的舌头还在吗？"妻答:"还在。"张仪说:"只要舌头在足矣。"后逃往秦国,受到重用,因为他极其善辩,致使六国皆割地事秦。

温公警枕① 董子下帷②

[注释]

①温公:即司马光。见四支韵"光进五规"。②董子:即董仲舒(前179~前104),广川(今河北衡水)人。汉代思想家、政治家,提出"天人感应"、"大一统"学说和"罢黜百家,独尊儒术"的主张。

[解说]

宋代司马光勤奋好学,常读书至深夜,害怕自己困倦睡着,便用一圆木作为警枕,刚睡一会儿,就会被圆木枕硌(gè)醒,于是重新起来接着读。

《史记·儒林列传》载:汉代大儒董仲舒为排除外界干扰,潜心向学,在室内苦读,三年不去花园游玩,人很难见其面。

会书张旭① 善画王维②

[注释]

①张旭:字伯高,一字季明,吴郡(今江苏苏州)人。官至金吾长史,人称"张长史"。②王维(701~761):字摩诘(jié),山西祁县人,田园诗人,官至尚书右丞。崇信佛教,人称"诗佛"。著有《王右丞集》。

[解说]

唐朝的张旭善草书,性嗜酒。每次喝醉后,就不停地呼叫狂跑,然后提笔书写,有时甚至用头发蘸墨书写。每当醒来,自以为非常入神。人称之为"草圣"。

唐代诗人王维,开元九年进士第一,最善于作诗与画画。宋朝苏轼称赞他的作品:"味摩诘之诗,诗中有画;观摩诘之画,画中有诗。"

周兄无慧① 济叔不痴②

[注释]

①周：晋悼公，名周（前586～前558），春秋时期晋国国君。在位时惩乱任贤，对外"和戎狄"，联宋纳吴，使晋国霸业达到鼎盛。②济：即王济（约246～291），字武子，太原晋阳（今山西太原）人。晋武帝司马炎之女婿。官至侍中。

[解说]

春秋时期，鲁成公十八年，晋国大夫栾书等弑厉公，迎立襄公曾孙姬周为国君，时年十四，史称晋悼公。公即位后，清除了七个不顺从他的人，修旧功，施德惠，楚不敢竞。周有兄而不聪慧，不能辨清菽麦，所以不能立为国君。

晋朝的王湛大智若愚，于是久负"痴"名。他兄长的儿子王济去看望他，本无多少敬意，但忽然发现床头有《易》，惊讶地与之交谈，王湛剖析入微。王济感叹道："家中有名士，三十年而不知。"晋武帝曾问王济："你家痴叔死了没有？"济答："家叔不痴。"于是讲述了王湛的许多惊人之处。帝问可与谁相比，王济答："上比山涛不足，下比魏舒有余。"王湛从此声名远扬。

杜畿国士① 郭泰人师②

[注释]

①杜畿（163～224）：字伯侯，雍州京兆杜陵（今陕西西安）人。官至尚书仆射、丰乐亭侯。谥戴侯。②郭泰（128～169）：泰或作太，字林宗，太原介休（今属山西）人。博学多才，名重洛阳。居家讲学，弟子多达数千人。与李膺等交游，太学生推为领袖，被士子誉为"八顾"之一。

[解说]

三国魏时，杜畿由荆州返许都，路遇侍中耿纪，两人彻夜长谈。尚书令荀彧与耿纪为邻，夜里听见了耿纪与杜畿的对话，非常欣赏杜畿。天亮后，即派人给耿纪传话："有国士而不进，何以居位。"于是把杜畿推荐给朝廷。

东汉魏照，童子时求做郭泰的书童，供给洒扫。泰曰："当精义读书，何来相近。"照曰："经师易得，人师难逢，欲以素丝之质近于朱蓝。"于是泰名声大噪，士争归之。

伊川传易[①]　觉范论诗[②]

[注释]

①伊川：指程颐（1033～1107），字正叔，北宋洛阳人，世称伊川先生。历官崇政殿说书、管勾西京国子监。理学家和教育家，与其兄程颢合称"二程"。遗著有《二程全书》。②觉范（1071～1128）：法名惠洪，字觉范，南宋高僧。与邹元佐、彭几并号"新昌三奇"。著有《冷斋夜话》、《林间录》等。

[解说]

宋朝时，程颐游历成都，见一个箍竹桶的艺人，挟有书册，仔细一看，乃是《易经》。就与那箍桶者论易，箍桶者见解精辟，程颐很高兴。后对袁滋说："易学在蜀矣！"又曾与卖酱薛翁语，大有裨益。原来箴叟、酱翁都是有学问的隐士。

宋朝的高僧觉范，善作诗。其弟超然，为人谨厚，亦善论诗，极有风味，曾说："作诗贵在天趣。"觉范问："如何才能懂得天趣？"答："能知萧何，所以能识韩信，则天趣可识矣。"觉范竟不能屈。《冷斋夜话》载有其事。

董昭救蚁[①]　毛宝放龟[②]

[注释]

①董昭（152～232）：字公仁。东汉兖州济阴定陶（今属山东）人。官至司徒、乐平侯。谥定侯。②毛宝：字硕真，荥阳阳武（今河南原阳）人。东晋名将，因功封州陵侯，北伐中原时兵败遇害。

[解说]

一天，董昭乘船渡钱塘江，见短芦浮一蚁，他心中恐惧，担心

四支　49

蚂蚁会掉进河里，于是用一根绳系着短芦直拖到岸上，蚂蚁最终得救。当天夜里董昭梦见一乌衣人来感谢他。

毛宝十二岁时，见渔人钓得一只白龟，毛宝出钱把白龟买过来，然后重新放回河里。后来毛宝守邾（zhū）城，与石虎战败投江自杀，脚下踩着一物得以上岸。回头看脚下的物体，原来是他从前所放生的白龟。

乘风宗悫① 立雪杨时②

[注释]

①宗悫（què）：字元干，南阳（今属河南）人。南朝宋名将。《宋书》有传。②杨时（1044~1130）：字中立，南剑将乐（今属福建）人。师从程颢与程颐，官至龙图阁直学士。学者称龟山先生。著有《龟山集》等。

[解说]

宗悫是宗炳的侄子，小时候宗炳问其志。答曰："愿乘长风破万里浪。"日后果然有为。曾任刘宋豫州太守，升振武将军。攻克林邑，面对堆积如山的珍宝，秋毫不取。后封洮阳侯。

宋朝杨时，潜心经史，拜程颢为师。程颢死，又到洛阳拜程颐为师，年虽四十，但对程颐愈加恭敬。一日，程颐在屋中小憩，杨时立于门口一直没有离开。程颐醒来后发现，门外的雪已积了一尺多深。

阮籍青眼① 马良白眉②

[注释]

①阮籍（210~263）：字嗣宗，陈留尉氏（今属河南）人。三国魏文学家与思想家。与嵇康、山涛、向秀、刘伶、王戎、阮咸并称"竹林七贤"。著有《咏怀诗》等。《晋书》有传。②马良（187~222）：字季常。三国襄樊宜城（今属湖北）人，马谡之兄。蜀汉名臣。

[解说]

三国魏名士阮籍,能为青白眼,见俗客则以白眼对。在家守丧时,稽喜前往慰问,阮籍以白眼迎接,稽喜大不悦。稽喜之弟稽康听了兄长的诉说,挟琴载酒来到阮府。阮籍非常高兴,便以青眼相见。

三国时,马良兄弟五人,俱有才名。马良眉际有白毫,里人称赞他:"马氏五常,白眉最良。"刘备领荆州时,采纳了他的建议,任其为从事。

韩子孤愤① 梁鸿五噫②

[注释]

①韩子:指韩非子(前279~前232),战国时期韩国(今河南新郑)人,韩国公子。中国古代著名的哲学家、思想家、政论家和散文家,法家思想的集大成者。著有《韩非子》,《孤愤》是其中一篇。②梁鸿:字伯鸾,扶风平陵(今陕西咸阳西北)人。东汉诗人。与妻孟光"举案齐眉",隐居终生。

[解说]

韩非与李斯都是荀子的学生,善刑名法律之学,作《说难》、《孤愤》、《五蠹》、《说林》十余万言。秦王曾读其书,感叹道:"朕若能与此人交往,便死而无憾矣。"后韩非出使秦国,秦始皇非常欣赏他,只可惜未来得及任用,却被李斯杀害。

汉代梁鸿,家贫但坚守节操,因东出关时路过京城洛阳,见宫殿之华丽,感人民之疾苦,遂作《五噫歌》,诗曰:"陟彼北芒兮,噫!顾瞻帝京兮,噫!宫阙崔嵬兮,噫!民之劬劳兮,噫!辽辽未央兮,噫!"章帝召见他,梁鸿则隐姓埋名居于齐鲁间,与其妻孟光相敬如宾,每次吃饭时必举案齐眉。

钱昆嗜蟹① 崔谌乞麋②

[注释]

①钱昆：字裕之，北宋钱塘（今浙江杭州）人。官至右谏议大夫。著有《谏议诗文集》等。《东都事略》载有其事。②崔谌：北齐人。曾任河间太守。《北齐书·李绘传》载有其事。

[解说]

宋初，为惩治藩镇之弊，朝廷设通判一职辅佐太守。因此，通判常与太守争权，说："朝廷让我来监督你。"钱昆生性喜欢吃蟹，任少卿时，向朝廷求补郡守，别人问他的条件，钱昆答："但得有螃蟹无通判就行了。"

北齐的崔谌，凭借其弟仆射崔暹的势力，向高阳内史李绘要麋角和翎羽，李绘回信说："翎有六羽，飞则冲天；麋有四足，走则入海。下官手脚迟缓，不能追飞捉走以事佞人。"

隐之卖犬① 井伯烹雌②

[注释]

①隐之：即吴隐之（？~414），字处默，东晋濮阳鄄城（今属河南）人，官至度支尚书。著名廉吏。②井伯：指百里奚，字井伯，春秋时宛（今河南南阳）人。辅佐秦穆公完成霸业，成为一代名相。

[解说]

《晋书·吴隐之传》载：吴隐之为谢石主簿。将嫁女，让其婢牵一犬去卖，为女儿置办嫁妆。

百里奚外出游学时，妻宰孵卵雌鸡为食，劈门板为柴给他饯行。久不回，妻无以自给。后百里奚为秦相，妻知之，未敢认。一日，百里奚在堂上作乐，府上雇来的洗衣妇自称会琴，于是抚琴而歌："百里奚，五羊皮，忆别时，烹伏雌，炊扊（yǎn）扅（yí），今日忘我为。"百里奚大惊。问之，乃故妻也，遂夫妻团圆。

枚皋敏捷① 司马淹迟②

[注释]

①枚皋（前153~?）：字少孺，枚乘庶子。其辞赋作品以诙谐著称，得汉武帝赏识，拜为郎。②司马：即司马相如（约前179~前117），字长卿，蜀郡成都（今属四川）人，汉代文学家。《史记》有传。

[解说]

汉朝的枚皋，才思敏捷。武帝时上书北阙，拜为郎。扬雄评价他："军旅之际，戎马之间，飞书驰檄，则用枚皋。"

汉朝的司马相如，武帝朝以辞赋得以重用。其文首尾温丽，但构思迟缓，其为《上林赋》、《子虚赋》，经百日而后成。扬雄评价他："庙廊之下，朝廷之上，高文典册，则用相如。"

祖莹称圣① 潘岳诚奇②

[注释]

①祖莹，字元珍，范阳遒（今属河北涞水）人。北魏人。官至车骑大将军，封文安县伯。②潘岳（247~300）：字安仁，西晋文学家。中牟（今属河南）人。官至给事黄门侍郎。著有《晋黄门郎潘岳集》等。《晋书》有传。

[解说]

祖莹八岁时能通《诗》、《书》，恐被家人发现，常常引火夜读，时号为"圣小儿"，与陈郡袁翻齐名。时人相传："京师莹莹袁与祖，洛中翻翻祖与袁。"

晋朝潘岳，才识名闻遐迩，美姿容，少时挟琴弹出洛阳道，妇人皆投之以果，满载而归。乡邑号为奇童。累官太常卿，封安昌侯。

紫芝眉宇① 思曼风姿②

[注释]

①紫芝：即元德秀（696~754），字紫芝，河南（今河南洛阳）人。唐

时曾任鲁山令。《新唐书·卓行传》有载。②思曼：即张绪，字思曼。南朝吴郡吴县（今江苏苏州）人。南齐时任中书令、吏部尚书，善《周易》。

[解说]

唐朝元德秀，开元进士，性淳朴，事母以孝闻。天宝年间任鲁山令，有惠政，诗文率情而书，语无雕刻，为高人所称赞，谥文行先生。士大夫高其行，尊为"元鲁山"。宰相房琯（guǎn）称："见紫芝眉宇，使人名利之心都尽。"及卒，家唯杖履莫瓢而已。

南北朝张绪，风姿清雅。齐武帝时，益州刺史刘悛向武帝敬献蜀柳，见枝条甚长，状如丝缕，武帝便令人植之于文昌灵和殿前，赏玩之时，感叹道："杨柳风流可爱，似张绪少年时。"

毓会窃饮① 谌纪成糜②

[注释]

①毓会：指三国魏钟毓、钟会兄弟。钟毓（？~263），字稚叔，颍川长社（今河南长葛）人。钟繇之子。官至青州刺史，都督徐州、荆州诸军事。钟会（225~264），字士季。官至镇西将军、假节都督关中军事。②谌纪：指东汉陈纪、陈谌兄弟。陈纪，字元方，颍川许（今河南许昌）人，陈寔（shí）之子。陈谌，字季方，与兄陈纪齐德同行。父子三人并称"三君"。

[解说]

钟毓、钟会兄弟小时，趁父亲钟繇睡觉时，共偷药酒喝。其父发现后，假装睡觉暗中观察兄弟二人。钟毓拜后而饮，钟会饮而不拜。钟会问钟毓为何要先拜，毓答："酒是礼仪用品，所以饮酒时要先拜。"他又问钟会为何不拜，钟会答："偷是不合礼仪的行为，所以不拜。"

汉朝陈寔，为太丘长。二子纪、谌，与父并著高名，时号"三君"。一天，有客来，言谈甚敏。时，二子尚年少，父令其蒸米待客，可久久不来，询问其中原因。陈纪跪下说："父亲您与客人谈话,我们听得入神,因而蒸米时忘记放箅子,结果做成了米粥。"太丘问:"你们听得颇有收获吗?"二子跪述,言无遗失。太丘曰:"如此但粥自可,何必饭?"

韩康卖药①　周术茹芝②

[注释]

①韩康:字伯休,一名恬休。东汉民间医生。京兆霸陵(今陕西西安)人。②周术:字元道。秦末汉初人。号甪(lù)里先生。与东园公唐秉、绮里季吴实和夏黄公崔广等三位学者合称"商山四皓"。

[解说]

汉朝韩康,无意仕途,于是在长安卖药。口不二价,达三十余年。一天,有女子买药,韩康依然守价不二。女子生气道:"您是韩伯休吗?他才不二价呢!"韩康感叹道:"我本不愿出名,现在连女子都知道我,为何还要卖药?"于是隐居山中。后朝廷接连征召也不出山,汉桓帝遣使驾车来迎之,韩康中途逃离。

汉朝周术,尝作采芝歌云:"莫莫高山,深谷逶迤,哗哗紫芝,可以疗饥。唐虞世远,吾将何归?驷马高盖,其忧甚大,富贵之畏人,不如贫贱之肆志。"

刘公殿虎①　庄子涂龟②

[注释]

①刘公:指刘安世(1048~1125),字器之,号读易老人,学者称元城先生,魏(今河北大名西北)人,从学于司马光。《宋史》卷三四五有传。②庄子(约前369~前286):名周,字子休,人称"南华真人",战国时期宋国蒙(今安徽蒙城,一说今河南商丘)人。著名思想家、哲学家、文学家,是道家学派的代表人,与老子合称"老庄"。

[解说]

宋朝刘安世,任左谏议大夫宝文阁待制时,想刚直不阿处理政务,考虑母亲年事已高,就把自己的想法告诉母亲。母亲劝诫他:"谏官为天子诤臣,你父亲也曾想做但未能成,你应当舍身报主,不要为老母亲担心。"安世因而知无不言,言无不尽。常于官府发雷霆之怒或拍案而起,令观者不寒而栗,目击者称之为"殿上虎"。

《庄子·秋水》载:庄子在濮水垂钓时,楚王派两个大夫前往邀请他,庄子不应,并说:"吾听说楚有神龟,已死三千岁,楚王却用布包起放在竹盒里,供于庙堂之上,你们说是让龟死后把尸骨供起来好呢,还是让它活着拖着尾巴在泥中爬好呢?"二大夫说:"宁愿让它活着在泥中爬。"庄子曰:"那好,你二人请回去吧,我愿意拖着尾巴在烂泥里爬!"

唐举善相[①]　扁鹊名医[②]

[注释]

[①]唐举:战国时梁人。举也写作"莒(jǔ)"。以善相术著称。[②]扁鹊(前407~前310):姓秦,名越人。居于卢,又号卢医,渤海鄚(mào)(今河北任丘北)人。战国时名医。

[解说]

战国时,唐举以善相著称。蔡泽随唐举为人相面。一天蔡泽问唐举:"你相相我如何?"唐举说:"圣人不相,何况先生乎?"蔡泽说:"富贵我已拥有,但我不知自己寿命如何。"唐举说:"从今往后可有四十三年。"蔡泽说:"再富贵四十三年足矣。"后来蔡泽果然任秦相。

战国时,扁鹊以医术闻名于诸侯。《鹖冠子》云:扁鹊兄弟三人都善医术,魏文侯问谁最高明。扁鹊答:"长兄视神色即可医病,故名声不出家;仲兄视病情刚显露即可医治,故声名不出乡;臣下我是病入膏肓时可医治,针人血脉,投人毒药,故名闻诸侯。"

韩琦焚疏①　贾岛祭诗②

[注释]

①韩琦：见二冬韵"魏公切直"。②贾岛（779～843）：唐代诗人，字浪仙，范阳（今属北京）人。早年出家为僧，号无本，后还俗。著有《长江集》等。

[解说]

宋朝韩琦，年二十登进士第一。为谏官三年，所存疏稿，想集中起来烧掉，效古人谨密之意。但又担心无法彰显其进谏之美，于是集七十余章，名曰《谏垣存稿》。

唐朝贾岛，善诗。每年除夕，收集一年所作，祭以酒脯，自言自语："劳我精神，以是补之。"

康侯训侄①　良弼谋儿②

[注释]

①康侯：即胡安国（1074～1138），字康侯，建宁崇安（今福建武夷山）人。宋朝学者。高宗时官至宝文阁直学士。著有《时政论》、《春秋传》等。②良弼：即余良弼，字岩起，一字严起，福建顺昌人。著有《龙山文集》等。

[解说]

宋朝胡安国，教子有方。其侄胡寅，小时候桀骜不驯，难以教诲。安国把他禁闭在一间空阁楼，上有杂木，胡寅把杂木全雕刻为人物。安国发现后就在阁楼上摆书千卷。一年后，胡寅皆能诵读，遂登进士。

宋朝余良弼，勤于教子。曾为诗曰："白发无凭吾老矣，青春不在汝知乎？年将弱冠非童子，学不成名岂丈夫。幸有明窗并净几，何劳凿壁与编蒲。功成欲自殊头角，记取韩公训阿符。"

颜狂莫及①　山器难知②

[注释]

①颜：指颜延之（384～456），字延年，琅邪临沂（今山东临沂北）人。南朝宋文坛领袖人物、著名诗人。与谢灵运并称"颜谢"。著有《北使洛》等。②山：指山涛（205～283），字巨源，西晋河内怀县（今河南武陟西）人。官至吏部尚书。"竹林七贤"之一。著有《山公启事》等。

[解说]

南北朝颜延之，名闻于世，与谢灵运齐名。宋文帝屡召不见，只是在酒店狂歌。他日醉醒，才去见帝。帝问他的几个儿子才能如何，颜答："竣得臣笔，测得臣文，奂得臣义，曜（yào）得臣酒。"何尚之问他："谁比您狂？"颜答："其狂不可及。"

晋朝山涛，器量不群，王戎称赞他："璞玉浑金，人莫知其器。"

懒残煨芋① 李泌烧梨②

[注释]

①懒残：唐代高僧，法号明瓒。高僧普寂法嗣。因懒惰而称"懒瓒"，又因"好食僧之残食"而称"懒残"。②李泌：见一东韵"邺仙秋水"。

[解说]

唐高僧明瓒，居衡山石窟中。德宗闻其名，召之。使者至其窟，瓒方用牛粪烤芋头吃，馋涕垂胸，不予答理。使者笑之，劝其拭涕。明瓒说："我哪有工夫为俗人擦涕呢！"终不应诏，德宗非常敬慕他。

唐肃宗夜坐，三弟颍王等与李泌侍坐。李泌正绝粒（道家摒弃五谷的养生术），上自烧梨赐之。诸王请联诗称颂此事。颍王说："先生年几许，颜色如童儿。"信王说："夜抱九仙骨，朝披一品衣。"汴王曰："不食千钟粟，惟餐两颗梨。"上曰："天生此间气，助我化无为。"

干椹杨沛①　焦饭陈遗②

[注释]

①杨沛：字孔渠。三国冯翊万年（今陕西临潼北）人。官至京兆尹。②陈遗：东晋孝子。吴郡（今江苏苏州）人。《南史·孝义传》载有其事。

[解说]

杨沛为新郑长，教民蓄桑，积桑椹千余斛。时曹操为兖州刺史，西迎天子，适遇天下大荒，曹操领兵千余人皆无粮。过新郑，杨沛乃进干椹，操大喜，后厚报之。

晋朝陈遗，性至孝。母好食锅底焦饭，陈遗任郡主簿时，每煮食，必定把锅底焦饭贮存起来，回去送给母亲。后遇孙恩叛乱，吴郡郡守袁崧起兵，陈遗不忍丢弃积攒的几斗焦饭，就带着从军。战败后，逃入深山，众人多饿死，陈遗独自靠焦饭活了下来。

文舒戒子①　安石求师②

[注释]

①文舒：即王昶（？～259），字文舒，太原晋阳（今山西太原）人。官至司空。著有《治论》、《兵书》等。②安石：即王安石（1021～1086），字介甫，晚号半山。抚州临川（今属江西）人。北宋杰出的政治家、思想家、文学家、改革家。神宗时为相，封荆国公，与韩愈、柳宗元、欧阳修、苏洵、苏轼、苏辙、曾巩并称"唐宋八大家"。著有《临川先生文集》。

[解说]

三国王昶，性谨厚，为其侄起名曰默、曰沈，为其子起名曰浑、曰深、曰湛。并著书戒之曰："吾以数者为名，想让你们顾名思义，不要违越也。"司马懿向朝廷推荐他德才兼备。

宋朝王安石教子读书，为儿子求师必须是博学多识、品行端正之人，有人问启蒙老师何必如此认真，公曰："先入为主。"

防年未减① 严武称奇②

[注释]

①防年：西汉人。曾杀继母为父报仇。②严武（726～765）：字季鹰，华州华阴（今属陕西）人。唐玄宗时官至剑南节度使、检校吏部尚书，封郑国公。

[解说]

汉景帝时，防年因继母陈氏杀其父，遂杀陈氏。廷尉判为大逆。时武帝十二岁，在景帝旁边配坐，与景帝分析此案："继母如母，因父亲犯错，故继母杀父，下手之时，母道绝矣。是父仇也，不宜以大逆论。"景帝采纳了他的意见，防年遂免于死。

唐朝严武，挺之之子，母裴氏，不为挺之所容，独厚其妾玄英。时严武八岁，袖藏铁锤入玄英寝，碎其首。后对其父亲说："安有大朝人士，厚其侍妾，困辱小儿之母乎？儿故杀之，不是儿戏。"父挺之吃惊道："不愧是严挺之的儿子。"

邓云艾艾① 周曰期期②

[注释]

①邓：指邓艾（197～264），字士载，义阳棘阳（今河南新野）人。三国时魏国杰出的军事家。②周：指周昌（？～前192），西汉大臣，刘邦同乡，沛县（今属江苏）人。官至御史大夫，封汾阴侯。

[解说]

三国邓艾，年少有大志，仕魏封邓侯，因平蜀功封太尉。艾善于应对，但有口吃毛病，语称艾艾，司马昭赋之曰："卿云艾艾，定得几艾。"对曰："凤兮凤兮，故是一凤。"

汉朝周昌，强力敢言，高祖欲更换太子，周昌极力劝解，高祖问他原因，昌口吃，盛怒道："臣口不能言，然期期知其不可，陛下欲易太子，臣期期不奉诏。"上欣然而笑，太子由此得以安定。

周师猿鹄[1]　梁相鹓鸨[2]

[注释]

①周师：指周穆王的军队。②梁相：指惠施（约前370~约前310），亦称"惠子"。宋国人。战国时哲学家，名家代表人。

[解说]

《抱朴子》载：周穆王南征，全军覆没。君子有的化为猿，有的化为鹄；小人有的化为虫，有的化为沙。

惠施为梁相，庄子想去拜见他。有人对惠施说："庄子要来代替你为相。"惠施便有些紧张，用三天三夜时间在国内搜寻庄子。庄子见到惠施，对他说："南方有鸟，其名鹓（yuān）雏，您知道吗？这种鹓雏生长在南海，而飞往北海，非梧桐不止，非楝实不食，非醴泉不饮。有一只鸨得到一只腐鼠，正好鹓雏从头顶飞过，鸨怕鹓雏夺走腐鼠，仰而视之，大叫道：'现在您想用您的梁国来唬我吗！'"

临洮大汉[1]　琼崖小儿[2]

[注释]

①临洮：位于甘肃省中部，今定西市西部。②琼崖：即海南岛。

[解说]

翁仲，姓阮，身高二丈三尺。始皇时拜临洮太守，威震匈奴。后铸像于司马门外，匈奴至者，皆下拜。后人便把墓前石人称为翁仲。

宋太宗太平兴国年间，李守忠奉命到琼州公干，遇到杨避举，年八十一，邀李守忠至其家，其父年百三十，祖宋卿年一百九十五。又见鸡窝中有小儿，出头下视。宋卿曰："此九代祖也，不语不食，亦不知其年。每月初一、十五从鸡窝中取出，子孙列拜而已。"

东阳巧对① 汝锡奇诗②

[注释]

①东阳：即李东阳（1447~1516），字宾之，号西涯，长沙茶陵（今属湖南）人，茶陵诗派的核心人物。诗人、书法家、政治家。历任弘治朝礼部尚书兼文渊阁大学士。曾编《大明会典》等。②汝锡：即陈汝锡，字师予，南宋青田（今属浙江）人。曾任湖南路通判、江南团练使等。著有《鹤溪集》等。

[解说]

明朝李东阳幼举神童，上朝不能入门槛。帝曰："神童足短。"东阳应曰："天子门高。"帝置诸膝，其父伏丹陛。帝曰："子坐父立，礼乎？"对曰："嫂溺叔援，权也！"

宋朝陈汝锡，幼年颖悟。有人把陈汝锡的一联诗给黄庭坚看，其诗曰："闲愁莫浪遣，留为痛饮资。"黄庭坚击节称赏道："我辈中人也。"汝锡于绍圣四年登第，为本邑登第之首。著有《鹤溪集》等。

启期三乐① 藏用五知②

[注释]

①启期：即荣启期，春秋隐士。②藏用：即李若拙（944~1002），字藏用，京兆万年（今陕西西安）人。官至兵部郎中。北宋政治家。

[解说]

春秋时期的荣启期，不知何许人，善鼓琴而歌。孔子游览泰山时，问他："先生为何如此快乐？"启期答："天生万物，人为贵。我今为人，一乐也；吾今有子，二乐也；吾今年九十，三乐也。贫者士之常，死者人之终，居常以待终，为何不快乐？"

宋朝李若拙，奇伟尚气节，曾作《五知先生传》，称人应有五知：知时，知难，知命，知退，知足也。

堕甑叔达① 发瓮钟离②

[注释]

①甑（zèng）：蒸食炊器，其底有孔。古用陶制，殷、周时代有以青铜制，后多用木制。俗叫甑子。叔达：即孟敏，字叔达，东汉钜鹿（今河北巨鹿）人。②钟离：即钟离意，字子阿，西汉会稽山（今浙江绍兴）人。官至尚书仆射。

[解说]

汉朝孟敏，性刚直，善决断。曾客居太原，肩上担的甑突然掉落地上，扭头即走。郭泰见而问之，孟敏答："甑已破，看它有什么用。"郭泰认为此人奇特，就劝他求学，最终成名。

汉朝钟离意为鲁相，出私钱给户曹孔䜣修孔庙。有张伯在堂下除草，得到七枚玉璧，自藏其中一枚，告诉钟离意捡到六枚。堂下有悬瓮，钟离意召来孔䜣询问，孔䜣答："那瓮叫夫子瓮，其内有丹书，未敢打开。"钟离意叫他打开，瓮上写："后世修吾书，董仲舒；发吾笥，钟离意；璧有七，张伯怀其一。"钟离意即问张伯，张伯只得如实招供。

一钱诛吏 半臂怜姬①

[注释]

①半臂：短袖或无袖上衣。姬：妾，侍妾。

[解说]

宋朝张咏为崇阳知县，一小吏自府库中出，视其鬓傍夹一钱，查问他，说是拿府库中的钱，张咏命人杖打他，小吏勃然大怒，辩解道："一钱何足道，尔能杖我，不能斩我也。"张咏提笔写下判词："一日一钱，千日千钱，绳锯木断，水滴石穿。"亲自提剑斩其首,同时申报知府弹劾自己。

宋朝宋祁有很多小妾。一天于锦江宴请宾客,天气稍凉,便叫人回府取衣服,每位小妾各送一件,共送来十余件。宋祁怜爱她们,害怕有厚薄之嫌,结果一件没穿,忍冻而归。

王胡索食① 罗友乞祠②

[注释]

①王胡:即王胡之,字修龄。东晋琅邪临沂(今属山东)人。官至司州刺史。②罗友:东晋襄阳(今湖北襄樊)人,官至益州刺史。

[解说]

东晋王胡之,曾在东山居住,甚贫乏。陶胡奴为乌程令,派人给王胡之送米。王胡之执意不肯领,说:"王修龄若饥,自当吃谢仁祖(308~356,名尚,字仁祖,官至散骑常侍,卫将军,并开府仪同三司)食,不需吃陶胡奴米。"

东晋罗友,少好学,性嗜酒,好往人家祠堂去讨要余食。桓温曾责问他:"君太不懂事,须食,何不来找我?"罗友傲然不屑地回答:"找你乞食,今天可得,明日就不会再有。"桓温大笑。后推荐他为襄阳太守。

召父杜母① 雍友杨师②

[注释]

①召:指召信臣,字翁卿。西汉九江寿春(今安徽寿州)人。杜:指杜诗,字君公,河内汲县人,东汉发明家。②雍:指雍冲,字退翁,洋州(今陕西汉中)人,宋高宗时为太学生。杨:指杨冲远,梁州(今陕西汉中)人,宋高宗时隐士。

[解说]

汉朝召信臣为上蔡长,爱民如子。后为南阳太守,为民兴利,推行教化，被尊为"召父"。汉代杜诗，初为郡功曹，以公平著称。光武帝知其能，拜为成皋令，迁南阳太守。多行善政，百姓把他比作召信臣，尊为"杜母"。

宋朝张浚到汉中地方做官，问杨用中："您曾往来于洋、梁，当地有什么人物值得结交吗？"答："杨冲远可以为师，雍退翁可以为友。"

直言解发①　京兆画眉②

[注释]

①直言：即贾直言（？~835），官至检校右庶子、兼御史大夫。②京兆：指张敞（？~前48），字子高，河东平阳（今山西临汾西南）人。西汉时官至京兆尹。有政绩。

[解说]

唐朝时，贾直言与父俱流南海，临行时与妻董氏辞别，说："生死不可预期，吾去后你亟嫁。"董氏不答应，引绳束发，封以帛曰："非君手不解。"贾直言居南海，二十年乃还。妻之发依然束帛。

汉代张敞，为京兆尹，执法严谨，豪强绝迹。曾为妻画眉，有司把此事奏报朝廷，皇上质问他，对曰："闺房之事，更有过于此者。"皇上没有深究他的行为。

美姬工笛①　老婢吹篪②

[注释]

①美姬：姬，指古代美女。此指晋石崇宠姬绿珠。中国古代美女之一。传说原姓梁，今广西博白人。②老婢：指秦州刺史王琛的婢女，名朝云。

[解说]

晋朝石崇有姬女，名绿珠，貌美且善于吹笛，孙秀求之不得。

绿珠弟子宋袆（yī），有国色，亦善笛。

河间王琛，有婢女，名朝云，善吹篪，能唱《团扇歌》、《陇上声》。王琛为秦州刺史时，羌族诸部叛乱，屡讨不下。王琛令朝云假扮贫妪，吹篪行乞。诸羌士兵听到后，都痛哭流涕说："为什么要放弃祖先坟墓而在山谷为盗！"即相率来降。于是秦州百姓说："快马健儿，不如老妪吹篪。"

五 微

敬叔受饷① 吴祐遗衣②

[注释]

①敬叔：即何敬叔。南齐东海郯（今山东郯城）人，为长城令。为官清廉。②吴祐：字季英，东汉时陈留长垣（今属河南）人。历任胶东侯相、齐相、梁冀大将军府长史等职，后辞官回乡，教授经学。

[解说]

南北朝时，何敬叔为长城令，其政清约，不收馈赠。夏节至，忽出布告要受节礼。几日内即得米二千八百石，都用来替贫民输租。

汉朝吴祐为胶东相时，政尚仁简，官吏亲近而不敢欺。一个叫孙性的属员，私取民财，买来衣服孝敬父亲。其父大怒道："我们有如此廉明的地方官，你怎能做出这样的贪婪之事来欺负他。"孙性害怕，马上去找吴祐自首。吴祐说："你因为敬父，甘受污辱之名，从你的过错就知道你的人品了。"让其回去感谢父亲，并把衣服送给他父亲。

淳于窃笑① 司马微讥②

[注释]

①淳于：指淳于髡（kūn）。战国时期齐国人。齐威王客卿。《史记·滑稽列传》有传。②司马：指司马承祯（647~735），字子微，法号道隐，又号白云子。河内温（今河南温县）人。唐代道士、道教学者、书画家。与陈子昂、卢藏用、宋之问、王适、毕构、李白、孟浩然、王维、贺知章并称"仙宗十友"。

[解说]

战国淳于髡，齐之赘婿。楚国要攻打齐国时，齐威王派淳于髡到赵国求援，同时为赵国带去金百斤、车马十驷。髡仰天大笑。王问："为何大笑？"髡答："今天我从东方赶来，看见道旁有祭田的人，摆放着猪蹄一只，酒一盂，祈盼庄稼丰收，牛羊满圈。我看你们是想用较少的奉献，换取较多的回报，所以大笑。"齐王醒悟，就增加至金千镒，白璧十双，车马百驷。淳于髡到了赵国，赵王派精兵十万、革车千乘支援齐国。楚国听说后，晚上即自动撤兵。

唐朝卢藏用，初隐居终南、少室二山。因其有意仕途，人称随驾隐士。武后时征为左拾遗。睿宗召见天台道士司马承祯，咨询阴阳术数与理国之事，还山路上，遇到卢藏用，卢指着终南山说："此中有许多好地方，为何一定要回天台山呢？"承祯缓缓地说道："以我看，终南山不过是仕宦捷径罢了！"

子房辟谷^①　公信采薇^②

[注释]

①子房：即张良（？~前186），字子房，韩国人，世代为韩相。秦灭韩国，他誓为韩国报仇。曾狙击秦始皇于博浪沙。后归刘邦为主要谋士，封留侯。与萧何、韩信并称"汉初三杰"。辟谷：即不食五谷杂粮，道教的养生术。又称"却谷"、"断谷"、"绝谷"、"绝粒"等。②公信：伯夷的字。

[解说]

汉初张良，高祖开国功臣。曾对人说："吾用三寸舌为帝王师傅，得封万户侯，这是老百姓的最高境界了。我打算远离人间世，随从上古仙人赤松子游历天下。"后遂辟谷学道。

商朝末年时有伯夷、叔齐，伯夷，名允，字公信；叔齐，名智，字公达。夷、齐是他们的谥号。因不愿做官，就养于西伯。武王伐纣时，叩马进谏，纣王不听。殷朝灭亡后，二人耻食周粟，遂隐于首阳山，一起采野菜吃，不久即饿死。

卜商闻过① 伯玉知非②

[注释]

①卜商（前507~?）：字子夏，卫（今河南温县）人。孔门十哲之一，七十二贤之一。②伯玉：即蘧瑗，字伯玉。春秋时卫国大臣。

[解说]

春秋时，卜商因丧子而哭得眼睛失明。曾子去卜商家慰问，卜商哭着说："上天呀！我有什么罪过，竟然这样对待我。"曾子说："卜商，你怎么没罪？你和我追随夫子于洙泗间，退而老于西河之上，让西河之民误以为你是夫子，这是一罪；你的亲人去世后，没有让人知道，这是二罪；失去儿子，眼睛失明，这是三罪。"卜商投杖而拜曰："是我错了，是我错了。我脱离大家隐居的时间太久了。"

卫大夫蘧伯玉，为人十分正派，深得卫灵公信赖。庄子称赞其行五十年，而知四十九年之过。因为当时很难知道，而后来容易看出过去的错误。

仕治远志① 伯约当归②

[注释]

①仕治：即郝隆，字仕治，山西原平人。东晋名士。生性诙谐，善应对。通南方少数民族语言，有博学之名。官至南蛮府参军。远志：中草药。为远志

科植物,味苦、辛,能安神益智等。②伯约:即姜维(202~264),字伯约,天水冀县(今甘肃甘谷东南)人。三国时蜀汉末期军事统帅。当归:中草药。为伞形科植物,味甘、辛,补血活血等。

[解说]

晋朝谢安,初隐居东山,后因桓温多次请求,遂聘任桓温司马。一天,有人给桓温送来草药,其中有一味叫远志,桓温问谢安这药为何既叫远志,又名小草。谢安未来得及回答,同时在坐的郝隆抢先回答:"这很容易理解,处则为远志,出则为小草。"桓温看看谢安,笑着说:"郝参军这番解释不错。"他用巧妙的语言讥讽了谢安。

三国姜维,从小失去父亲,随母亲长大。喜欢追求功名,私养了一批勇士,后来投靠诸葛亮,与母亲失去联系。过了很久,母亲来信让姜维寻找中药当归,实际暗示叫他回家。姜维回信说:"良田百顷,不在一亩;但有远志,不在当归也。"最终没有完成母亲的心愿。

商安鹑服① 章泣牛衣②

[注释]

①商:指卜商,见五微韵"卜商闻过"。鹑服:破烂的衣服。亦称"鹑衣"。②章:指王章,西汉泰山钜平(今山东泰安)人,官至京兆尹。牛衣:供牛用的御寒物,如蓑衣等。

[解说]

荀子说:"卜商的衣服,悬结如鹑鹑。"晋朝董京,在洛阳隐居,以残絮缕帛为衣,号百结衣,即为鹑服。

汉朝王章,曾因贫病交加蜷缩牛衣中,痛哭着与妻子诀别。妻子直言相劝道:"在京师能受到尊重的人,谁能超过你?现在你自己不坚强上进,反而哭哭啼啼,真让人感到羞耻!"后来,王章仕成帝朝,为京兆尹。

蔡陈善谑① 王葛交讥②

[注释]

①蔡:指蔡襄(1012~1067),字君谟,兴化仙游(今属福建)人。宋代著名书法家,与苏轼、黄庭坚、米芾齐名,并称"宋四家"。官至端明殿学士。陈:指陈亚,字亚之,宋维扬(今扬州)人。官至太常少卿。②王:指王导(276~339),字茂弘,琅邪临沂(今山东临沂)人,历仕晋元帝、明帝和成帝三朝,出将入相,官至太傅,东晋政权奠基者之一。葛:指诸葛恢(265~326),字道明,晋代琅邪阳都(今山东沂南)人。官至尚书右仆射。

[解说]

宋朝陈亚,善诗,尤其滑稽。曾与蔡君谟于金山僧舍相会。酒兴正浓时,君谟在屏风上题诗曰:"陈亚有心终是恶。"陈亚提笔对曰:"蔡襄无口便成衰。"听者叫好称绝。

晋朝时,诸葛恢与丞相王导,共争姓族先后,王导说:"何不言葛王,而言王葛?"诸葛恢说:"譬如言驴马,不言马驴。"

陶公运甓① 孟母断机②

[注释]

①陶公:指陶侃(259~334),字士行(或作士衡),原鄱阳(今属江西)人,徙居庐江浔阳(今江西九江)。东晋时历任荆州刺史、征南大将军,官至太尉,封长沙郡公。甓(pì):砖。②孟母:指孟子的母亲。

[解说]

晋朝陶侃,为广州刺史。时在州无事,早晨搬运一百块砖到斋外,晚上再搬运回斋内。人问他原因,说:"我正在致力于北上收复中原,天天生活安逸,恐不能胜任大事,所以要坚持平时锻炼。"

孟轲母仉(zhǎng)氏,夫死,携子而居,为教育儿子三次迁居。孟轲年龄稍大时,外出求学,因思母辍学而归。母亲正在织布,生气地用刀砍断织布机,劝诫儿子说:"你如今荒废学业,就像我把织布机砍断一样,一切将前功尽弃。"孟轲也忧虑自己的学业,遂旦夕勤学,终成大儒。

六 鱼

少帝坐膝① 太子牵裾②

[注释]

①少帝:即东晋明帝司马绍(299~325),晋元帝司马睿长子。②太子:即司马遹(yù)(278~300),晋武帝孙,惠帝太子,在宫廷争权斗争中,被贾后毒死。谥愍怀。

[解说]

晋明帝司马绍,元帝长子。小时候曾坐在元帝膝上,遇有人从长安来,帝问膝上明帝:"长安何如日远?"答曰:"日远,但闻人自长安来,不闻人从日边来。"帝喜。明日集群臣宴会,重问明帝。答:"日近。"帝诧异地问:"为何与昨天的回答不同?"对曰:"举头见日,不见长安。"

愍怀太子小时聪慧,五岁时,宫中失火,武帝登上城楼观察火势,他牵牵武帝衣服让他进入暗室,武帝不解,问他原因,对曰:"暮夜天黑,宜备非常,不宜亲近火光,让别人看见君王。"

卫懿好鹤① 鲁隐观鱼②

[注释]

①卫懿:即卫懿公,名赤,卫惠公之子,卫康叔十代孙。②鲁隐:即鲁隐公,姬姓,名息姑,鲁国第十三代国君。鲁惠公之子。

[解说]

春秋卫懿公好鹤,所养的鹤都给予官职,支给俸禄买吃的,号鹤将军。狄人来攻卫，将要迎战，受够了卫懿公残暴的国人说："让鹤去打仗吧，我们哪能打仗？"荥泽一战，卫师败绩，狄灭卫，杀懿公。

春秋鲁隐公将到棠地方赏鱼，臧僖伯进谏说："凡物不足以讲大事，其材不足以备器用，那么国君就不要去做了。否则将会误导老百姓。"鲁隐公听不进，还是去观鱼了。僖伯装病不随从。

蔡伦造纸^①　刘向校书^②

[注释]

①蔡伦（61～121）：字敬仲。东汉桂阳（今湖南耒阳）人。初为和帝侍从，后任监造。②刘向（前77～前6）：字子政。沛县（今属江苏）人。西汉经学家、目录学家、文学家。

[解说]

汉朝蔡伦，和帝时封龙亭侯。曾因古书契以竹编简，或用缣帛，多昂贵不便。乃以树皮、破布等物创造为纸，天下称为蔡侯纸。

汉朝刘向，本名更生，宣帝命其于天禄阁编校书籍，所编《别录》，为我国书目之始。另著有《新序》、《说苑》、《列仙传》等书。

朱云折槛^①　禽息击车^②

[注释]

①朱云：字游，平陵（今陕西兴平）人。汉成帝时任杜陵县令。②禽息：战国时期秦国大夫。

[解说]

汉朝朱云，成帝朝为槐里令，请借上方剑斩佞臣张禹。皇帝大怒，下令斩他。朱云扳折殿槛，直谏不已。上赦之，下令不要修补朱云扳折的殿槛，以表彰直臣。

春秋时，禽息事秦，向穆公推荐百里奚，穆公不用。无奈之下，只好趁穆公外出的机会，以头击车破脑，说："臣活着无益于国，不如死也。"穆公感悟，而用百里奚，秦国大治。

耿恭拜井①　郑国穿渠②

[注释]

①耿恭：字伯宗，扶风茂陵（今陕西兴平）人，东汉大将。②郑国：战国时韩国人，著名水利家。

[解说]

汉朝耿恭，光武帝时为戊己校卫，领兵攻打匈奴，被困于疏勒。匈奴壅绝涧水，耿恭挖井十五丈还未见水。乃整衣冠向井再拜，不久，泉水涌出。

战国时郑国，韩国水工（管理治水工程的官员）。韩国派他到秦修渠，以消耗秦国国力。工程进展中被秦发现，想杀掉郑国。郑国辩解道："若水渠修成，能为韩国延长数年之命，然亦是秦万世之利也。"最终使水渠完工，关中遂成沃野，因命名为"郑国渠"。

国华取印①　添丁抹书②

[注释]

①国华：即曹彬（931～999），字国华，真定灵寿（今属河北）人，北宋初大将，官至枢密使。②添丁：唐代诗人卢仝之子。

[解说]

宋朝曹彬刚周岁时，父母把珍玩摆在他面前。曹彬仅取印一枚，大家都以为他是奇人。后侍宋太宗，南下平蜀，功称第一，封鲁国公。

唐代卢仝得子，名"添丁"。添丁幼时，好涂抹诗书，往往把诗书涂成黑色。卢仝曾为诗曰："忽来案上翻墨汁,涂抹诗书如老鸦。"

细侯竹马① 宗孟银鱼②

[注释]

①细侯:即郭伋(前39~47),字细侯,东汉扶风茂陵(今陕西兴平)人,官至并州牧。②宗孟:即蒲宗孟(1022~1088),字传正,北宋阆州新井(今属四川)人。官至尚书左丞。

[解说]

汉朝郭伋(jí),建武中除颍川太守,光武帝慰劳他说:"贤良太守,离帝城不远,河润九曲,冀州、京师皆蒙其福。"伋前在并州,有善政,后行部到西河,儿童数百骑竹马迎。建武二十二年(46),征为太中大夫。

宋朝蒲宗孟,神宗时为翰林学士。当时学士仅服金带,上曰:"翰林职清地近,非他官比,而官仪未宠。"乃加佩鱼,学士佩鱼,自宗孟始。

管宁割席① 和峤专车②

[注释]

①管宁(158~241):字幼安,北海朱虚(今山东安丘)人。三国时名士。②和峤(?~292):字长舆,西晋汝南西平(今属河南)人。官至太子少傅。

[解说]

三国管宁,少好学,与华歆同席读书。有人乘轩从门前经过,华歆即放下书往观,管宁遂割席分坐曰:"子非吾友也。"

晋朝和峤,少有风格,淳朴持重,雅有盛名,庾子嵩比之十丈之松,施之大厦,必成栋梁。按晋朝制度,监令同车,峤为中书令，鄙视中书监荀勖的为人，遂自己坐一车。

渭阳袁湛[①] 宅相魏舒[②]

[注释]

①渭阳：指母舅和外甥。春秋时，晋公子重耳出亡在外，穆公召而纳之。时重耳外甥秦康公为太子，送重耳至渭阳，作诗曰："我送舅氏，曰至渭阳。"故舅称渭阳。袁湛：字士深，宋陈郡阳夏（今河南太康）人。官至吴兴太守。②魏舒（209~290）：字阳元，西晋樊（今山东兖州）人。历任右仆射、司徒。《晋书》有传。

[解说]

晋朝谢绚常在众人面前与其舅舅袁湛开玩笑。袁湛无法忍受，指责他说："从前你父亲好与我开玩笑，不尊重我，现在你也喜欢同舅舅开玩笑，可谓世无渭阳之情也。"

晋朝魏舒，小时为外家宁氏所养。宁氏起宅，相宅者云："必出贤甥。"魏文帝非常器重他，每退朝，目送之曰："魏舒堂堂，人之领袖也。"入晋武帝朝，官至司徒。

永和拥卷[①] 次道藏书[②]

[注释]

①永和：即李谧（484~515），字永和，北魏赵涿（今河北涿州）人，家居治学终生，著有《明堂制度论》等。②次道：即宋敏求（1019~1079），字次道，北宋藏书家。官至龙图阁学士。

[解说]

南北朝时，李谧少好学，唯以琴与书籍为业。变卖财产购书，亲手删定。常常感叹："丈夫拥书万卷，何假南面百城。"屡辞征辟，谧贞静处士。

宋朝宋次道，家中藏书皆校勘过三五遍。当时各家藏书中，以次道家最为精良。次道家住春明坊，士大夫喜读书者，多在他家附

六鱼 75

近租房，以方便借书也。

镇周赠帛[1]　宓子驱车[2]

[注释]

[1]镇周：即张镇周，唐朝舒州（今安徽潜江）人。官至金紫光禄大夫。[2]宓子：指宓不齐，字子贱，鲁国（今属山东）人。孔子的学生。

[解说]

唐朝张镇周，在高祖武德年间，自寿春迁任舒州都督，到州后先回故居，宴饮亲朋，连续十日，又向亲友分赠金帛，离开时，哭着与大家告别："今天与大家欢聚，从明天起，就接任舒州都督，治理百姓。官民礼隔，不能再一起欢饮交游了。"自此，对于亲友犯法从未徇私放纵，境内因而安定。

春秋时，鲁国宓不齐将去单父做地方官，向阳昼请教如何治民。阳昼说："我地位低下，不知治民之术，仅有两条垂钓的经验，允许我送给你。当你把带着鱼饵的钓钩投入水里后，迎而吸之者，阳鲛也，其鱼薄而味不美。若存若亡，若食若不食者，鲂也，其为鱼博而厚味。"宓子齐说："您讲得太好了。"宓不齐尚未至单父，本地权贵即驾车前来迎接。宓子齐说："车快跑！车快跑！阳昼所谓阳鲛者至矣。"到达单父后，首先拜访耆老，尊贤者与之共事，单父大治。

廷尉罗雀[1]　学士焚鱼[2]

[注释]

[1]廷尉：指翟方进（前53～前7），字子威，西汉上蔡（今河南上蔡西南）人。官至丞相。[2]学士：指张褒，南朝梁为翰林学士。

[解说]

汉朝翟方进，文帝时为廷尉，宾客盈门。被罢免后，门可罗雀。复职后,宾客又来拜访,翟公在大门上张贴一纸,上写:"一死一生,乃知交情;一贫一富,乃见交态;一贵一贱,交情乃现。"

南朝梁张褒,天监中御史弹劾其没有尽到学士职责。张褒说:"碧山不会辜负我。"于是烧掉象征官阶的银鱼,长啸而去。杜甫有诗云:"碧山学士焚银鱼。"

冥鉴季达[①] 预识卢储[②]

[注释]

①季达:即杨仲希,字季达。宋朝状元。②卢储:江淮一带人。唐文宗大和元年(827)状元。另一种说法为宪宗时状元,疑误。

[解说]

宋朝杨仲希未中状元时,在成都住店。店里有一个少妇出来调戏他,杨仲希义正词严地拒绝了她。杨妻梦见有人告诉她说:"你丈夫独处他乡,不欺负别的女人,神明知道了,理当他夺魁。"次年果然夺得头名状元。

唐朝的尚书李翱担任庐州刺史,镇守江淮时,卢储拿着自己为科举考试准备的文章去拜访李翱。李翱接过文章放在几案上,他十五岁的长女,读了卢储的文章后,对婢女说:"此人一定会中状元。"李翱就把卢储招为婿,第二年果然科考第一。卢储与李翱女儿成婚前夕,写一首诗描述他们的姻缘:"昔年曾向玉京游,第一仙人许状头。今日已成秦晋约,早教鸾凤下妆楼。"

宋均渡虎[①] 李白乘驴[②]

[注释]

①宋均:字叔庠,东汉南阳安众(今河南南阳)人。明帝时官至尚书令。②李白(701~762):字太白,号青莲居士,生于安西都护府碎叶城(今吉尔吉斯斯坦境内)。唐代伟大的浪漫主义诗人,后世人称"诗仙",与杜甫并称

"李杜"。

[解说]

汉朝宋均,做九江太守时,郡内多虎暴,从前靠陷阱治虎,仍旧伤人不止。宋均说:"现在伤害老百姓的主要是残暴官吏。我们一定要先清退奸贪,多进忠言,行善举,即使撤销槛井,老虎也不治自去。"其后,老虎皆渡江东去。

唐朝李白曾骑驴经过华阴,县令让人把他拦下。李白提笔招供,写道:"吾生西蜀,身寄长安。天上碧桃,曾吃数颗;月中丹桂,曾折高枝。曾用龙巾拭唾,御手调羹,(杨)贵妃捧砚,(高)力士脱靴。想知县之尊,莫尊于天子,料此地莫大于皇都。天子殿前,尚容我走马,华阴县里,不许我骑驴?"县令大惊,赶忙谢罪。

仓颉造字[①] 虞卿著书[②]

[注释]

①仓颉:也作苍颉,传说为汉字的创造者。号史皇氏。白水(今属陕西)人。②虞卿:战国时赵国大夫,后离开赵国居于魏国大梁。

[解说]

仓颉,为轩辕黄帝史官,传说他观察虫、鸟的足迹,创造了象形文字,从而结束了先人结绳记事的历史。

虞卿是战国时期游说之士。第一次拜见赵孝成王,赐金百镒、白璧一双;第二次拜见,成为赵国上卿,所以称虞卿。著书八篇,名曰《虞氏春秋》。

班妃辞辇[①] 冯诞同舆[②]

[注释]

①班妃:指班婕妤(前48?~2),楼烦(今山西朔州)人,汉成帝妃子,西汉文学家。②冯诞:北魏人,官至司徒。

[解说]

汉成帝游后庭,想与婕妤同坐一辆辇。婕妤推辞说:"观古图画,贤明的君主皆有名臣在侧,三代末主,才有嬖妾在侧,现在您要与我同辇,岂不和亡国之君有些相似吗?"成帝听后就不再坚持了。

后魏时,冯诞娶了魏高祖的妹妹乐安公主,官驸马都尉。高祖宠信冯诞,经常同车、同食、同坐卧在一起。

七 虞

西山精卫① 东海麻姑②

[注释]

①精卫:上古传说中为炎帝小女儿的化身,名女娃。②麻姑:道教神话中的人物。东海麻姑传说见于晋葛洪所撰《神仙传》。

[解说]

《山海经》载:炎帝之女游东海,溺死后化为冤禽,名曰"精卫",居发鸠之山,常衔西山之木石以填东海,故有"精卫填海"之说。

《神仙传》载:王远,字方平,为总镇真人,偶然机会到了蔡经家,派人召麻姑到蔡府,与方平言谈,麻姑自称曾三次见到东海变为桑田。

关西郭石虹赠友人一副对联:"精卫气难平,曾向西山衔木石;麻姑年尚少,已看东海变桑田。"

楚英信佛① 秦政坑儒②

[注释]

①楚英:指楚王刘英,东汉光武帝儿子。因图谋帝位被废去王位,后自

杀。《后汉书》有传。②秦政：即秦始皇（前259~前210），姓嬴名政，秦庄襄王之子。13岁即王位。公元前221年，先后灭掉韩、赵、魏、楚、燕、齐六国，完成统一大业，定都咸阳，建立了中国历史上第一个中央集权制国家。

[解说]

东汉初年，明帝听说西域有一个神，名叫"佛"，便派使臣到印度去求拜，使臣带回佛经及僧徒。于是中国开始有佛经和佛像流传。王公贵人中，独楚王刘英最先喜欢佛教。

秦始皇执政后，接受李斯建议，焚烧诗书及诸子百家著作，又因受方士欺骗，坑杀方士儒生，受害者达四百六十余人。

曹公多智① 颜子非愚②

[注释]

①曹公：指曹操（155~220），字孟德，小名阿瞒，沛国谯（今安徽亳州）人。东汉末年杰出的政治家、军事家、文学家；诗人。东汉末年，统一了中国北方大部分区域，奠定了曹魏立国的基础。魏国建立，被追尊为武帝。②颜子：即颜回（前521~前490），字子渊，亦名颜渊，春秋末鲁国（今属山东）人。孔子最得意弟子。为人谦逊好学，且异常尊重老师，对孔子无事不从，无言不悦。

[解说]

曹操与马超、韩遂等相持渭南。曹操与韩遂本来是故旧，两人相见只是叙旧而不交兵。马超部下士兵久闻操大名，急欲一见，围观者纷至沓来。曹操觉得可笑，对众人说："你们想看曹公吗？他也是一个人，没有四目两口，只是足智多谋罢了。"

孔子的得意弟子颜回，天资聪颖。幼童时拜孔子为师，孔子说："颜回终日听课，而不言语，显得愚笨。但我课后观察，发现他能反复思考，正确理解，并充分发挥，才知道他是大智若愚。"

伍员覆楚① 勾践灭吴②

[注释]

①伍员(yún):即伍子胥(?~前484),名员,字子胥。春秋楚国人。春秋末期吴国大夫,军事家、谋略家。楚:又称荆、荆楚。春秋时期诸侯国。最早兴起于古荆州之地的楚部落,辖地大致为现在的湖南、湖北全部,重庆、河南、安徽、江苏、江西部分,最终灭于秦。②勾践:又称菼(tǎn)执,春秋末年越国国君。吴:春秋时期诸侯国。姬姓。其辖地位于今江苏、安徽两省长江以南部分,后扩张到除徽州地区以外的苏皖两省全境。

[解说]

楚国伍子胥之父伍奢因进谏劝阻平王被杀。伍子胥投奔吴国,后为吴大将,领兵攻打楚国。时楚平王已死,伍子胥长驱直入,攻破楚都郢,鞭平王尸。

吴王夫差攻打越国,越王勾践被虏。后勾践采纳范蠡的诈降计,三年得以返国,遂卧薪尝胆,发展生产,积蓄兵力,十三年间,越国日益富强。勾践趁夫差与诸侯在黄池会盟,起兵灭吴。

君谟龙片^①　王肃酪奴^②

[注释]

①君谟:即蔡襄(1012~1067),字君谟,兴化仙游(今属福建)人。宋代著名书法家,与苏轼、黄庭坚、米芾齐名,并称"宋四家"。官至端明殿学士。《宋史》有传。②王肃(195~256):字子雍。东海郯(今山东郯城)人。官至中领军、加散骑常侍。曾伪造《孔子家语》和《孔丛子》,把道家思想融入儒家学说中,宣扬其安邦治国的主张。

[解说]

茶之品,莫贵于龙凤团。这种茶的制作,始于丁谓,成于蔡襄。蔡襄任福建转运使时,开始造小片龙茶,共有二十饼,重量一斤,值金二两。

南北朝王肃,初不食羊肉及酪浆,常食鲫鱼羹,渴饮茶水。后与魏高祖一起进餐,食酪粥。高祖奇怪地问他:"羊肉比鱼羹哪个好,茶水比酪浆哪个好?"王肃说:"羊好比齐鲁大邦,鱼好比邾莒小国。唯茗茶无法比,只能给酪为奴。"王勰向王肃开玩笑说:"卿不重齐鲁大邦,而好邾莒小国,明天我请你吃邾莒之餐,亦有酪奴。"后人即称茶为酪奴。

蔡衡辩凤① 义府题乌②

[注释]

①蔡衡:东汉太史令。②义府:即李义府(614~666),瀛州饶阳(今属河北)人。历仕唐太宗、高宗两朝,官至吏部尚书。与来济俱以文翰显,时称"来李"。有文集四十卷。

[解说]

汉光武时,华阴太守奏报称,有鸟高五尺,五色备而多青色,栖于隐士辛缮之宅,居槐树上,十多天不肯离去。众人皆以为凤,太史令蔡衡说:"凡是像凤的鸟有五种:多青色者为鸾,多黄色者为鹓(yuān)雏,多紫者为鹫鹜,多白色者为鸿义。现在槐树上这只鸟多青色,是鸾,而非凤也。"

唐朝李义府初见太宗时,太宗让他以鸟为题作诗。李义府写道:"上林多少树,不借一枝栖。"太宗深解其为官之意,拜为监察御史。

苏秦刺股① 李勣焚须②

[注释]

①苏秦(前340?~前284):字季子,洛阳轩里(今河南洛阳东)人,随鬼谷子学习纵横之术,是与张仪齐名的纵横家。②李勣(594~669):原姓徐,名世勣,字懋功,亦作茂公。因唐高祖李渊赐姓李,故名李世勣。后因避唐太宗李世民讳,遂改为单名勣。曹州离狐(今山东东明一带)人。历仕唐高祖、太宗、高宗三朝。官拜尚书左仆射,进司空。凌烟阁二十四功臣之一。

[解说]

战国时期的苏秦，游说秦国不被重用，垂头丧气地回到洛阳老家，妻不理他，只管织布，嫂子不给他做饭，父母装作不认识他。苏秦遭受极度冷落，便开始发奋读书，用锥刺股的方法制止瞌睡，终于成为一名著名的纵横家。后来游说齐、楚、燕、韩、赵、魏六国联合起来，共同与秦国抗衡，挂六国相印。

唐朝李勣，官仆射。他的姐姐生病，李勣亲自给她煮粥，灶火烧了他的胡须。姐姐劝他："家里有很多仆人，何必自己动手操劳。"李勣说："他们不能代表我。现在姐姐老了，我也老了，想为姐姐多煮几次粥，难道不行吗？"

介诚狂直① 端不糊涂②

[注释]

①介：即石介（1005～1045），字守道，人称"徂徕先生"。兖州奉符（今山东泰安）人。宋初文学家，与孙复、胡瑗在泰山书院开馆收徒，号称"宋初三先生"。官至国子监直讲。著有《徂徕集》。②端：即吕端（935～1000），字易直，北宋幽州安次（今河北廊坊）人。历仕太宗、真宗两朝，官拜参知政事。

[解说]

宋朝石介，性耿直。仁宗庆历中任太子中允。当时富弼、韩琦、范仲淹同时执政，欧阳修、余靖等并为谏官。石介观此形势，就作了一首庆历圣德诗："众贤之进，如茅斯拔；大奸之去，如距斯脱。"其师孙明复见到这首诗，说："石介将要大祸临头。"人们都把他视为狂直之人。

宋太宗病重时，李太后与宣政使王继恩忌太子英明，私下与参政李昌龄等谋立潞王元佐。太宗驾崩，李太后便让王继恩来召吕端，端知有变，于是把王继恩锁在阁内，派人看守，然后去见太

七虞 83

后。太后说:"圣上已晏驾,立嗣应按长幼顺序!"吕端说:"先帝生前立太子正是为今日做准备,怎么能违背先帝之命,而另立他人?"遂迎太子继位。太宗曾称赞吕端:"小事糊涂,大事不糊涂。"

关西孔子① 江左夷吾②

[注释]

①关西孔子:见四支韵"杨震四知"。关西,指函谷关或潼关以西地区(今陕西、甘肃一带)。②江左:亦称"江东",今长江下游南岸苏南、浙江及皖南部分地区。夷吾:即管仲(约前723或前716~前645),名夷吾,又名管敬仲,字仲,齐国颍上(今属安徽)人。春秋时期齐国著名的政治家、军事家。著有《管子》。

[解说]

杨震出身名门,少年聪慧。曾拜经学大师桓郁为师,研读《欧阳尚书》。二十岁起,便收徒传业。他坚持有教无类的原则,求学者络绎不绝。其严谨的治学态度和高尚师德被人们誉为"槐市遗风"。先后在牛心峪学馆、华阴双泉学馆等地讲学三十年,弟子超过三千,可与弟子三千的孔子相媲美,所以被誉为"关西孔子"。杨震名声远扬,远近钦慕,当时职掌统兵征战大权的大将军邓骘十分敬重杨震,亲自派人请杨震到自己幕府任职。五十岁的杨震从此弃学就仕,官至太尉。

晋丞相王导,善于运筹帷幄。当时晋朝江山初创,同朝温峤为形势担忧。等他与王导交谈后,把王导比作管仲,高兴地说:"江左自有管夷吾,我还忧虑什么?"

赵抃携鹤① 张翰思鲈②

[注释]

①赵抃(biàn)(1008~1084):字阅道,号知非子,北宋衢州(今浙江

衢州）人。官拜资政殿大学士，为政清简。《宋史》有传。②张翰：字季鹰，号"江东步兵"，吴郡吴县（今江苏苏州）人。三国孙吴大鸿胪张俨之子。西晋文学家。

[解说]

宋朝赵抃，任殿中侍御史，弹劾不避权贵，京师号铁面御史。治蜀时，仅一琴一鹤自随。

晋朝张翰，侍齐王冏为东曹掾。见秋风起，遂思念吴中鲈脍莼羹。心生感叹："人生贵适意，怎能离乡背井在异乡为官呢？"遂弃官而归。不久齐王冏败，人皆佩服他有先见之明。

李佳国士① 聂悯田夫②

[注释]

①李：指李膺（110~169），字元礼，颍川襄城（今属河南）人。东汉大臣。人品高洁，被太学生誉为"天下楷模李元礼（膺）"，官至司隶校尉。②聂：指聂夷中（837~?），字坦之，河东（今山西永济）人。唐僖宗咸通十二年登第，官华阴尉。

[解说]

东汉名士聂季宝是李膺的同乡，想去拜见李膺。但因自己出身低微，又不敢去见。杜密了解聂季宝是一位贤良之人，就把聂季宝的想法告诉了李膺。李膺便招呼聂季宝，并与他交谈，李膺断言："此人当作国士。"结果让李膺言中。

唐朝聂夷中，善诗，他的《伤田家诗》写道："二月卖新丝，五月粜新谷，医得眼前疮，剜却心头肉。我愿君王心，化作光明烛，不照绮罗筵，遍照逃亡房。"宋朝文学家孙光宪评论他得《诗经》三百篇之旨。

善讴王豹① 直笔董狐②

[注释]

①王豹：春秋时卫国人，居于淇。相传为古时"十二"音神之一。②董狐：春秋晋国太史，亦称史狐。周大夫辛有的后裔，因董督典籍，故姓董氏。

[解说]

王豹，出身寒门，善于歌唱。家住淇水河西，附近百姓受其影响，都很会唱歌。齐国名士淳于髡非常欣赏王豹。

春秋时，晋国赵穿杀灵公于桃园。赵盾为正卿，躲避但未出境，返回又不治叛贼。太史董狐直接记载这件事："赵盾杀其君。"在朝堂公示。孔子称他为古之良史，记载事件毫不隐讳。后世因以董狐为直书不隐之良史的代称。

赵鼎倔强① 朱穆专愚②

[注释]

①赵鼎（1085~1147）：字元镇，自号得全居士。解州闻喜（今属山西）人。官至尚书左仆射同中书门下平章事兼枢密使。南宋政治家、词人。有《得全居士词》一卷。《宋史》有传。②朱穆（100~163）：字公叔，一说字文元，南阳宛（今河南南阳）人，丞相朱晖之孙。

[解说]

赵鼎，宋朝南渡时为相，以刚直称。秦桧借口其不附和议，把他放逐吉阳军。鼎临走时写的谢表中说："白首同归，怅余生之无几；丹心未泯，誓九死以不移。"秦桧看见后，感叹道："此老还和从前一样倔强。"

东汉朱穆，锐意讲诵，时常陷入沉思而丢了衣帽，坠入泥滩而不自知，其父称他"专愚"到几乎不知马有几条腿的程度。《后汉书·朱穆传》载其事。

张侯化石① 孟守还珠②

[注释]

①张侯：指张颢，字智明，东汉常山（今河北元氏）人，灵帝时官至太尉。②孟守：指孟尝，字伯周，东汉会稽上虞（今属浙江）人。

[解说]

东汉张颢，为梁相。一日雨后见一鸟如山雀，落地化为圆石。颢用锤击破之，得一方金印，印文写道："忠孝侯印。"于是向朝廷奏明，收入秘府。

东汉孟尝，顺帝朝为合浦太守。合浦郡盛产珍珠，前太守贪婪多采，海蚌不能衍生，于是迁居他处。孟尝到任后，尽革前弊，于是海蚌又逐渐迁回，合浦又复产珍珠。后人因以"合浦珠还"比喻失而复得。

毛遂脱颖① 终军弃繻②

[注释]

①毛遂（前285～前228）：战国薛（今山东滕州）人，为赵公子平原君赵胜的门客。②终军（前133?～前112）：字子云，西汉济南人，官至谏大夫。繻（xū）：古代作通行证用的帛。上写字，分成两半，过关时验合，以为凭信。

[解说]

战国毛遂，平原君门下客。当时秦攻赵，赵国派平原君向楚国求救，约其门下客文武兼备者二十人同往，仅找到十九人，还剩一人没确定。毛遂向平原君推荐自己。平原君说："贤能之士处于世上，好比锥子处在囊中，它的尖梢立刻就会显现出来。而先生在赵胜的门下已经三年了，左右的人没有听到有称道您的，赵胜我也没有听到对您的夸奖，这应当是意味着先生没多大才能。所以先生不能一道前往，请您留在国内吧！"毛遂说："我只不过是现在才请求进到囊中罢了。如果我早就处在囊中，就会像禾穗的尖芒那样，整个锋芒都会显露出来，不单单是尖梢露出来。"平原君感到惊奇，同意带毛遂去楚国。结果凭借毛遂的能力,楚国终于答应出兵救赵。

汉朝终军,善辩能文。第一次入关时,关吏给他一缯作为出关的凭证。终军说:"大丈夫西游,终不再回头。"遂弃缯而去。后奉命持节出使向东出关。关吏认出了他,说:"这不是从前弃缯而去的那位先生吗?"当时终军年少,也因此把他称为"终童"。

佐卿化鹤[①]　次仲为乌[②]

[注释]

①佐卿:即徐佐卿,唐朝人。《四川通志》称其为益州道士。《蜀中广记》称其是青城山道士。②次仲:即王次仲,秦朝上谷(今河北怀来)人。首创隶书,被始皇器重。

[解说]

唐朝徐佐卿为蜀中道士,天宝年间,玄宗在沙苑打猎,看见一只孤鹤,于是搭弓射之,鹤带着箭头向西南飞去。当天徐佐卿回到山里,对弟子说:"吾出游,被飞箭射中。"然后拔掉箭头,插在墙上,说:"等箭头的主人来这儿时,把箭头还给他。"后玄宗避乱入蜀,进道观中游览,认出了他的箭头,才知道从前的孤鹤是徐佐卿的化身。

秦朝王次仲,精研书法,变篆体为隶书。始皇定天下,发现了他才能奇特,并征召他入官。多次征召都不应允,始皇怒,下令用槛车押送。次仲在途中化为大鸟,越车而飞。落下三根羽毛化为三座山。后人称此山为落翮山,又名大海坨山。

韦述杞梓[①]　卢植楷模[②]

[注释]

①韦述(?~757):京兆(今陕西西安)人。累官集贤学士、工部侍郎,

封方城县侯。著有《唐职仪》三十卷等。杞梓：杞，杞柳。梓，紫葳科，落叶乔木。二木皆良材，常比喻优秀人才。②卢植（121~192）：字子干，东汉涿郡（今河北涿州）人。曾师从马融，通古今学，为当时大儒。灵帝时征为博士。著有《尚书章句》等。

[解说]

唐朝韦述，著作甚富。弟兄五人，皆出任官职，很受官绅们的称誉。张说对人说："韦家兄弟，个个为精英。"

汉朝卢植，刚毅有大节。董卓议废立之事，众人皆唯唯诺诺，不肯表态，唯有卢植独自抗议反对。曹操称赞他为"士之楷模"。

士衡黄耳① 子寿飞奴②

[注释]

①士衡：即陆机（261~303），字士衡，吴郡华亭（今上海松江）人。三国吴丞相陆逊之孙，大司马陆抗之子。西晋文学家。后人辑有《陆士衡集》。②子寿：即张九龄（678~740），字子寿，唐曲江（今广东韶关）人，官至尚书右丞相。唐代政治家、文学家、诗人。著有《曲江集》二十卷。

[解说]

晋朝陆机，家有一犬，名叫"黄耳"。陆机非常喜欢它。陆机在京师住久了，就与黄耳戏言："吴中久绝家音，你能去带些消息吗？""黄耳"摇着尾巴叫了叫。陆机就将书信装入竹筒，系在狗的脖子上。"黄耳"离开一月后即返回。陆机打开竹筒看，其中正是家人的回信。后来就常用"犬寄信"的方式与家人联系。等狗死后，把它的墓称为"黄耳冢"。

唐朝张九龄，小时候家里养了一群鸽子，想与亲朋好友通信时，就把信系在鸽足上让它送去，人称"飞奴"。

直书吴兢① 公议袁枢②

[注释]

①吴兢（670~749）：汴州浚仪（今河南开封）人，累官太子左庶子，著有《贞观政要》等。《唐书》有传。②袁枢（1131~1205）：字机仲，南宋建安（今福建建瓯）人，累官至工部侍郎兼国子学祭酒、右文殿修撰，南宋史学家，著有《通鉴纪事本末》。

[解说]

唐朝吴兢，曾与刘知几共撰《武后实录》。记录了张昌宗诱张说捏造罪名，陷害魏元忠事。张说做了宰相后，问吴兢："刘知几记录魏元忠的事件，其中不少是伪造的，怎么办呢？"吴兢说："子玄（即刘知己）已亡，不可受冤于地下。"吴兢仍旧据实记录。张说屡次向吴兢求情，吴兢最终未改。世称之为"董狐"。（参见七虞韵"董狐直笔"）

宋朝袁枢，在孝宗乾道年间，参修国史。曾任宰相的章惇与袁枢同乡，他的后人竭力请求袁枢润饰美化章惇的传记。袁枢说："我是史官，按规定不能掩饰官吏的污点。宁愿违背乡情，不能违背天下后世的公议。"

陈胜辍锸① 介子弃觚②

[注释]

①陈胜（？~前208）：字涉，阳城（今属河南登封）人，秦末农民起义领袖。②介子：即傅介子（？~前65），西汉北地（郡治在今甘肃庆阳西北）人，官至平乐监。平定龟兹、楼兰勾结匈奴的暴乱，封义阳侯。

[解说]

秦末陈胜，曾和同伴一起受雇耕地，在田埂上休息时，对同伴说："假如将来富贵了，不要互相忘记。"同伴说："你为雇农，怎么能富贵呀？"陈胜感叹道："燕雀怎能知道鸿鹄之志呢！"后来果然揭竿而起，发动农民起义，各郡县争相杀死官吏，纷纷响应陈胜农民起义。陈胜遂称王,国号"张楚"。秦朝由此走向灭亡。

汉朝的傅介子,好读书。十四岁时,曾把写字用的木简抛开,慨叹说:"大丈夫应当出去建功立业,怎能呆在家中做老儒生!"后从军,以功封义阳侯。

谢名蝴蝶① 郑号鹧鸪②

[注释]

①谢:指谢逸(1066?~1113),字无逸,号溪堂,北宋抚州临川(今江西抚州)人。屡举进士不第,绝意仕途,以诗文自娱,著有《溪堂集》等。②郑:指郑谷(848~909),字守愚,江西宜春人。唐末诗人。官至都官郎中。与许棠、任涛、张嫔、李栖远、张乔、喻坦之、周繇、温宪、李昌符并称"芳林十哲"。著有《郑守愚文集》等。鹧鸪:鸟名。形似雌雉,头如鹑;胸前有白圆点,如珍珠;背毛有紫赤浪纹;足黄褐色。以谷粒、豆类和其他植物种子为主食,兼食昆虫。为中国南方留鸟,古人诗文中常用以表示思念故乡。

[解说]

宋朝时,临川人谢逸,屡考进士不中,便以诗文自娱,黄山谷(庭坚)非常欣赏他。谢逸尝作蝴蝶诗三百首,多有佳句,人们因此称之为谢蝴蝶。

唐朝郑谷,七岁即能作诗。曾修改齐己《早梅》诗句"昨夜数枝开"为"昨夜一枝开",齐己不胜感谢,誉为"一字师"。郑谷所作《鹧鸪》诗极佳,脍炙人口,因号称"郑鹧鸪"。

戴和书简① 郑侠呈图②

[注释]

①戴和:西汉越(今浙江一带)人。"戴和书简"故事见于明末廖用贤所著《尚友录》一书。但据署名可知唐朝冯贽所著《云仙杂记》一书,也有此故事。②郑侠(1040~1119):字介夫,福州福清(今属福建)人,英宗治平四年进士,北宋诗人。著有《西塘先生文集》二十卷。

[解说]

西汉戴和，每结识一位好友，必定焚香告知先祖，并且记录在册，集名为"金兰谱"，其中录有结交盟词。后人结交异姓兄弟时多仿效他。

郑侠中进士后到京师担任监安上门。当时久旱不雨，见饥民流离失所，遂作《流民图》进给朝廷，但多次上传不到皇帝手中。郑侠便把《流民图》假冒成边关急报交给银台司，直接送给神宗皇帝。

瑕丘卖药① 邺令投巫②

[注释]

①瑕丘：即瑕丘仲，唐朝西宁（今属青海）人。②邺令：指战国时期的西门豹。兴修水利，发展农业，有较大贡献。破除"河伯娶妇"的迷信，是他流传极广的故事。

[解说]

瑕丘仲，曾在西宁卖药百余年，他的宅子因地震毁坏，他与同乡的几十户人家俱丧命。有人把瑕丘仲的尸体投入河中，而把他家中的药变卖了。不久，便看见瑕丘仲披着羊皮裘衣来讨药，那人十分害怕，叩头求饶。瑕丘仲说："只是想让人知道我还活着，不是来报复你的。"后任夫馀王驿使，人称他为谪仙。

战国时，西门豹为魏国邺令。邺地有一风俗，非常迷信巫师，据巫师之言，每年为河伯娶媳妇，选良家少女投入河中。西门豹说："今年为河伯娶亲时提前告诉我，我也参加送行。"到了指定日期，西门豹看见为河伯挑选的女子，说："太丑了，恐怕河伯不中意，麻烦大巫先进去向河伯通报一下。"随即把大巫投入河中，过了很长时间不见大巫回信，又把二巫投入河中，说："快去催催大巫。"群巫惊恐，纷纷乞求饶命。从此迷信遂止。后来他率领邺地百姓开挖十二条水渠，引漳水灌田，百姓因此受益颇多。

冰山右相① 铜臭司徒②

[注释]

①右相：指杨国忠（？~756），本名钊，唐朝蒲州永乐（今山西芮城）人。杨贵妃同曾祖兄（另一说同祖兄）。玄宗时朝廷重臣，官至右相。②司徒：指崔烈，东汉涿州安平（今属河北）人，官至太尉。《后汉书》有传。

[解说]

唐玄宗李隆基特别宠爱杨玉环，封为贵妃。她的堂兄被赐名国忠，并做了宰相，同时兼有四十余职。同乡进士张彖（tuàn）无缘仕途，朋友劝他去拜见杨国忠求职，他却说："你们把杨国忠看得像泰山一样稳固，可是我以为他不过是一座冰山罢了。有朝一日遇到太阳就会融化，大家就失去靠山了。"遂隐居嵩山。

汉朝崔钧的父亲崔烈，当初在北州颇有威望。灵帝时，公开买卖官爵，崔烈也因傅母资助五百万钱，得为司徒，从此声誉衰减。崔烈问儿子："我官位司徒，外界怎么议论呀？"崔钧答："外界人士嫌大人有铜臭味！"后崔烈为乱兵所杀。

武陵渔父① 闽越樵夫②

[注释]

①武陵：今湖南常德。渔父：即黄道真，晋时樵夫，后为道士，入黄闻山修道。其故事见于宋罗璧所著《识遗》及明初陶宗仪《说郛》等书。②闽越：今福建。樵夫：指蓝超。其故事源于宋祝穆所著《方舆胜览》。

[解说]

晋朝武陵人黄道真，捕鱼为业，划船沿溪流而行，忽遇两岸桃花，在溪流源头桃林没有了，又出现一山洞，因为好奇，便放弃小船进入洞中，前行几十步后，豁然开朗，发现有房子、桑竹、鸡犬，农田平展，和人世间相似。其中居民讲他们的祖先为避秦乱，率邑人妻子来此。黄道真在此停留数日便告辞。回去后，把自己的经历报告给郡守刘歆，刘歆想前往查看，因迷路没有再找到那个地方。陶渊明根据这个故事写出《桃花源记》。

榴花洞位于闽县境内的东山。唐代宗永泰年间，有个叫蓝超的樵夫，因追赶白鹿进入榴花洞，石门入口处极窄，后来忽然开阔，发现有鸡犬人家，有家主人告诉蓝超："我是躲避秦人来这儿的，您可以留下吗？"超回答："想回去和亲戚朋友商量后再来。"于是主人送给蓝超一枝榴花，相互道别。

渔人鹬蚌[①]　田父逡卢[②]

[注释]

①鹬蚌：鹬（yù），水鸟名。体色暗淡，喙细长，腿亦长，趾间没有蹼。常栖田泽，捕食小鱼及昆虫，是一种候鸟，天将雨即鸣。蚌，软体动物。有两个可以开闭的多呈椭圆形的介壳，壳内有珍珠层，或能产珠。"鹬蚌相争"的故事源于《战国策》。②逡卢：兔子。"田父逡卢"的故事源于《战国策》。

[解说]

赵国将攻打燕国，苏代替燕国到赵国去劝说赵惠王："我今天路过易河，见河中川蚌张开蚌壳晒太阳，而鹬趁机啄其肉，蚌于是闭合蚌壳夹住鹬的喙。鹬说：'今日不雨，明日不雨，必有死蚌。'蚌说：'今日不出，明日不出，必有死鹬。'双方互不相让。渔夫发现后，把它俩全都捡走了。今燕赵两国长久相持，我担心强大的秦国便会像渔夫那样，把两国都灭掉。"惠王于是收兵停战。

齐准备出兵攻打魏国。淳于髡对齐王说："韩子卢者，天下之疾犬也。东郭者，海内之狡兔也。韩子卢追赶东郭兔，翻山越岭，奔跑不止，兔死在前面，犬死在后面。农夫看见它们，不费吹灰之力，得到两只猎物。现在齐魏两国长时间相持，结果损兵折将，伤害百姓,我担心强大的秦国和楚国会像农夫那样将齐魏两国一并拿下。"齐王听后,急忙收兵。

郑家诗婢① 郗氏文奴②

[注释]

①郑:指郑玄(127~200),字康成,北海高密(今属山东)人。著名经学家,曾遍注群经,为汉朝经学的集大成者。②郗氏:指郗愔(yīn)(313~384),字方回,东晋高平(今山东金乡)人,王羲之妻弟。官至临海太守。善书法。

[解说]

汉朝郑玄家的奴婢,都爱读书。他们能用《诗经》对话。曾有一奴婢不听使唤,郑玄要鞭打她,那人却强词夺理。郑玄十分生气,叫人将她拽入泥浆中罚站。不久又一奴婢来,问道:"胡为乎泥中?"(《诗·邶风·式微》句)(为什么站在泥浆中?)那人回答:"薄言往愬(sù),逢彼之怒。"(《诗·邶风·柏舟》句)(我说错了话,惹他生气了)

晋朝时,郗愔家有个奴仆善于作文章,王羲之喜欢他,经常在刘炎面前夸奖郗家奴仆,刘炎反问他:"他与郗愔相比怎么样?"王羲之说:"小人只不过是喜欢他罢了,怎能与郗公相比?"刘炎说:"不如郗公,所以只能为奴。"

卷 二

八 齐

子晋牧豕① 仙翁祝鸡②

[注释]

①子晋：即商丘子晋。姓商丘，名子晋。高邑（今属河北）人。或作商丘子胥，见《列仙传》。豕（shǐ）：猪。②祝：祝祝，象声词，呼鸡等动物的声音。仙翁，即祝鸡翁，居洛阳尸乡（今河南偃师东）。事见《搜神记》。

[解说]

汉朝时，商丘子晋好吹竽放牧，年七十，不娶不老。平时的生活仅吃些老术、菖蒲根，饮些泉水而已。

晋朝时，洛阳有一老翁，人称祝鸡翁。曾饲养着千余只鸡，每一只鸡都有自己的名字。早晨放出去，晚上收回来，仅呼叫某只鸡的名字，都会应声而到，自觉地分开休息。

武王归马① 裴度还犀②

[注释]

①武王：即周武王，周文王姬昌次子。公元前11世纪灭掉殷商，建立周

王朝。②裴度（765~839）：字中立，河东闻喜（今属山西）人。历仕宪宗、穆宗、敬宗、文宗四朝，三度为相。封晋国公，世称裴晋公，死后赠太傅。唐代文学家、政治家。

[解说]

周武王灭商后，便偃武修文，把马放归华山之阳，把牛安置在桃林之野，以此向天下人昭示，不再发动战争，让百姓休养生息。

唐朝时，裴度游春山寺，见有妇人带着犀角玉带走到繁华地方，放置栏杆上去祈祷，祈祷完毕，则忘记带走。裴度捡到玉带，马上还给了那妇人。

重耳霸晋①　小白兴齐②

[注释]

①重耳：即晋文公（前697~前628），姓姬名重（chóng）耳，春秋时期政治家，春秋五霸之一。②小白：齐桓公（前685~前643）的名字，姜姓，名小白。春秋时齐国国君，五霸之一。

[解说]

晋公子重耳，因骊姬之乱，流亡国外长达十九年，遍历诸侯国，备尝艰辛。后返国即位，重用良臣，发展经济，增强国力，救宋破楚，成就霸业。

齐釐公死后，太子诸儿继位，是为齐襄公。襄公无道，小白逃往莒国。后襄公被弑，齐国大乱，小白平乱继位，是为桓公，用管仲为相，大兴齐国，成为春秋五霸之首。

景公穰彗①　窦俨占奎②

[注释]

①景公：即齐景公，姜姓，吕氏，名杵臼，齐庄公的异母弟，公元前547年至公元前490年在位。②窦俨：五代窦禹钧之子，排行第二，为北宋翰林学士。

[解说]

齐景公二十二年，彗星出现。景公说："彗星在齐分，我担心有灾祸降临。"晏子说："君筑高台凿深池，多收赋税还怕收得少，滥施刑罚还怕不严苛，凶狠而预示灾难的孛星将要出现，这扫彗之星又有什么害怕的！"齐景公派人举行祭祀以除彗星之不祥。晏子说："没有用处。彗星出现，只为扫除秽德，君主只须改进政治没有秽德就可除去不祥，不用祭祀。"

宋窦俨做翰林学士时，善推算天文。与卢多逊、杨微之同官谏院时，对他二人说："岁丁卯，五星当聚于奎，奎主文明，又在鲁分，自此天下始太平，二拾遗一定能见到。老夫年老不预也。"后乾德丁卯，五星果聚于奎。

卓敬冯虎[①]　西巴释麑[②]

[注释]

①卓敬（？～1402）：字惟恭，明瑞安（今属浙江）人，少时聪颖绝伦。洪武进士，官至户部侍郎，死于建文之难。冯：凭借、依靠。②西巴：即秦西巴，春秋时鲁国孟孙氏的家臣。麑（ní）：小鹿。

[解说]

卓敬十五岁时，在宝香山读书。风雨交加之夜，回家的路上迷失了方向，朦胧中看见像牛一样的东西，便扶着它回家，等进入家门，手放开以后，那物咆哮一声，跳跃而去，才知道是一只老虎。

春秋时，鲁国的秦西巴是孟孙的家臣，孟孙打猎得到一只小鹿，让西巴带回去烹之。小鹿的母亲紧追不舍。西巴不忍心小鹿母子分离，便把小鹿放生了。孟孙大怒，赶走了西巴。过了三个月，又把西巴召回，任用为儿子的师傅，并感叹道："假如一只小鹿都舍不得伤害，那么对人岂不更好？"

信陵捕鹞①　祖逖闻鸡②

[注释]

①信陵：指魏无忌（？~前243），魏昭王之子，战国时期著名的政治家、军事家。人称信陵君，与赵国平原君赵胜、齐国孟尝君田文、楚国春申君黄歇合称为"战国四公子"。②祖逖（266~321）：字士稚，河北范阳（今河北涞水）人，东晋名将。

[解说]

信陵君正在用餐，有一只受惊的鸠掉入案下，一鹞进屋。信陵君放走了鸠，鹞却追上去杀了鸠。信陵君为此内疚而吃不下饭，心生感慨："鸠为避祸向我求救，我有愧于鸠。"于是捕获三百多只鹞。信陵君持剑对它们发问："谁犯罪了？"一鹞独低头伏罪，于是捉来杀了，其余的又放归自然。自此信陵君誉满天下，贤明之士纷纷投奔他门下。

晋朝祖逖，慷慨有志节。与刘琨友善，共居一室。夜间听到鸡叫声，就踢刘琨起床，一齐舞剑。后为豫州刺史，领兵大破石勒，使得黄河以南再次被晋朝控制。

赵苞弃母①　吴起杀妻②

[注释]

①赵苞（？~177）：字威豪，甘陵东武（今山东武城）人。东汉官吏。②吴起（前440？~前381）：卫国左氏（今山东定陶）人。战国初期政治改革家，军事家，与孙子并称"孙吴"，著有《吴子》。《吴子》与《孙子》又合称《孙吴兵法》。

[解说]

东汉赵苞任辽西太守时，在去接迎母亲的路上，途经柳城，遭遇鲜卑入侵并劫持其母作为人质。赵苞伤心地对母亲说："我本想用微薄的俸禄供养您，无奈身为朝廷臣子，忠孝不能兼顾。"母亲说："人各有命，怎能相顾，不要因为我而影响你的忠义。"赵苞遂舍下母亲进城破贼。母亲遇害，赵苞也因悲伤呕血而死。

战国时，吴起在鲁国任职。齐国攻打鲁国，鲁国打算让吴起做先锋官。吴起的妻子是个齐国女子，鲁国因此怀疑吴起不忠，吴起遂杀妻以表忠心，请求担任将领。

陈平多辙①　李广成蹊②

[注释]

①陈平（?～前178）：阳武（今河南原阳）人，西汉开国功臣，历仕高祖、惠帝、文帝三朝，官拜丞相。②李广（?～前119）：陇西成纪（今甘肃静宁）人，西汉军事家，人称"飞将军"。蹊：小路。

[解说]

汉初陈平，家中贫苦，用破席为门。同乡富人张负家有一女儿，五次嫁人，丈夫都先后死去。陈平想娶她，张负说："陈平虽然家贫，门外多长者车辙。"结果把女儿嫁给他。陈平后来追随刘邦，因功封曲逆侯。

汉朝飞将军李广，骁勇善战。武帝曾说他不善言语，温顺恭谨的样子像个下人，然而天下人都很仰慕他。正如谚语所讲："桃李不言，下自成蹊。"

烈裔刻虎①　温峤燃犀②

[注释]

①烈裔：古代传说中的神奇画工。他口含颜料喷在地上，立即变成鬼魅、怪物。其雕像皆无眼，若点睛，必飞走。②温峤（288～329）：字泰真，一作太真。太原祁县（今属山西）人，官拜骠骑将军开府仪同三司，加散骑常侍，封始安郡公。著有文集十卷。

[解说]

秦始皇二年，画工烈裔雕刻两只白玉虎，其形象栩栩如生，只是没有刻眼睛。始皇夜间派人去给白玉虎点上眼睛，到天亮时，白玉虎就跑走了。东晋王嘉《拾遗记》载有其事。

晋朝温峤，任江州都督，路过牛渚，水深不可测，传说水下多怪，温峤遂点着犀角照明，水下奇形怪状，历历在目。

梁公驯鹊[①]　茅容割鸡[②]

[注释]

①梁公：即狄仁杰，见一东韵"仁杰药笼"。②茅容：东汉陈留人。

[解说]

唐朝狄仁杰，为母亲守丧时，常有一只白鹊陪伴在他身旁，像驯养的一样温和。

汉朝时，四十岁的茅容在田间耕作，到树下避雨时，众人皆随意地坐在地上，唯独茅容正襟危坐。当朝名士郭泰看见茅容的样子觉得奇怪，就到他家留宿。第二天，茅容杀鸡做饭，郭泰以为是让他吃。不一会儿，茅容把做好的鸡端给母亲，自己却与客人一起吃蔬菜。郭泰由衷地感叹道："您太贤良了，是我真正的朋友。"就劝茅容外出求学。

九　佳

禹钧五桂[①]　王祐三槐[②]

[注释]

①禹钧：即窦禹钧，五代后晋时蓟州（今属天津）人。②王祐：字景叔，大名莘（今山东莘县）人。五代后晋时以文章闻名京师。入宋，历任数州刺史，官至兵部侍郎。

[解说]

五代时窦禹钧，有五子，先后举进士。当朝宰相冯道赋诗称赞："燕山窦十郎，教子有义方。灵椿一株老，丹桂五枝芳。"

宋朝王祐，初任潞州太守，后接替符彦卿镇守大名并以合家百口担保符彦卿无罪，人们称赞他积有阴德。他曾亲手在自己院里种下三棵槐树，说："我的子孙必有为三公者。"后来次子王旦果然位至宰相。人称之为"三槐王氏"。

同心向秀① 肖貌伯偕②

[注释]

①向秀：字子期（？~约275），河内怀县（今河南武陟）人。"竹林七贤"之一。②伯偕：唐朝人。

[解说]

晋朝向秀，从小与同郡山涛友善，又与谯国嵇康、东平吕安友善，志同道合，为人称道。

《风俗通》载：唐朝张伯偕与弟仲偕是一对孪生子，貌相似。仲偕娶妻，初见伯偕，误认为仲偕，伯偕说："我伯偕也。"赶紧躲开。不一会又见伯偕，仲偕妻告诉他说："刚才大误会，认伯为卿。"伯偕又回答说："我还是伯偕。"仲偕妻羞愧不已，不敢出门见人。

袁闳土室① 羊侃水斋②

[注释]

①袁闳：东汉汝南（今属河南）人。②羊侃：字祖忻，泰山梁父（今山东泰安）人，南朝梁大将。

[解说]

汉朝袁闳，朝廷多次征召皆不到。桓帝、灵帝时朋党事件发生后，袁闳则筑土室隐居，十八年与世隔绝，即使是儿子探望也见不到他，只能向窗口躬拜就离去。

南北朝时，羊侃任徐州刺史。性豪放，善音律。曾在两船之间建三间通梁水斋，用锦帐装饰，设帷屏，列女乐，乘潮解缆，临波置酒。光临者络绎不绝。

敬之说好[①] 郭讷言佳[②]

[注释]

①敬之：即杨敬之，字茂孝，唐朝虢州弘农（今河南三门峡）人。官至工部尚书兼国子祭酒。②郭讷：字敬言，西晋人。

[解说]

唐朝项斯，为人清奇雅正，尤工于诗。杨敬之以诗相赠："几度见君诗尽好，今观标格胜于诗。平生不解藏人善，到处逢人说项斯。"

晋朝郭讷，官至太子洗马。曾入洛阳听歌妓唱曲，称赞歌妓唱得好。石崇问：知道曲名叫什么吗？郭讷说不知。石崇讥笑他说："连曲名都不知道，为什么说好？"郭讷回答："譬如见西施，何必先知姓名然后知美。"

陈瓘责己[①] 阮籍咏怀[②]

[注释]

①陈瓘（guàn）：宋朝人，字莹中，号了翁，南剑州沙县（今福建沙县）人。擅长字画。高宗赐谥忠肃。②阮籍：见四支韵"阮籍青眼"。

[解说]

宋朝陈瓘，与范祖禹同官礼部。范祖禹说："颜子不迁不贰，唯伯淳（程颢的字）有之。"陈瓘问："你说谁？"范祖禹沉默良久，然后问陈瓘："不知道程伯淳是谁呀？"陈瓘感到惭愧，为此写了一篇文章，借以责备自己不知道理学大家程伯淳。

三国阮籍，容貌奇异，志气宏放。曾作咏怀诗八十余篇，《昭明文选》选其十七篇,名噪一时。

十 灰

初平起石① 左慈掷杯②

[注释]

①初平:即黄初平,东晋丹溪(今浙江兰溪)人。别号赤松子,著名道教神仙,香港黄大仙祠即供奉他。②左慈:字元放,庐江(今属安徽)人。东汉方士。

[解说]

晋朝黄初平,小时候牧羊,被一道士引入金华山中,居四十余年。兄黄初起找到他,问羊在哪儿?黄初平答:"在山的东边。"抬头望去,一片白石。初平叫羊群起来,先前的白石瞬间化作羊群,共有几万只。兄初起从此随其学道。

三国时,左慈会仙术。曹操召见他,并设宴款待,左慈用发簪在杯中画一下,酒分为二,左慈喝下其中一半,另一半送给曹操。曹操犹豫不决,左慈将酒杯抛向屋梁上,像鸟飞一样。在座的人定睛观看,回头再看左慈,已不见了踪影。

名高麟阁① 功显云台②

[注释]

①麟阁:即麒麟阁,汉武帝建于未央宫之中,主要用于藏历代记载资料和秘密历史文件。后来汉宣帝将历代对汉有功大臣的画像存放于麒麟阁。②云台:即东汉的南宫云台。东汉明帝永平年间,皇帝派人为二十八员功勋卓著的大将画像,并摆放在南宫云台之上,以纪念他们为建立东汉王朝所立下的汗马功劳。

[解说]

西汉宣帝时,因匈奴归降,忆起往昔有功之臣,乃令人画功臣图像于麒麟阁,以示纪念和表扬。霍光为第一,其次为张安世、韩增、赵充国、魏相、丙吉、杜延年、刘德、梁丘贺、萧望之、苏武等,共十一人。

汉明帝时,皇帝追思中兴功臣,乃图画二十八将于南宫云台,史称"云台二十八将"。以邓禹为首,后依次为马武、吴汉、王梁、贾复、耿弇、冠恂、岑彭、冯异、朱祐、祭遵、景丹、盖延、铫期、耿纯、马成、陈俊、杜茂、傅俊、坚镡、王霸、任光、李忠、万修、邳彤、刘植、臧官、刘隆。后又增王常、李通、窦融、卓茂等四人,凡三十二人。

朱熹正学① 苏轼奇才②

[注释]

①朱熹(1130~1200):字元晦,后改仲晦,号晦庵,别号紫阳。宋徽州婺源(今属江西)人。历仕高宗、孝宗、光宗、宁宗四朝,官至焕章阁待制、侍讲。南宋理学家、思想家、哲学家、诗人、教育家、文学家。著有《四书章句集注》等。②苏轼(1037~1101):字子瞻,号"东坡居士",人称"苏东坡"。眉州(今四川眉山)人,祖籍栾城。北宋文学家、书画家、诗人、词人。有《苏轼全集》等。

[解说]

南宋朱熹,潜心学问,研究六经,得儒学之真传。后人称"集诸儒之大成,发先圣之要秘,熹一人而已"。

宋朝苏轼,与父洵、弟辙,并称为"三苏"。嘉祐中为翰林学士,召对便殿。宣仁太后曰:"先帝每读你的文章,必叹称奇才、奇才。但未来得及重用你,现在可以让你任职了。"命坐赐茶,撤御前金莲烛送之归院。

渊明赏菊① 和靖观梅②

[注释]

①渊明（约365~427）：即陶渊明，字元亮。一说名潜，字渊明。自号五柳先生，私谥靖节，世称靖节先生，文学史上称其为"田园诗人"。②和靖：即林逋（967~1028），字君复，北宋初年隐逸诗人。谥号"和靖先生"。

[解说]

晋朝陶渊明，隐居后，种菊东篱。有"采菊东篱下，悠然见南山"之句。

宋朝林逋，谥和靖。居西湖二十年，在孤山边构建住宅，宅四面皆种梅，终日观之不倦。其咏梅诗"疏影横斜水清浅，暗香浮动月黄昏"尤脍炙人口。

鸡黍张范① 胶漆陈雷②

[注释]

①张范：即张劭和范式，东汉人。张劭，字元伯，汝南（今属河南）人。范式，字巨卿，山东金乡人。二人少游太学，结为好友。②陈：指陈重，江西新余人，东汉名士。雷：指雷义，字仲公，豫章鄱阳（今属江西）人。

[解说]

东汉张劭与范式是好朋友，同游太学。二人告别时，范式约定二年后去拜访张劭的父母。到了约定日期，张劭告诉母亲，准备鸡黍款待客人。张母说："分别二年，相隔千里，怎么能守约？"张劭坚持说："范式是守信用的人，一定不会违约。"范式果然如期而至，升堂拜张母，尽欢而别。

汉代雷义与陈重是好朋友，顺帝朝，雷义举秀才，要让给陈重，刺史不答应，雷义遂不应命。后来二人同举孝廉，同拜尚书郎。当时人称："胶漆虽坚，不如雷与陈。"

耿弇北道①　僧孺西台②

[注释]

①耿弇（yǎn）：字伯昭，扶风茂陵（今陕西兴平东北）人。东汉开国名将。②僧孺：即牛僧孺（779～847），字思黯，安定鹑觚（今甘肃灵台）人。历仕唐穆宗、唐文宗两朝，官拜宰相。牛李党争中牛党的领袖。西台：官署名，北魏中书省的别称，唐龙朔二年（662），改中书省为西台。

[解说]

汉光武领兵攻打邯郸时，耿弇进见并一起北上，到达蓟州时，官兵们说："死当南首，怎能北行进入敌囊中？"光武指着耿弇说："此我北道主人。"后耿弇因功加大将军。

唐朝牛僧孺，为伊阙县尉时，县衙前有条大河，相传县吏有人升台官者，水中必有滩出。一日，滩出。老吏说："此必分司御史，若是西台，当有一双鸂鶒（xī chì）飞落滩上。"牛僧孺说："既能有滩，何异无鸂鶒？"话音刚落，忽有一双鸂鶒飞落滩上。没过几天，牛僧孺官拜西台御史。

建封受贶①　孝基还财②

[注释]

①建封：即张建封（735～800），字本立，唐朝邓州南阳（今属河南）人。流寓兖州（今属山东）。曾官寿州刺史，后任徐泗濠节度使，能礼贤下士，军州大治。贶（kuàng）：赐赠之物。②孝基：即张孝基。宋代许昌（今属河南）士人。

[解说]

唐朝张建封，小时家里贫困。尚书裴宽，罢官西归，日晚停舟，见一人坐树下，衣服极破，上前和那人说话，十分惊奇地说："以你的才识，怎能长期贫贱？"遂把船钱、金帛、奴婢，全都送给那人，那人竟然毫不客气地接下了。登上舟后，遇上傲慢无礼的奴婢，就用鞭子抽打。裴宽更加吃惊。后来问那人，原来是张建封。

德宗朝曾镇守徐、泗两州，官至尚书。

宋朝张孝基，娶同乡富人家的女儿。富人仅有一子，此子因品行不端被赶出家门。富人病死后，把全部家财给了张孝基，并让他负责处理后事。后来富人的儿子沦为乞丐，张孝基找到他，问他："你能耕田种地吗？"答："能。"就让他耕田种地。看他非常勤奋地劳作，又问他："能管理仓库吗？"答："能。"就让他管理仓库。看他敦厚谨慎，有悔过自新的表现，张孝基就把他父亲的全部财产还给了他。

准题华岳[①] 绰赋天台[②]

[注释]

①准：即寇准（961~1023），字平仲，华州下邽（今陕西渭南）人。北宋政治家、诗人。②绰：即孙绰（314~371），字兴公，晋代中都（今山西平遥）人。善书博学。

[解说]

宋代寇准，八岁时作《吟华山》，诗云："只有天在上，更无山与齐。"其师谓其父曰："贤郎得志，必做宰相。"

晋朝孙绰，博学能文，为永嘉太守。后欲辞官归隐，闻天台山神奇秀丽，可以常住。于是让人画出天台山的美景，并为之作赋。写成后，拿给友人范荣期看，范荣期大加赞赏："你写的赋真可谓掷地金石声。"

穆生决去[①] 贾郁重来[②]

[注释]

①穆生：汉代鲁人，西汉属国楚国中大夫。②贾郁：侯官（今福建福州）人。五代时受闽王王审知赏识，历任县令。

[解说]

汉朝穆生，是楚元王的贵宾，元王非常敬重他。穆生不嗜酒，每次置酒宴,就为穆生专设甜米酒。后来王戊继位,也常设酒宴,开始记得为穆生备甜米酒,后渐渐忘了这件事。穆生说:"我可以离开了。醴酒不设,王权怠尽矣。"于是决意辞别。

五代贾郁曾任仙游令,将要离任时,一下属官吏喝得烂醉。贾郁生气地说:"假若我再来任职,一定要惩罚他。"那个官吏说:"你若想再来,如铁船渡海。"后来贾郁果然又来此地任职。醉吏盗了库钱,贾郁判他:"窃铜镪以润家,非因鼓铸;造铁船而过海,不假炉锤。"

台乌成兆① 屏雀为媒②

[注释]

①乌:鸟名,乌鸦,又称"老鸹"、"老鸦",羽毛通体或大部分黑色。②雀:指孔雀。

[解说]

汉朝朱博,为御史大夫时,御史府中种植了许多柏树,有数千只乌鸦栖息在柏树上,故后人称御史府为乌府,或称乌台。

南北朝时,窦毅为上柱国,他的女儿极聪慧,令人画孔雀于屏间,凡求婚者向孔雀射两箭,射中孔雀眼的人则被选为婿。李渊发二矢,各中一目。窦毅遂把女儿嫁给他。李渊后为唐高祖,窦氏为皇后。

平仲无术① 安道多才②

[注释]

①平仲:即寇准,字平仲。见十灰韵"准题华岳"。②安道:即张方平(1007~1092),字安道,号乐全居士,应天府宋城(今河南商丘)人。

[解说]

宋朝寇准,与张咏友善。寇准做宰相时,张咏做陈州知府。张咏曾对下属说："寇公奇才，可惜学术有些不足。"后来寇准到陕州任职。张咏拜访他，寇准设宴款待。临别时，问张咏："有什么指教？"张咏说："霍光传不可不读。"寇准回去读霍光传，读到"不学无术"句，笑着说："这是张公说我的话。"

宋朝张方平，小时聪明颖悟，凡读书过目不忘。平时写文章，从来不打草稿。举进士，上奏"平戎十策"，议论适当。神宗朝累官参知政事，时人称为天下奇才。

杨亿鹤蜕① 窦武蛇胎②

[注释]

①杨亿（974~1020）：字大年，建州浦城（今属福建）人。北宋文学家，诗人。"西昆体"诗歌的代表作家、史学家，娴习典章制度。官至翰林学士、户部侍郎。②窦武：字游平，扶风平陵（今陕西咸阳西北）人。东汉末年外戚、大臣。

[解说]

宋朝杨亿，其母亲张氏将要生他时，梦羽衣人自称武夷君托化。杨亿出生时，则一雏鹤，全家惊骇，把他投入江中。其叔父感觉事情有些蹊跷，就追到江边去观察他，则发现雏鹤已蜕变为婴儿，于是抱回家中。

汉朝窦武，出生时有一蛇同产，家人把蛇送回树林中。后窦母去世时，有大蛇缠身首触棺，涕血皆流，好像很悲伤的样子，停一会儿便离开了。

湘妃泣竹① 鉏麑触槐②

[注释]

①湘妃：即尧帝的两个女儿，后嫁舜帝为妻，姐姐叫娥皇，即湘君；妹妹叫女英，即湘夫人。②鉏麑：春秋时期人。

[解说]

尧把两个女儿娥皇、女英嫁给舜,舜在苍梧南巡时驾崩,二妃从之,死于湘江之间,世称湘妃。起初,二妃至洞庭山,悲恸万分,泪水把竹子染成斑斑驳驳的样子,所以今人称"斑竹",又曰"湘妃竹"。

鉏麑,是晋国的大力士。灵公派他刺杀赵宣子,清晨便去,寝门已开,赵宣子着朝服将要上朝,因时间尚早,遂坐着假寐。鉏麑赶忙退出并感叹道:"不忘恭敬,民之主也。贼民之主,不忠;弃君之命,不信。有一于此,不如死也。"遂触槐死。

阳雍五璧① 温峤一台②

[注释]

①阳雍:指阳雍伯,晋代志怪小说《搜神记》中的人物。②温峤:见八齐韵"温峤燃犀"。

[解说]

汉朝阳雍伯,曾在路旁备义粥给行人喝。第三年时,有一人喝完粥,问阳雍伯:"为什么没有菜羹?"阳雍伯答:"没有菜籽。"那人从怀里取出一些菜籽送给他,并且说:"这些菜籽能长出美玉,还能娶到好女子。"阳雍伯按行人说的把菜籽种下。此时,北平徐氏有个女儿,阳雍伯向他求婚,徐氏说:"须备白玉一双,才能迎娶。"阳雍伯向种菜籽的地方求要白玉,果然得到五双白玉,顺利成亲。人称这块菜地为"玉田"。

晋朝温峤,博学能文,丰仪秀整。温峤姑姑有一女儿,拜托温峤帮她寻觅佳婿。温峤答:"佳婿难得,像我这样的人怎么样?"姑曰:"我们岂敢高攀像您这样的人物?"过了很长时间,他给姑姑回话:"已替你找到佳婿了,门第人才不亚于我。"于是下玉镜台一枚作为聘礼,实则是自己做媒成为姑姑的女婿。既行婚礼,姑姑的女儿推开纱扇大笑,说:"我本来就怀疑是你这个老家伙。"

十一真

孔门十哲[①]　殷室三仁[②]

[注释]

①孔:指孔子。见一东韵"宣圣春风"。②殷:指商朝,又称殷商。

[解说]

《论语·先进》载:"子曰:'从我于陈蔡者,皆不及门也。德行:颜渊,闵子骞,冉伯牛,仲弓;言语:宰我,子贡;政事:冉有,季路;文学:子游,子夏。'"后人据此将孔子提到的十位弟子称为四科十哲。

商朝末年,面对殷纣王的无道,纣王的庶兄微子启,为保存宗祀,逃亡外地。纣王的叔父箕子,劝谏纣王不听,乃装疯卖傻当奴隶。少师比干,因谏纣王被剖心而死。孔子称这三人为殷室三仁。

晏能处己[①]　鸿耻因人[②]

[注释]

①晏:即何晏。见四支韵"平叔傅粉"。②鸿:指梁鸿。见四支韵"梁鸿五噫"。

[解说]

三国何晏七岁时,明慧若神。曹操喜欢他,就把何晏留在宫内,想把他当做自己的儿子一样抚养,何晏却在地上画一个方框,自处其中,人们问他用意,说:"这是我何氏的家。"曹操听说了,马上把他送回家。

汉朝梁鸿,小时候即失去父母,后坚持不和别人一起吃饭。邻居家若先做好饭，就叫梁鸿去吃饭。鸿曰："梁鸿不愿接受别人施舍。"

文翁教士① 朱邑爱民②

[注释]

①文翁（前156～前101）：名党，字仲翁，庐江郡舒县（今安徽舒城）人。汉景帝时为蜀郡守。②朱邑（？～前61）：字仲卿，庐江舒（今安徽舒城）人。清廉爱民，最初任啬夫（相近于现在乡长、镇长之类官职），最后官至大司农。

[解说]

汉代文翁，少好学，通春秋，景帝末为蜀郡令。崇尚教化，兴学校以改变不良风俗，此后蜀地文化进步，可与齐鲁地区相比。武帝时天下兴起建学之风，当自文翁开始。

汉朝朱邑，举贤良，迁北海太守，治绩被评为第一。朱邑病重，嘱托儿子："我曾在桐乡担任过啬夫小吏，很爱那里的百姓，百姓也爱戴我。我死后务必把我葬于桐乡。"其墓在桐城县西乡。

太公钓渭① 伊尹耕莘②

[注释]

①太公：姜姓，吕氏，名尚，一名望，字子牙，尊称太公望，武王尊为"师尚父"。商朝末年卫辉（今属河南）人。周朝军事家与政治家。齐国创始人。后世尊为"百家宗师"。②伊尹：名伊，尹为官名。一说名挚。莘（今属山东）人。商初大臣，历仕商汤、卜丙（即外丙）、仲壬、太甲等，辅政五十余年，世称"贤相"。

[解说]

姜太公八十岁时，在渭水垂钓，周文王纳其为谋士，后助武王伐纣，稳定周朝。人又称之为吕望、太公望。

伊尹，初耕于有莘之野，喜欢研究尧、舜、禹等君王的施政之道，商汤闻其贤，多次去邀请他，遂辅佐商汤灭夏。

皋惟团力①　泌仅献身②

[注释]

①皋：即李皋（733～792），字子兰。唐宗室，嗣封曹王。②泌：指李泌。见一东韵"邺仙秋水"。

[解说]

唐朝李皋，太宗裔孙。代宗朝为江西节度使，教练士兵，注重分组训练。淮西节度使兼平卢、淄青节度使李希烈叛乱，李皋屡败之，斩其部将韩霜露、杜少诚等万余骑。李希烈畏惧李皋，不敢觊觎江淮。

唐代宗朝，端午节时，臣子都向皇上进献服饰器用玩好之物。皇上对李泌说："先生为何独无进献。"李泌答："我的衣服与鞋子都是皇上赐予的，所余独一身罢了。"皇上说："朕所求正在此。假如你献身，就要一切都听从我使用，身体便不是你自己的了。"

丧邦黄皓①　误国章惇②

[注释]

①黄皓：三国蜀宦官。官拜蜀中常侍、奉车都尉。②章惇（1035～1105）：字子厚，福建浦城人。官至尚书左仆射兼门下侍郎。

[解说]

三国蜀后主刘禅，偏信内官黄皓。黄皓专权跋扈，排挤姜维，以混乱蜀政。不久曹魏派邓艾攻下蜀国，蜀汉遂亡。

宋朝章惇，哲宗初知枢密院事，后起用为相，力主新法，对异己者大肆报复，民怨沸腾。徽宗初，贬睦州卒。《宋史》有传。

鞅更秦法①　普读鲁论②

[注释]

①鞅：指商鞅（约前390～前338），卫国（今河南淇县一带）人。战国时期政治家，思想家，法家代表人物之一。卫国国君的后裔，故称卫鞅，又称公孙鞅，后入秦国封于商，人称商鞅。②普：即赵普（922～992），字则平。幽州蓟（今北京城西南）人。官至右仆射兼门下侍郎、同中书门下平章事、昭文馆大学士，北宋政治家。鲁论：即《鲁论语》。《论语》的汉代传本之一，相传为鲁人所传，是今本《论语》的来源之一。此指《论语》。

[解说]

商鞅，事秦孝公为相。定变法之令，废井田，开阡陌，改赋税之法，推行新法十余年，秦国大治。孝公死后，被贵族诬害，车裂而死。

宋初赵普，沉默寡言，手不释卷，历相两朝。每天回到家中，必取《论语》而读之。曾对皇上说："我有一部《论语》，用半部辅佐太祖定天下，以半部辅佐陛下定太平。"

吕诛华士① 孔戮闻人②

[注释]

①吕：指吕望，又名吕尚。即姜太公。见前"太公钓渭"。②孔：指孔子。见一东韵"宣圣春风"。

[解说]

姜太公初封于齐。齐有个叫华士的人，不向天子称臣，对诸侯不友善，人称赞他有才能。太公派人多次召见他，他都不去，便下令杀掉他。周公劝阻："这是齐国的高士，怎能杀掉他？"姜太公说："一个不臣服天子，不友善诸侯的人，我还要臣服他且对他友善吗？我不能让他称臣为友，是抛弃百姓。多次召见不至，是脱离国家的隐士。假如把他树为榜样，使全国人都效仿他的行为，我还能做谁的君王？"

孔子任鲁国司寇时，执政第七天，就把鲁国大夫少正卯杀了。

子贡问:"少正卯是鲁国的名人,为何要杀他?"孔子答:"天下人有五恶,窃盗不算在其中。其一是思想叛逆为人凶险,其二是行为怪僻且固执,其三是语言虚伪好狡辩,其四是熟知歪门邪道,其五是支持并奖励不同意见的人,少正卯兼有之,不可不除。"

暴胜持斧① 张纲埋轮②

[注释]

①暴胜:即暴胜之,字公子。西汉人。官拜御史大夫。②张纲(108~143):字文纪,东汉犍为武阳(今四川彭山)人。历任御史,出为广陵太守,深受地方百姓爱戴。

[解说]

汉武帝天汉年间,泰山盗起,暴胜之奉命征剿。他穿着绣衣手拿斧头,追捕盗贼,督察郡国,直至东海,以军法诛杀不听命者,威震州郡。《汉书·隽不疑传》载有其事。

汉朝张纲,少年有气节。顺帝朝为御史。顺帝曾派八位使臣巡察民情,张为其一。到洛阳都亭时,他把乘坐的车轮拆下埋于地下,说:"豺狼当道,安问狐狸!"遂上奏弹劾大将军梁冀,及其弟河南尹梁不疑等人的不法行为,震撼京师。

孙非识面① 韦岂呈身②

[注释]

①孙:指孙抃(biàn)(996~1064),字梦得,初名贯,眉山(今属四川)人。官至参知政事。②韦:指韦澳,字子斐,唐京兆(今西安)人。官至户部侍郎。

[解说]

宋朝孙抃,皇祐年间为御史中丞,推荐唐介、吴敦复为御史。有人问他:"你与他们不相识,凭什么推荐他们?"孙抃说:"昔人耻于做自荐求官的御史,今我岂能当只荐举熟人的御史台官?"后来二人俱以刚直名。

唐朝韦澳,武宗朝登弘词科,十年不仕。御史中丞高元裕想推荐韦澳为御史,暗示韦澳来拜访自己。韦澳知道后,对人说:"我不想做自荐求仕的御史。"终不往。

令公请税① 长孺输缗②

[注释]

①令公:指裴楷,见一东韵"裴楷清通"。②长孺:即杨长孺,吉州吉水(今属江西)人。杨万里子。

[解说]

晋朝时,裴楷为中书令。梁王、赵王的封地靠近京师,显贵当时。裴楷每年请二王纳税数百万,用来救济贫困的人。有人讽刺裴楷说:"什么叫乞物示惠?"裴楷说:"损有余,补不足,天之道也。"

宋朝杨长孺,任番禺经略安抚使,将要离任时,把自己的七千缗俸钱,全部替下属的百姓交纳了租税。他常对友人说:"士大夫清廉,便是七分人了。"

白州刺史① 绛县老人②

[注释]

①白州刺史:纸的代称。②绛县老人:指高寿之人。

[解说]

薛稷(649~713),蒲州汾阴(今山西万荣西南)人。唐朝画家、书法家。官至礼部尚书,封晋国公,加赠太子少保。曾封纸为"楮国公"、"白州刺史",后人遂用作纸的别称。

春秋襄公三十年,晋悼公夫人赏赐修建杞城的人吃饭,绛县老人也来参加。问他年龄，答："我一个百姓，不知纪年，我出生时，是正月甲子朔日，现已度过四百四十五甲子了。"后泛指高寿老人为绛县老人，或绛人、绛老、绛生。

景行莲幕① 谨选花裀②

[注释]

①景行：即庾杲（gǎo）之，字景行，南朝齐新野（今属河南）人。官至太子右卫率，加通直常侍。②谨选：即许慎，字谨选。唐代翰林学士。裀（yīn）：通"茵"，指褥垫、毯子之类。

[解说]

庾杲之为王俭长史时，萧缅给王俭的信中说："盛府元僚，实难其选。庾景行泛绿水，依芙蓉，何其丽也。"时人因称俭府为莲花池，后人因此称幕府为莲幕。

唐朝许慎，放旷不拘小节。在花圃中宴请亲友，没有搭帐篷也没有摆椅子，只让童仆收集落花铺在地上，请亲友坐下，说："吾自有花裀，何须坐具？"

郗超造宅① 季雅买邻②

[注释]

①郗超（336～377）：东晋高平金乡（今属山东）人，字景兴（或作敬兴），一字嘉宾。官至中书侍郎。②季雅：即宋季雅，南北朝广陵（今江苏扬州）人。梁时曾任南康郡守。

[解说]

晋朝郗超，每当听说有道德高尚的隐士，就去为那隐士置办百万资产，并给他建造屋宇。在剡溪即为戴逵（字安道）建宅，极精。

南北朝时，宋季雅买下康市宅，居吕僧珍宅旁边。吕僧珍问买这宅院用了多少钱,季雅答:"一千一百万。"吕僧珍以为太贵。季雅说:"百万买宅,千万买邻。"《南史·吕僧珍传》载有其事。

寿昌寻母① 董永卖身②

[注释]

①寿昌:指朱寿昌,字康叔,宋天长同仁(今属安徽)人。古代"二十四孝"之一。官至司农少卿、朝议大夫、中散大夫。②董永:东汉时千乘(今山东博兴)人。古代"二十四孝"之一。

[解说]

宋朝朱寿昌,七岁时父弃其母刘氏,母不知去向。朱寿昌年长后,弃官寻母,终于在蜀中找到,此时母子分别已有五十年。

汉朝董永,少失母,自己供养父亲。父死后,董永无钱葬父,即向人贷钱一万,并立契约以身为奴还债。安葬父亲后,忽然有一妇人求为董永妻,两人一起去见钱主。主人要求用三百匹缣偿债。一个月内即还完。那妇人说:"我是织女,因你至孝,上帝令我助你偿债。"说罢,凌空而去。后来生下孩子,送还给董抚养。

建安七子① 大历十人②

[注释]

①建安:指东汉末年献帝刘协的年号,时间为196年至220年。②大历:唐代宗李豫年号,时间为766年至779年。

[解说]

东汉末年,王粲、陈琳、徐干、刘桢、应玚、阮瑀(yǔ)、曹植,皆以文章名于时,号"建安七子"。

唐代宗年间,卢纶、吉中孚、韩翃(hóng)、钱起、司空曙、苗发、崔峒、耿湋、夏侯审、李端,皆工诗,人称"大历十才子"。

香山诗价[1]　孙济沽绨[2]

[注释]

①香山：指白居易（772~846），字乐天，原籍太原，后迁居下邽（今陕西渭南），出生于河南新郑，晚年居于洛阳，号香山居士。官至太子少傅。唐代杰出诗人和文学家，与元稹共同发起了"新乐府运动"，世称"元白"。著有《白氏长庆集》等。②孙济：三国人，孙权叔父。

[解说]

唐朝白居易任江州司马时，在香炉峰下筑草堂，称"香山居士"。工诗，当地人争相传抄其诗。有商人把白居易诗卖给新罗国相，每篇卖一金，其中伪作，国相都能辨别出来。

三国孙济，嗜酒不置产业，常醉，屡欠酒钱，人皆笑之，济泰然自若。对人说："寻常行坐处，欠人酒债，我打算租一件旧棉袍偿还他。"杜甫诗"酒债寻常行处有"，源于此。

令严孙武[1]　法变张巡[2]

[注释]

①孙武（前535?~?）：字长卿，齐国（今山东惠民）人，后人尊为孙子、孙武子、兵圣等。古代军事家，著有《孙子兵法》。②张巡（708~757）：南阳邓州（今属河南）人，唐代军事家。安禄山叛乱，镇守雍丘、睢阳，大败叛军，后壮烈牺牲。

[解说]

春秋孙武，为吴国大将。吴王挑选宫中美女一百八十人，让孙武教她们作战方法。孙武把她们分为二队，请二位宠妃任队长。孙武发布号令时，宫女大笑，于是杀了两个队长。然后，宫女随令鼓响声左右进退，都很守纪律。

唐朝张巡，不曾据古法用兵。有人问他原因，张巡答："古者人情敦朴，故军有左右前后，大将居中，三军望之，以齐进退。现在的胡人作战，实行突袭，聚散神速，变化多端，我要让士兵明白将领的军事意图,将领能清楚士兵的行动,上下相互了解,就能个个英勇善战。"

更衣范冉① 广被孟仁②

[注释]

①范冉:东汉外黄(今河南杞县东)人。桓帝时为莱芜长,后弃官卖卜于市。②孟仁:字恭武,江夏(今湖北武汉)人,本名宗,避吴主孙皓字,改为仁。官至司空。

[解说]

汉朝范冉,小时家贫,与同乡尹包要好,出门共穿一件深红色衣服,谁出门谁穿。尹包年龄大些,常常先穿着回家。等范冉外出时,再脱给他穿。

三国时孟仁,从小师从李肃求学,他的母亲为他做又厚又大的被褥。有人问她原因,孟母答:"小儿不善与人交往,所交往多穷人家孩子,所以为他做大被子,可与朋友同盖,增加交流。"

笔床茶灶① 羽扇纶巾②

[注释]

①笔床:卧置毛笔的器具。茶灶:烹茶的小炉灶。②羽扇:用长羽毛制成的扇子。纶巾:冠名。古代用青色丝带做的头巾。

[解说]

唐朝陆龟蒙,常乘小舟,带着纸张、茶灶、笔床、钓具等,坐船而游。

三国诸葛亮,常乘四轮车,头戴纶巾,手持羽扇,指挥军队,和军队一起行进。司马懿赞叹道:"诸葛君可谓名士矣。"

灌夫使酒① 刘四骂人②

[注释]

①灌夫：颍阴（今河南许昌）人。其父张孟，曾做过颍阴侯灌婴家臣，因此用灌家的姓更名为灌孟。灌夫后以战功升将军，官至代国国相、淮阳太守。②刘四：指刘子翼，字小心，常州晋陵（今江苏武进）人。官至弘文馆学士，加朝散大夫。有文集二十卷。

[解说]

灌夫为人刚强直爽，好发酒疯，不喜欢当面奉承人。对皇亲国戚权贵之人，他不但不表示恭敬，反而要去冒犯他们，对于地位低下之人他则非常尊重。士人们也因此而推重他。后因酒酣多次冲撞丞相田蚡，终因使酒骂坐不敬罪被杀。

唐朝刘子翼，有学行，性刚直。朋友有过，必当面纠正，不留情面。李百药曾对人说："刘子翼虽然经常斥责人，但人们很少忌恨他。"唐太宗征召他进朝为官，因母亲年老而推辞，母没后，始出任职。

以牛易马① 改氏为民②

[注释]

①牛：指牛姓人。马：指司马氏。②氏：指氏姓。民：指民姓。

[解说]

晋元帝司马睿于南渡后即帝位，建立东晋。起初，司马懿在谶书《玄石图》上看到"牛继马后"的话，便担心司马天下将来被牛氏夺走。他绞尽脑汁，残害了许多认为可能成为后患的牛姓人物。岂料恭王司马觐之妃夏侯氏竟与一个牛氏小吏私通怀孕，生下了司马睿，使"牛继马后"的话应验成真。

三国时民仪，本姓氏，在吴国任职。孔融嘲笑他说："氏字民无上，可改为民。"

圹先表圣①　灯候沈彬②

[注释]

①圹：墓穴。表圣：即司空图（837~908），字表圣，河中虞乡（今山西临猗）人，僖宗朝封为知制诰、中书舍人。晚唐诗人、诗论家。②沈彬：字子文，一说子美，筠州高安（今属江西）人。官至吏部侍郎。

[解说]

唐朝司空图，举进士，避乱不仕。事先为自己建造墓穴，朋友来了，就在墓穴内赋诗饮酒。有人指责他，司空图说："我并不是暂游此中，您思想不能宽广一点吗？"

唐朝沈彬，隐于阳山学道。工诗，有《湘江行》诗云："数家渔网残烟外，一岸夕阳细雨中。"众人称赞。临终时，指葬地告诉家人，按他说的地方挖成墓穴，打开墓穴，找到三盏石莲花灯，上有铜牌篆文写道："佳城今已开，虽开不葬埋，漆灯犹未灭，留待沈彬来。"

十二文

谢敷处士①　宋景贤君②

[注释]

①谢敷：字庆绪，会稽（今浙江绍兴）人。东晋隐士。②宋景：即宋景公，本名头曼，宋元公之子。春秋时期宋国第二十七代君主。

[解说]

晋朝谢敷，隐居若耶山十余年，朝廷征召皆不就。少微星，一名处士星。初，月犯少微，占者认为隐士当死。时书画家戴逵负才名，隐居未仕，心中有些担忧。不久谢敷死，越人嘲笑戴逵："吴中有高士，求死不得死。"

宋景公时，出现了一种不吉利的天象：荧惑（古指火星。因隐现不定，令人迷惑）守心。心，主宋国的星宿。景公召子韦询问应对的方法。子韦说："目前灾祸虽然在国君面前，但可把灾祸转移给国相。"景公说："国相，是管理国家的人。"子韦说："也可把灾祸转移给百姓。"景公说："百姓死，我给谁当国君。"子韦说："可把灾祸转移给年景（一年农业的收获）。"公曰："年景不好，百姓挨饿致死，谁拥戴我做国君。"子韦说："君有至德之言，荧惑必退。"当天夜里，荧惑果然退却。

景宗险韵[①]　刘辉奇文[②]

[注释]

[①]景宗：即曹景宗（457～508），字子震，新野（今属河南）人，南北朝时期梁朝名将。官至侍中。[②]刘辉：即刘几（1008～1088），字伯寿，号玉华庵主，宋朝洛阳（今属河南）人。历仕仁宗、英宗、神宗三朝，以秘书监致仕。

[解说]

南北朝时，曹景宗以胆量和勇气闻名。梁武帝朝任右将军时，北魏兵围钟离，曹景宗帅师解围，振旅而还。梁武帝设宴庆贺，群臣联句赋诗，令沈约限韵。此时韵已用尽，只剩下竞、病二字。曹景宗操笔立成，云："去时儿女悲，归来笳鼓竞；借问行路人，何如霍去病。"武帝非常赞赏。

宋朝刘几，写文章喜欢用耸人听闻的评议语言。欧阳修非常厌恶他的写作方式，每次读刘几的文章，总用红笔横抹之，称为"红勒帛"。后欧阳修任御试考官，试题为《尧舜性仁赋》，有考生写出："静以延年，独高五帝之寿；动而有勇，刑为四罪之诛。"欧公称赏，选拔为第一名。皇帝呼名召见登第进士时，发现第一名叫刘辉，原来是刘几改名为刘辉，令欧公惊叹不已。

袁安卧雪[①] 仁杰望云[②]

[注释]

①袁安（？~92）：东汉大臣，字邵公，汝南汝阳（今河南商水）人。官至司徒。②仁杰：即狄仁杰。见一东韵"仁杰药笼"。

[解说]

汉朝袁安客居洛阳时，遭遇大雪，洛阳令巡视到他门口，没有发现行迹。于是除雪进入，看见袁安僵卧床上，问他："为何不出门？"袁安答："大雪天不宜干扰人。"洛阳令荐他为孝廉，后累官至司徒。

唐朝狄仁杰，武后朝为宰相，因功封梁国公。当初为并州法曹参军时，双亲在河南，狄仁杰登上太行山，看见一片白云孤单地飘动，感叹道："我双亲的房屋就在那片白云下边。"徘徊良久，待白云飘走狄仁杰才慢慢离去。

貌疏宰相[①] 腹负将军[②]

[注释]

①宰相：指王钦若（962~1025），北宋大臣。字定国。临江军新喻（今江西新余）人。官至枢密使，同平章事（宰相）。与丁谓、林特、陈彭年、刘承珪交结，人称"五鬼"。②将军：指苏辙（1039~1112），字子由，晚年自号颍滨遗老。北宋眉山（今属四川）人。苏轼弟，人称"小苏"。官至门下侍郎。散文家，著有《栾城集》。

[解说]

宋朝王钦若，貌清瘦，脖子长有附疣，时人以为瘿相。但智慧过人，曾带着自己的文章去拜访钱希白，希白蔑视之。有位术士看见了王钦若，对钱希白说："这是人中之贵人，为何要轻视他？"钱希白不屑地说："朝廷有这样的宰相吗？"术士说："第恐不免，事不远矣。"后果为真宗相。

宋朝苏轼听说弟苏辙变瘦了,就寄给他一首诗,有"从来此腹负将军"句。当时有个传说:大将军党进吃饱饭后,总爱拍打自己的肚子说:"我不负此腹。"左右说:"将军不负此腹,此腹负将军,不少出智虑之万一也。"

梁亭窃灌① 曾圃误耘②

[注释]

①梁:古国名,即魏国。魏惠王于公元前362年迁都大梁(今开封),故称梁。②曾:指曾子(前505~前436),姓曾,名参,字子舆,春秋末年鲁国(今属山东)人,十六岁师从孔子,深得孔子真传。

[解说]

梁大夫宋就任边县令时,与楚邻界。梁亭与楚亭两地皆种瓜。梁人勤于浇灌,瓜果甜美;楚人很少浇灌,瓜果品差。楚亭人心中忌妒梁亭人种的瓜比自己的好,就暗中把梁地的瓜捣死。梁人发觉后想报复楚人,宋就说:"别人做恶你也学着做恶,岂不是太狭隘了。"于是叫人每天晚上往楚亭去,暗中帮他们浇灌瓜田。楚人的瓜也变得甜美,经过观察,他们发现是梁亭人帮助自己。楚王听说后,说:"这是梁人暗中谦让我们。"遂以重币感谢,双方情谊日深。汉刘向《新序·杂事四》载有其事。

曾参整理瓜地时,不小心把瓜根斩断。父亲很生气,用大杖打他。曾子趴在地上,半天才醒过来。孔子听说后,说:"曾参来了不要接纳他。"曾子请教他其中道理。孔子说:"当年舜事瞽叟,小杖则受,大杖则跑。今曾参蜷缩身体等待暴打,自己身死还让父亲落个不义之名,二者相比,不孝谁大啊。"

张巡军令① 陈琳檄文②

[注释]

①张巡：见十一真韵"法变张巡"。②陈琳（156？~217）：字孔璋，广陵射阳（今江苏扬州）人。东汉末年著名文学家，"建安七子"之一。初从袁绍，以写讨曹檄文而名声大震。后被曹操任用为丞相门下督，文书多出其手。

[解说]

唐朝雷万春镇守雍丘时，令狐潮围攻雍丘，万春立于城上，面中六箭而不动。令狐潮疑为木刻人，谍报传信说那是真人，令狐潮十分吃惊。对着远方的张巡说："刚才看见雷将军，已知足下军令之严格！"

三国时期陈琳，初为何进主簿，后归袁绍，替袁绍起草了讨伐曹操的檄文。当时曹操正患头风病，读了陈琳檄文，曹操感到震惊而病愈。后袁绍败，陈琳投靠曹操，曹操爱其才而不追究檄文事，任用陈琳为记室，并多次厚赏陈琳。

羊殖益上① 宁越弥勤②

[注释]

①羊殖：晋国大夫。②宁越：战国时中牟人。

[解说]

赵简子问成抟："我听说羊殖是一位贤明的大夫，你了解他吗？"成抟答："我不知道他现在怎么样了。"简子问："你们是朋友，为什么不了解呢？"成抟答："这个人比较多变，他十五岁时，廉洁而不掩饰自己的过失。他二十岁时，仁义且友善。他三十岁时，为晋中军将，勇敢且有德政。他五十岁时，为边城将，能使远方的民族来归附。至今我已五年没见到他了，所以不了解他的情况。"简子说："果然是贤明的大夫，越变越好。"

战国宁越，整日苦于耕作之劳，就问朋友："怎样才能免除这种劳苦？"朋友答："不如求学去。发奋读书三十年，就可以摆脱这种困境了。"宁越说:"假如那样,我就必须做到:人们休息而我不能休息,人们睡觉而我不能睡,这样坚持十五年,我就可以达到目的了!"从此苦读十三年,终成周威王之师。

蔡邕倒屣① 卫瓘披云②

[注释]

①蔡邕(133~192):字伯喈,陈留圉(今河南杞县)人。东汉文学家、书法家。汉献帝时曾拜左中郎将,故称"蔡中郎"。②卫瓘(guàn)(220~291):字伯玉。河东安邑(今山西夏县北)人。曾任三国魏镇东将军,西晋时任司空、太保等。

[解说]

三国王粲,博物多识,无所不知。蔡邕非常赏识王粲的才略。有一天,蔡邕家宾客盈门,听说王粲来到,蔡邕便匆匆出迎,鞋都穿倒了。见王粲年少,身材短小,在座的人都感到惊讶。蔡邕说:"此君奇才,我不如他。"

晋朝的乐广,擅长评论,常常能简明扼要地点出问题的关键所在。卫瓘称赞他:"此人之水镜也。见之若披云雾而睹青天。"后官至尚书令。

巨山龟息① 遵彦龙文②

[注释]

①巨山:即李峤(645~714),字巨山。赵州赞皇(今属河北)人。武后、中宗朝,屡居相位,封赵国公。唐代诗人。②遵彦:即杨愔(511~560),字遵彦,小名秦王,弘农华阴(今属陕西)人。仕魏为吏部尚书,北齐时任骠骑大将军、尚书令,封开封王,在高演发动的政变中被杀。龙文:骏马名。

[解说]

唐朝李峤的兄弟皆年三十岁而卒,母亲非常担忧他的性命,便请道士袁天罡算一算李峤的寿命。袁说:"李峤神清气秀,估计不会长寿。"请李母同意他与李峤合床而睡,发现李峤不是用鼻子呼吸,而是用耳朵呼吸。遂恭贺李母:"同神龟一样的呼吸方法,一定大富大贵,长命百岁。"

南北朝的杨愔,六岁学史书,十一岁学诗经、易经。堂兄杨昱器重他的才能,夸奖他:"此儿驹齿未落,已是吾家龙文,更十年,求之千里之外。"

十三元

傲睨昭谏①　茂异简言②

[注释]

①昭谏:即罗隐(833~909),字昭谏,新城(今浙江富阳)人,唐代诗人。考十多次不中,史称"十上不第"。五十五岁归依吴越王钱镠,历任钱塘令、司勋郎中、给事中等职。②简言:即吴简言,字若讷,长汀(今属福建)人。官至祠部郎中。

[解说]

唐朝罗隐,工诗,尤长于咏史。性情傲慢。少时与桐庐章鲁风齐名。令狐绹(táo)子滈(hào)登第,隐贺以诗。绹对滈说:"吾不喜汝得中,喜汝得罗公诗也。"

宋朝吴简言,以才德出众进入仕途。累官祠部郎中。经过巫山神女庙时,题诗云:"惆怅巫娥事不平,当时一梦是空成;只因宋玉闲唇吻,流尽长江洗不清。"是夜,梦神女来谢。

金书梦珏①　纱护卜藩②

[注释]

①珏:即李珏,字待价,其先出赵郡,客居淮阴。官至宰相。②藩:即

李藩,字叔翰,赵郡人。官拜门下侍郎、同平章事。

[解说]

唐朝李珏,唐文宗开成中拜相。御史李绛称其日角珠庭,非庸人相。又广陵有李珏,以贩粜为生,每斗唯求钱二文,资奉父母。每粜伞给人升斗,让人自己称量。丞相李珏节制淮南,梦见自己进入洞府,见石壁金书姓名中有李珏,自己正高兴时,有二童子告诉他:"这指的是江南当地百姓李珏。"

唐朝李藩,少时沉静,宪宗朝官拜同平章事。曾向葫芦生问卦,葫芦生答:"子纱笼中人也。"李藩不明白。后有新罗僧对他说:"凡居宰相位者,冥司必暗中以纱笼护其名姓,恐为异物所害。"

童恢捕虎① 古冶持鼋②

[注释]

①童恢:字汉宗,东汉琅邪姑幕(今山东诸城)人。②古冶:即古冶子。春秋时齐国勇士。

[解说]

汉童恢任县令时,当地有百姓被老虎害死,童恢捕到两只老虎,对二虎说:"王法规定杀人者死,你们要是杀人了,垂头服罪,要是没有杀人,就向我哭诉。"一虎低头瞑目,一虎看着童恢号鸣。童恢于是杀一只放一只,吏民为之歌颂。后升至丹阳太守,执法严明。

齐景公渡河,有大鼋衔左骖没于水,众人皆恐惧。古冶子独仗剑追赶它,逆行五里,至于砥柱下,左手持鼋头,右手挟左骖,跃踊而出,仰天大呼,河水被逆流三百步,观者都把古冶子比作河伯。

何奇韩信①　香化陈元②

[注释]

①何：指萧何。见一东韵"何守关中"。韩信（？～前196）：古淮阴（今江苏淮安）人。西汉开国功臣，封淮阴侯。②香：指仇览，字季智，一名香，陈留考城（今河南兰考）人。官至考城主簿。陈元：蒲亭（今河南兰考境内）百姓。

[解说]

西汉萧何，见到韩信，交谈后很赏识他。刚开始，汉王不重用信，韩信就离开了，萧何自己骑马连夜追回韩信，极力向高祖推荐韩信说："国士无双。"高祖遂筑坛拜韩信为大将军，全军皆惊异。最终刘邦依赖他们取得成功。

汉朝仇览，一名香。曾任蒲亭长。有一个叫陈元的人，其母告他不孝。仇览吃惊地说："你孤儿寡母，怎能将自己的儿子绳之以法？"母感悟而去。然后仇览亲自至陈家，耐心地向陈元申明大义，陈元终于变成了孝子。

徐干中论①　扬雄法言②

[注释]

①徐干（170～217）：字伟长，北海郡（今山东昌乐附近）人。东汉末曾在曹丕部下任文学掾。②扬雄：见一东韵"投阁扬雄"。

[解说]

徐干与陈琳等七人，皆好文章，号建安七子。魏文帝曹丕曾在与吴质的书信中说："徐干抱文怀质，恬淡寡欲，有箕山之节，可谓彬彬君子矣。"徐干所著《中论》行于世，辞义典雅，当世嘉之。

汉代扬雄，自少时好学。曾撰有《法言》，蜀中有个富人给扬雄送钱十万，愿载一名。扬雄说："富人无义，正如圈中之鹿，栏中之牛矣，安得妄载。"

十三元

力称乌获^①　勇尚孟贲^②

[注释]

①乌获：战国时大力士，秦国人，与任鄙、孟说齐名。②孟贲：字说，以力闻。《东周列国志》载有其事。

[解说]

乌获，秦武王时人，力能扛鼎。秦武王好以力戏，乌获因此得到很高的地位，后武王因举鼎折肱而死。

齐国孟贲，能生拔牛角。过黄河去投秦武王时，孟贲不按次序强行上船，船家不知他是孟贲，十分生气，用船桨打孟贲。船到河中央，孟贲大怒，目裂发直，船上的人全都被他掀翻入河。

八龙荀氏^①　五豸唐门^②

[注释]

①八龙荀氏：《后汉书》列传第四十三载有其事。荀：指荀淑（83～149），字季和，东汉颍川颍阴（今河南许昌）人。汉桓帝时为朗陵侯相。与同朝郡人钟皓、韩韶、陈寔等以清高有德行闻名于世，合称"颍川四长"。②豸：指獬豸（xiè zhì），古代传说中的一种独角神兽，能辨别曲直、触不正者。故古代用以喻执法者。

[解说]

汉朝荀淑，有八个儿子：荀俭、荀绲、荀靖、荀焘、荀汪、荀爽、荀肃、荀专，都有才名，时人称为"八龙"。

古代御史冠服用獬豸图案标志。宋朝时，唐涧、唐肃、唐询、唐介、唐淑问相继为御史，人称"唐门五豸"。

张瞻炊臼^①　庄周鼓盆^②

[注释]

①此故事源于唐段成式《酉阳杂俎·梦》。②庄周：见四支韵"庄子涂龟"。此故事源于《庄子·外篇·至乐》。

[解说]

江淮王生，善于占卜。商人张瞻梦见在臼中做饭，请王生占卜，王生解释说："你回去时见不到妻子了。臼中炊，无釜也。"釜去声，音妇。张瞻回到家中，其妻果然死了。

春秋时期庄子，妻死后，惠子去慰问他。庄子坐在地上敲着瓦盆唱歌说："堪叹浮世事，有如花开谢。妻死我必埋，我死妻必嫁。我若先死时，一场大笑话。田被他人耕，马被他人跨，妻被他人恋，子被他人打。以此动伤心，相看泪不下。世人笑我不悲伤，我笑世人空断肠，死后若还哭得转，我亦千愁泪万行。"惠子曰："这话说得太过头了。"

疏脱士简① 博奥文元②

[注释]

①士简：即张率（457～527），字士简。吴郡吴（今江苏苏州）人，官至新安太守。②文元：即萧颖士（717～768），字茂挺，谥号文元，南朝梁武帝第九子萧恢七世孙。以才高博学著称。曾仕秘书正字、扬州功曹参军等。

[解说]

南北朝时期，张率嗜酒如命，洒脱不羁。在新安时，曾派家童载米三千斛回家乡，途中耗失大半。张率问家童原因，家童答："雀鼠耗也。"张率感叹："壮哉雀鼠。"竟不再追问。

唐朝萧颖士，性严酷。有一个叫杜亮的仆人，侍奉他十年了，萧颖士经常鞭打他，杜亮不堪其苦。有人劝杜亮另择主人，杜亮答："我不是非跟他不行，之所以留在他家，是因为爱慕他有博大精深的才学。"

敏修未娶① 陈峤初婚②

[注释]

①敏修：即陈敏修，福州人，号市隐居士。宋高宗绍兴年间中进士第三

名——探花。②陈峤：字景山，福建人，暮年登第，还乡不仕。

[解说]

宋朝陈敏修中进士时，皇上问："你便是陈敏修，多大年龄了？"对曰："七十三。"又问有几子。对曰："未娶。"皇上当场选了一位二十岁的施氏宫女嫁给他。时人传说："新人若问郎年几，五十年前二十三。"

陈峤，于唐僖宗乾符四年及第，时年近六十。有儒士把女儿嫁给他，新婚之时，作诗曰："彭祖尚闻年八百，陈郎犹是小孩儿。"

长公思过① 定国平冤②

[注释]

①长公：即韩延寿，字长公（？~前57），汉宣帝时期著名的士大夫，燕国人，官至左冯翊。②定国：即于定国（？~前40），字曼倩。东海郯县（今山东郯城西南）人。官至丞相，封西平侯。

[解说]

汉朝韩延寿，为左冯翊部刺史。巡视属县至高陵，当地有一对兄弟因争地而告状。延寿很伤感地说："我任职应当成为一郡表率，却不能宣教明化，致使百姓有骨肉争讼，罪在冯翊。"因闭门思过，一县官吏不知该如何办。自县令县丞以下，亦自系待罪。于是讼者自悔，肉袒谢罪，愿以田相让，终死不敢复争。

汉朝于定国，累官廷尉，时人称赞他："张释之为廷尉，天下无冤民。于定国为廷尉，民自以为不冤。"先是定国父为狱吏，闾门坏，父老方共治之，公曰："幸少高大，令容驷车高车。因为我治狱多阴德，子孙必有兴旺的。"至定国果然为丞相，封西平侯。

陈遵投辖① 魏勃扫门②

[注释]

①陈遵（？~24）：字孟公，杜陵（今陕西西安东南）人。历任河南太

守、九江都尉等职。其故事源于《汉书·陈遵传》。②魏勃：其故事源于《史记·齐悼惠王世家》。

[解说]

汉朝陈遵，性好客，每次宴饮，就把客人的车辖投入井中，即使有急事也不能离开。

汉朝魏勃，想见齐国相曹参，因为贫苦无法成行，于是常常早起，扫齐相舍人门。舍人感到奇怪就问他，才知是魏勃，问他原因，魏勃答："本想见相君，但苦于没有理由，所以扫地，想借此请您疏通门路。"于是舍人替他引见，曹参遂任用魏勃为舍人。

孙琏织屦①　阮咸曝裈②

[注释]

①孙琏：字器之，大庾（今江西大余）人。其故事出于《宋季忠义录》卷一六。②阮咸：字仲容，陈留尉氏人。晋始平太守。"竹林七贤"之一。

[解说]

宋朝孙琏，家贫，喜欢读书，善吟诵诗歌，不曾参加科举，以躬耕织屦为食，寿百岁。曾赋《述怀》诗云："坐倦秋树根，摄衣步前丘。横河澹如练，波月西南流。独持一尊酒，悠然发清讴。俯仰无不足，吾生焉所求。"

晋朝阮咸，任达不拘，当时人莫不怪其所为，只有太原郭奕见了他心醉。阮氏，大族也，阮咸与叔父阮籍居道南，诸阮居道北，北富南贫。七月初七这一天，家家户户晒衣被，北阮晒的衣服，锦绮炫目；阮咸却用竹竿挂犊鼻裈于庭院，曰："未能免俗，聊仿效一下罢了。"

晦堂无隐①　沩山不言②

[注释]

①晦堂：即晦堂祖心，庐山黄龙寺和尚。②沩山：山名，在湖南南宁乡

西,此处指沩山灵祐禅师(771~853),福州长溪(今福建霞浦县南)人,俗姓赵,法名灵祐。佛教禅宗学派沩仰宗的创始者,被尊为初祖。

[解说]

宋朝黄庭坚,曾想诠释"吾无隐乎尔"的意思,反复琢磨不得其解。于是去问黄堂寺晦堂祖心,晦堂没有直接回答。当时暑退凉生,秋风满院,晦堂就问黄庭坚:"闻到桂花香了?"黄庭坚答:"闻到了。"晦堂说:"吾无隐乎尔。"山谷叹服。

唐朝香岩禅师,与沩山大师参禅,沩山说:"父母未生时,试道一句看。"香岩禅师茫然。屡求沩山说破,沩山说:"我说的是我的,终不干你的事。"无奈之下,香岩禅师洒泪而别。路过南阳,一日芟除草木,偶抛瓦砾击竹发出声音,忽然省悟。立刻沐浴焚香,遥礼沩山,赞曰:"和尚大慈,恩愈父母,当时若为我说破,何有今日之事。"

十四寒

庄生蝴蝶① 吕祖邯郸②

[注释]

①庄:指庄子。见四支韵"庄子涂龟"。②吕:指吕岩,唐末至五代时人,号纯阳子,一说名洞宾,一说字洞宾,京兆(今陕西西安)人。唐德宗时礼部侍郎吕渭之孙。懿宗时举进士不第,遇黄巢之乱,移家入终南山学道,不知所终。被后人神化,传说成八仙之一。邯郸,地名,在今河北省。唐人传奇小说《枕中记》,述卢生遇吕翁故事,与吕岩无关。到元朝时,被改编为《邯郸道省悟黄粱梦》杂剧,才将吕翁改作吕岩。

[解说]

庄周,曾为漆园吏。曾梦见自己化为蝴蝶,栩栩然不知周也。不久即醒,则蘧蘧然周也。不知周之梦蝶,蝶之梦周也。这揭示了事物可以互相变化的道理。

唐朝吕岩得道,游经邯郸客邸,正好赶上主人炊黄粱,时卢生也在座,说自己忙着求官,吕岩于是取囊中枕给他。卢生在枕上睡了一会儿,便梦见登第,出将入相五十年,荣耀无比。睡醒后,黄粱尚未熟。卢生因向吕岩求出世成仙之术。

谢安折屐① 贡禹弹冠②

[注释]

①谢安(320~385):字安石,号东山,浙江绍兴人,东晋政治家,军事家,官拜太保兼都督十五州军事兼卫将军等,封建昌县公。②贡禹(前127~前44):字少翁,琅邪(今山东诸城)人,官至御史大夫。

[解说]

晋朝谢安为扬州刺史,当时苻坚入寇,谢安正在别墅与客人下围棋。侄子谢玄以文武良将御敌,在淝水打败苻坚。消息传来,谢安面无喜色,客人问他,只说:"小儿辈已破贼。"说罢回屋。自己一个人时,却喜不自禁,屐齿断了也没感觉到。

汉朝贡禹,与王阳友善,王阳做了益州刺史,贡禹则弹冠相庆,等待着王阳举荐自己。王阳果然向成帝推荐了贡禹。

颙容王导① 浚杀曲端②

[注释]

①颙:即周颙(269~322),字伯仁,东晋汝南安城(今河南汝南东)人。王导:见五微韵"王葛交讥"。②浚:即张浚(1097~1164),字德远,汉州绵竹(今属四川)人,南宋高宗时大臣,历任枢密使,重用岳飞、韩世忠等,曾弹劾主战派宰相李纲在买马招兵中残暴扰民,最后被主和派秦桧排挤去职。曲端(1090~1131):字正甫,一字师尹,镇戎军(今宁夏固原)人。历任宣抚处置使司都统制、知渭州等。

[解说]

晋朝王敦作乱,堂弟王导到御史台待罪。急忙对周颛呼喊:"伯仁,以百口累卿。"周颛直入不顾,面见皇帝,为王导开脱罪责。只对左右说:"今年杀诸贼奴,取金印如斗大。"后又表明王导无罪,王导全不知内情。王敦赶到后,问王导:"周颛怎样了?"王导不答,王敦遂杀了周颛。王导知道周曾为自己求情后,悔曰:"即使我没有杀伯仁,伯仁由我而死。"

宋朝曲端,为威武将军,英勇善战,得士卒拥戴,因与宣抚使张浚意见不合,被流放,张浚仍打着曲端旗号以吓敌。不久曲端被召还,皇上想起用他。吴介也与曲端有矛盾,在手上写"曲端谋反"四字让张浚看,曲端遂被诬下狱。

休那题碣①　叔邵凭棺②

[注释]

①休那:即姚康(1578~1653),字休那,原名士晋,桐城(今属安徽)人。明亡不仕。有《姚休那遗稿》。②叔邵:即方叔邵,明朝桐城人。

[解说]

姚康,素恬淡寡营,不屑仕进。何、史二相国,先后敦请入幕。文章经济,略见一斑,而清贫如故。入清,年七十,为诗自祭。又自题圹碣曰:"吊有青蝇,几见礼成徐孺子;赋无白凤,免得书称楚大夫。"

明朝方叔邵,豪放不羁,诗酒自适。崇祯十五年夏,忽病齿,遂自整衣冠,坐棺中,凭棺援笔,作永诀语曰:"千百年之乡而不去,争此瞬息而奚为?无干戈剑戟之乡而不去,恋此枳刺而奚为?清风明月如常在,翠壁丹岩我尚归,笔砚携从棺里去,山前无事好吟诗。"

如龙诸葛① 似鬼曹瞒②

[注释]

①诸葛：即诸葛亮（181～234），字孔明，号卧龙，琅邪阳都（今山东沂南南）人，蜀汉丞相。三国杰出的政治家、外交家、发明家、军事理论家。封为武乡侯，谥忠武侯。②曹瞒：即曹操。见七虞韵"曹公多智"。

[解说]

三国时，诸葛亮隐居隆中，世称卧龙先生。刘玄德三顾乃见，喜如鱼之得水。兄谨事吴，弟诞事魏，时谓蜀得龙，吴得虎，魏得狗。

三国曹操，小字阿瞒，机警有智谋。阳节潘氏论之曰："平生好伪，死见真性。"操之如鬼也，本苏东坡《祭孔融文》："视操如鬼。"

爽欣御李① 白愿识韩②

[注释]

①爽：指荀爽，字慈明，东汉颍阴（今河南许昌）人。荀彧叔父。曾拜郎中。"荀氏八龙"之一。李：指李膺。见七虞韵"李佳国士"。②白：指李白。见七虞韵"李白乘驴"。韩：指韩朝宗，京兆长安（今西安）人，官至京兆尹。

[解说]

汉朝李膺，性放荡而高傲，无所交接，唯以荀淑为师。淑第六子爽，曾师从李膺，因为给李膺驾车，回家后，高兴地说："我今日得御李君矣。"其仰慕如此。

唐代韩朝宗，玄宗朝为荆州刺史，以好士荐贤著称。李白流落江汉，上书自荐。其简端有："生不愿封万户侯，但愿一识韩荆州，何令人之景慕，一至于此。"

十四寒

黔娄布被^①　优孟衣冠^②

[注释]

①黔娄：即黔娄子，鲁国人，战国时齐国的贤士，齐、鲁国君都请他做官，他坚辞不就，以甘守清贫著称。②优孟：春秋时期楚国宫廷艺人。为优伶，名孟，故得名。荆州人，从小善辩，擅长表演，常谈笑讽谏时事。

[解说]

战国时黔娄子，齐国隐士，清贫守道，不屈邪恶，威王师之。去世后，覆以布被，覆头则足露，覆足则头露，曾西说："斜其被则可殓。"其妻曰："斜而有余，不若正而不足。"

周朝优孟，楚乐人。楚相孙叔敖知其贤，待他很优厚。叔敖将死时，嘱其子，贫困则往见优孟。优孟穿上叔敖衣冠，模仿叔敖，抵掌谈笑，庄王以为叔敖复生，欲以为相。优孟请归与妇商。三日后来，曰："妇言千万不要当楚相，孙叔敖忠于楚，今死去，其子穷得无立锥之地。负薪以自给衣食，如学叔敖，不如自杀。"于是庄王对优孟致谢，召叔敖子，封之宛丘。

长歌宁戚^①　鼾睡陈抟^②

[注释]

①宁戚：春秋莱棠（今山东平度）人，一说是卫国（今河南境内）人，长期任齐国大司田，为齐桓公主要辅佐者之一。②陈抟（tuán）（？~989）：亳州真源（今河南鹿邑县）人，为五代宋初著名道教学者。字图南，自号"扶摇子"，赐号"希夷先生"。他继承汉代以来的象数学传统，并把黄老清静无为思想、道教修炼方术和儒家修养、佛教禅观汇归一流，对宋代理学有较大影响。后人称其为"陈抟老祖"、"睡仙"等。

[解说]

春秋时，宁戚家贫，为人挽车。到齐国后，夜里于车下喂牛，扣牛角而歌曰："南山灿，白石烂，中有鲤鱼长尺半。生不逢尧与舜禅，短布单衣适至酣，从昏饭牛到夜半，长夜漫漫何时旦。"桓公闻而异之，命管仲迎之，拜为上卿。

宋朝陈抟，隐于华山，喜鼾睡，每至百余日不起。周世宗曾把陈抟置于禁中，锁上门户试验之。

曾参务益① 庞德遗安②

[注释]

①曾参：即曾子。见十二文韵"曾圊误耘"。②庞德：即庞德公。见三江韵"鹿门隐庞"。

[解说]

曾子有病，曾元抱着头，曾华抱着脚。曾子说："吾没有颜氏之才，拿什么告诉你们呢？我虽然无能，也要尽力去做。此所谓花多实少者天，言多行少者人也。飞鸟以山为低，而层巢其颠；鱼鳖以滩为浅，而穿穴其内。然所以得者，不过一点吃食也。君子如果能不去追求名利而害身，则辱没又怎么能来呢？官怠惰在于满足于官位，病加重在于满足于小愈，祸乱生在于懈惰，孝心衰退于娶了妻子。"

汉朝庞德公，隐居岘山，不入城府，刺史刘表累召不至，于是上门拜访。公耕陇上，妻送饭于田，相敬如宾。刘表问庞德公："先生不受官禄，何以遗留子孙？"公曰："人遗留给子孙危险，我遗留给子孙安定罢了。"

穆亲杵臼① 商化芝兰②

[注释]

①穆：指公沙穆，字文义，东汉北海胶东（今山东平度）人。②商：指卜商（前507~？），字子夏，卫（今河南温县）人。"孔门十哲"之一。

[解说]

汉朝公沙穆，少游太学，没有费用，就变服为人做佣，为吴佑家舂米，吴佑和他谈话，大惊，遂定交于杵臼间。

孔子说："我死之后，商也日益，赐也日损。"曾子曰："何谓也。"子曰："商也，好与贤已者处；赐也，悦与不如已者处。故曰：与善人交，如入芝兰之室，久而不闻其香，即与俱化矣；与不善人居，如入鲍鱼之市，久而不闻其臭，即与俱化矣。丹之所藏者赤，漆之所藏者黑。是以君子必慎所与处者焉。"

葛洪负笈[①] 高凤持竿[②]

[注释]

①葛洪（284～364）：字稚川，自号抱朴子，晋丹阳句容（今属江苏）人，三国方士葛玄侄孙，世称小仙翁。东晋道教学者、著名炼丹家、医药学家。曾封关内侯，后隐居罗浮山炼丹。著有《神仙传》等。②高凤：字文通，东汉南阳叶（今属河南）人。《后汉书·逸民传》有载。

[解说]

晋朝葛洪，家贫，篱落不修，常披榛出门，排草入室。好读书，常负笈徒步，不远千里，借书抄写，自伐薪以买纸墨，夜里总是燃火，或读或写，后著有《抱朴子》。

汉朝高凤，从小好学，家以农植为生。其妻曾在庭院里晒麦子，令凤护鸡，时遇暴雨，高凤一手持竹竿护鸡，一手举书，麦子被雨水所漂。妻回来后责怪他，高凤才明白自己是在看麦子。后成名儒，在西唐山中教授学生，不应征辟。

释之结袜[①] 子夏更冠[②]

[注释]

①释之：即张释之，字季，南阳堵阳（今河南方城）人。官至廷尉，西汉法学家，认为廷尉是"天下之平"。②子夏：即杜钦，字子夏，西汉杜陵（今陕西西安东南）人。曾为议郎。为人深博有谋略，朝廷重大决策，多出于其谋。

[解说]

汉朝张释之,任廷尉时,有一个叫王生的人,擅长释老,隐居不仕,张释之与他结为好友。朝廷征召公卿,王生立于庭中,袜子松开了,回头对张释之说:"为我系上袜子。"释之乃跪而结之。回来后,有人问王生:"为何庭辱廷尉?"王生答:"吾老且贱,自我感觉于廷尉无益,聊辱结袜,是因为我太看重他了。"诸公听了,都更加了解王生的贤明,同时更看重张释之。

汉朝杜钦,少好经书,家富而目偏盲,故不好为吏,茂陵杜邺与钦同姓字,俱以才能称。京师人乃谓钦为盲杜子夏,邺为大冠杜子夏。

直言唐介① 雅量刘宽②

[注释]

①唐介(1010~1069):字子方,宋江陵(今属湖北)人,神宗朝宰相。②刘宽:字文饶,东汉弘农华阴(今属陕西)人。官至太尉。

[解说]

宋朝唐介,仁宗朝为御史,劾文彦博交结后宫,窃取相位。帝怒,贬介为英州别驾,马上即派遣使者护行上路,又在便殿画出他的图像。李师中送以诗,有"去国一身轻似叶,高名千古重如山"之句,由是唐介直声名扬天下。神宗朝任参知政事。

汉朝刘宽,性仁厚。为南阳太守时,吏民有过,只用蒲草做成的鞭子打,示辱即可。嘉平中,拜太尉,当朝会,夫人欲试宽令怒,使婢捧肉羹污其朝衣。宽神色不变,慢声说:"肉羹烫着你的手了吗?"有一次,有人误认为刘宽的牛是他的牛,刘宽不作声,下车徒步回家。不一会儿,误认者找到了自己的牛,把刘宽的牛送还,叩头请责,刘宽反宽慰他。

捋须何点① 捉鼻谢安②

[注释]

①何点（437~504）：字子晳，南朝梁庐江灊（今安徽霍山）人。时号"游侠处士"。信佛，好文学。与兄求、弟胤皆当世名隐，人称"何氏三高"。②谢安：见十四寒韵"谢安折屐"。

[解说]

南北朝时，何点容貌高雅，博通群书。宋朝、齐朝累召不应。曾与梁武帝有交情，武帝即位，赐给何点鹿皮帽，下诏征之，召见于华林，拜何点为侍中。何点用手捋武帝的胡须说："这是想让我变老呀！"不久称病辞官。

晋朝谢安，少有诗曰："朝命敦逼皆不就。"人为语曰："安石不起，当如苍生何？"时兄弟已有富贵者，翕（xī）集家门，倾动人物。刘夫人，刘惔之妹。见谢安独静退，就对他说："大丈夫不当如此。"谢安则捏着鼻子说："我唯恐躲之不及。"后谢安年四十余，才应征辟。

张华龙鲊① 闵贡猪肝②

[注释]

①张华（232~300）：字茂先，范阳方城（今河北固安县）人。官至司空，封壮武郡公。西晋文学家，著有《博物志》等。②闵贡：字仲叔，东汉太原（今属山西）人。建武中征为博士，不就，隐居终生，见《高士传》。

[解说]

晋朝张华，学业优博，时人把他比作子产。陆机曾送给张华鲊鱼，张华说："此龙肉也。"遂以苦酒沃鲊，鲊中有五色光。因问鲊主，果然说园中积茅下得白鱼，以作鲊也。

汉朝闵贡，世称节士。曾客居安邑，家贫，日食猪肝一片，有的屠户不肯卖给他。安邑令听说了，命令属吏经常送给他。闵贡听说后,感叹道:"怎能因为口腹问题连累安邑呢?"遂离开安邑去了沛地。

渊材五恨① 郭奕三叹②

[注释]

①渊材:指彭渊材,名几,字渊材,宋宜丰(今属江西)人。②郭奕:字大业,晋太原阳曲(今属山西)人,官至尚书。

[解说]

宋朝彭渊材,平时喜欢交游,随身背一个布袋,人疑其中都是金珠。彭渊材说:"吾富可敌国。"打开一看,只有李廷珪墨一丸,文同(字与可)画竹一枝,欧阳修《五代史稿》一巨编而已。曾自言平生有五恨:一恨鲥鱼多骨,二恨金橘带酸,三恨莼菜性冷,四恨海棠无香,五恨曾巩不能诗。

晋朝郭奕,有才望,初为野王令,羊祜回洛路过野王境,郭奕去拜访他,感慨道:"羊祜不比我差。"羊祜不久又去一次,并允许他在野王小住。郭奕去看他回来后,又感叹说:"羊祜比我强多了。"羊祜要走时,郭奕送行,送了数百里才返回,遂以出境被免官。又感叹道:"羊祜不比颜渊差!"

弘景作相① 延祖弃官②

[注释]

①弘景:即陶弘景(456~536),字通明,号"华阳隐居",人称"山中宰相",南朝梁丹阳秣陵(今江苏南京)人。官拜左卫殿中将军。南朝齐、梁时期的道教思想家、医药家、炼丹家、文学家。著有《本草经集注》等。②延祖:即元延祖,唐洛阳(今属河南)人,文学家元结父。

[解说]

南北朝时,陶弘景读书不倦。有一事不知,便深以为耻。齐高帝任用他为诸王侍读。永明中，脱朝服挂神武门，上表辞禄，隐居茅山。梁武帝早前与他友善，即位后，征之不出，每有大事，无不向陶弘景咨询，时人谓"山中宰相"。

唐朝元延祖，矢志不仕，年过四十，亲人强勒之，调春陵丞，辄弃官去。曰："人生衣食，可适饥寒，不宜为繁事所累，复有所颇。每灌畦掇薪，以为有生之役，过此无思也。"

二疏供帐① 四皓衣冠②

[注释]

①二疏：汉朝疏广、疏受叔侄。疏广，汉东海兰陵（今山东枣庄）人，字仲翁。疏受，字公子。②四皓：指商山四皓。见四支韵"周术茹芝"。

[解说]

汉朝疏广，仕至太子太傅。兄子受，亦太子少傅。在位五年，广谓受曰："知足不辱，知止不殆。功成身退，人之道也。不去，恐有后悔。"乃同上书乞归。许之，赐黄金百斤，太子赠五十金，公卿大夫设供帐，阻道东都门外，送者车数百辆。道路观者都说："贤哉二大夫。"

汉高祖欲易太子，吕后问策张良，良曰："此难口舌之争，皇上曾请商山四皓，没有请得动，太子如能请来此四人，让皇上见之，则一助也。"太子便礼备聘书，迎接四人来。高祖设宴，太子侍坐，四人随在太子旁，年皆八十余，须眉皓白，衣冠甚伟。皇上觉得奇怪，便询问他们："为何只与我儿子交往？"四人答："陛下轻士，臣等义不辱，太子仁孝，愿为之死。"皇上遂对戚夫人说："羽翼已成，难动矣。"

曼卿豪饮① 廉颇雄餐②

[注释]

①曼卿：即石延年（994~1040），字曼卿，宋城（今河南商丘）人。考

进士未中，以武臣叙迁得官，官拜太子中允。宋代文学家、书法家。②廉颇（约前310～约前237）：今山东德州陵县人，战国时期赵国杰出的军事家，与白起、王翦、李牧并称"战国四大名将"。

[解说]

宋朝石延年，喜豪饮。尝官海陵，友人刘潜往访之，因一同剧饮，深夜酒欲尽，有醋斗余，遂并饮之。

战国时，廉颇为赵将，威震齐秦，悼襄王即位，使乐乘替代廉颇，颇怒，遂投奔魏。后来赵国被秦围困，复遣使探视廉颇状况，仇人郭开贿赂来使，让来使诋毁廉颇。来使去见廉颇，廉颇一顿饭吃一斗米，十斤肉，披甲上马，以示可用。使者回去向赵王报告时，应郭开之请，便说："廉将军虽老，还能吃，不过一会儿之间，已去拉三次屎了。"

长康三绝① 元方二难②

[注释]

①长康：即顾恺之（348～409），字长康，小字虎头，晋无锡（今属江苏）人，官至散骑常侍。②元方：即陈纪，字元方，颍昌（今河南许昌）人。东汉末名士陈寔长子。历任五官中郎将、尚书令，献帝时为大鸿胪。

[解说]

晋朝顾恺之，博学有才气，善丹青，每画人物，数年不点睛，说："传神写照，正在阿堵耳。"尤信小术，以为求之必得。故世传恺之有三绝：才绝、艺绝、痴绝。

汉朝陈寔，长子纪，字元方，次子谌，字季方，与寔并有高名，时号"三君"。元方子长先，季方子孝先，各论父功德，咨于祖父。寔曰："元方难为兄，季方难为弟。"

曾辞温饱① 城忍饥寒②

[注释]

①曾：指王曾（978~1038），字孝先。青州益都（今属山东）人。官至右仆射兼门下侍郎、平章事、集贤殿大学士，封沂国公。②城：指阳城，字亢宗，唐定州北平（今属河北）人。德宗朝谏议大夫。

[解说]

宋朝王曾，真宗咸平中取解试、省试、殿试皆第一，成为科举史上连中"三元"的状元。或曰："状元试三场，一生吃不尽。"曾曰："曾生平志不在温饱。"后为宰相。

唐朝阳城，性好学。求为吏集贤院，窃书读之。六年精通，去隐中条山，岁饥，屑榆为粥，与弟讲论不辍。后为谏议大夫。

买臣怀绶① 逢萌挂冠②

[注释]

①买臣：即朱买臣（？~前115），字翁子，吴（今江苏苏州）人也。官至丞相长史。②逢（páng）萌：字子康，东汉北海都昌（今山东昌邑）人。长于阴阳之术。东汉初年，至崂山修道。

[解说]

汉朝朱买臣，家贫，常担薪自给，行讴道中，妻求去。后至长安，严助荐之，拜中大夫，授会稽太守，买臣穿着旧衣服，怀其印绶，步归郡邸。诸吏群饮，不视。衙役见其绶，乃太守也。

汉朝逢萌，家贫，为亭长，感叹说："大丈夫安能为人役哉。"遂去，到长安求职。时王莽杀其子宇，萌对友人说："三纲绝矣，不去，祸将及。"即挂冠东郡城门，携家浮海，客辽东，光武即位始还，累征不起。

循良伏湛① 儒雅儿宽②

[注释]

①伏湛：字惠公，琅邪东武（今山东）人。官至大司徒，封阳都侯。②

兒（ní）宽（?~前103）：西汉时千乘（今山东广饶）人。官至御史大夫。

[解说]

汉朝伏湛，伏生九世孙。更始时，天下兵起，伏湛为平原太守，捐俸赈饥，一郡赖以保全，光武征拜大司徒。

汉朝兒宽，治《尚书》，以农糊口，带经而锄。武帝朝以射策补廷尉文学卒史，迁左内使，雍容儒雅。尝守同州，吏民信爱，以税课最少当免职，百姓听说了这件事，大家牛车，小家担负，争为输租，当地税课变为最多。后为御史大夫。

欧母画荻① 柳母和丸②

[注释]

①欧：指欧阳修（1007~1072），字永叔，自号醉翁，晚年号六一居士，谥号文忠，世称欧阳文忠公，吉安永丰（今属江西）人，自称庐陵（因吉州原属庐陵郡）人。北宋政治家、文学家、史学家和诗人。"唐宋八大家"之一。历官枢密副使、参知政事、兵部尚书，以太子少师致仕。著有《欧阳文忠公文集》。②柳：指柳公绰（763~830），字宽，小字起之，京兆华原（今西安）人。官至兵部尚书。

[解说]

宋朝欧阳修，四岁失父，家贫，母郑氏亲教育之，以荻画地教书，后成进士，两试国学，一试礼部，皆第一，文章名冠天下。

唐朝柳公绰妻韩氏，家教严肃，为缙绅家楷模。训其子仲郢，尝和熊胆为丸，让儿子咽嚼以助勤苦。后公绰累官侍御史，京兆河南尹。公事毕退舍展卷，读书不舍昼夜，抄书数十卷，小楷精谨，无一肆笔。

韩屏题叶① 燕佶梦兰②

[注释]

①韩屏：指韩翠屏。②燕佶：春秋时人。

[解说]

唐僖宗时,宫人韩翠屏因有感而题诗于红叶上,诗曰:"殷勤赠红叶,好去到人间。"置御沟水中流出。学士于佑得之,亦题一叶:"曾闻叶上题红怨,叶上题诗寄阿谁?"亦置御沟,风送逆流而进,韩亦得之。后放宫人,丞相韩泳为二人作伐,礼成,各出红叶相示。又《唐人小说》载红叶事有四个,此大概是抄袭其情节而托个假名吧。

郑文公,有妾燕姞,梦天使与之兰,说:"以是为尔子。"后生穆公,名曰兰。

漂母进食[1]　浣妇分餐[2]

[注释]

[1]漂母:在水边洗衣服的老妇。故事源于《史记·淮阴侯列传》。[2]浣妇:在水边漂洗丝织品的妇人。故事源于《吴越春秋》。

[解说]

汉朝韩信,淮阴人,贫甚,钓于城下,漂母怜悯他并送给他饭吃。韩信感谢说:"我将来一定会重谢您。"漂母生气地说:"大丈夫不能自食,吾哀王孙而进食,岂望报乎。"

楚国伍子胥,投奔吴国至溧阳,见女子浣衣水上,子胥向女子讨要食物,女子送给他饭。子胥说:"掩尔壶浆,勿令其露。"刚一离开,回头看那女子时,女子已自沉水中。后子胥得志于吴,欲报不知其家,投金水中而去。

十五删

令威华表[1]　杜宇西山[2]

[注释]

①令威：指丁令威，辽东人，道教崇奉的古代仙人。《搜神后记》载有其事。②杜宇：传说中古蜀国的帝王。扬雄《蜀王本纪》载有其事。

[解说]

汉朝丁令威，学道于灵虚山，后变化成一只仙鹤归辽。落在华表柱上说："有鸟有鸟丁令威，去家千年今始归，城郭如故人民非，何不学仙冢垒垒。"

黄帝子昌意，娶蜀女生帝喾（kù），后封其一支后代于蜀，最早称王者名蚕丛，后称王者名杜宇。尝有大水，宇与居民避水于长平山，荆人龟灵开峡治水，宇乃禅位于龟灵，自居西山学道，后成仙，又号望帝，尝化为鸟，即今之子规，又名杜鹃。

范增举玦① 羊祜探环②

[注释]

①范增（前277~前204）：秦末居巢（今安徽巢湖）人，为项羽主要谋士，被项羽尊为"亚父"。②羊祜（221~278）：字叔子，泰山南城（今山东费县西南）人，西晋著名的军事家和政治家。官至尚书左仆射都督荆州诸军事。

[解说]

刘邦与项羽会于鸿门，项羽赴刘邦宴，谋士范增在座，多次举所佩玉玦暗示项羽，令杀刘邦，项羽不听，后刘邦用离间计让范增离开。苏轼曰："增不去，项羽不亡。增亦人杰也。"

晋朝羊祜，五岁时，忽令乳母往邻家李氏园中取金环。李氏曰："这是我儿子丢失的。"才明白李氏子是羊祜之前身。

沈昭狂瘦① 冯道痴玩②

[注释]

①沈昭：指沈昭略（？~约500），字茂隆，南朝齐武康（今浙江德清）

人。官至侍中。②冯道（882～954）：字可道，自号"长乐老"。五代瀛州景城（今河北泊头）人。大规模官刻儒家经籍的创始人。历仕后唐、后晋、后汉、后周四代，官至宰相。著有《长乐老自叙》等。

[解说]

晋朝沈昭略，曾晚上喝醉，负杖至娄湖苑，遇王约，张目视之，问王约："你为什么肥而痴？"王约答："你为什么狂而瘦？"昭略抚掌大笑说："瘦已胜肥，狂又胜痴，你没办法，没办法！"

契丹灭晋，冯道朝见耶律德光于京师。德光责斥冯道事晋太不像话，道不能对。又问为何来朝见，冯道答："无城无兵，怎敢不来？"德光因讥诮之曰："尔是何等老子。"对曰："无才无德痴玩老子。"德光喜，以道为太傅。

陈蕃下榻① 郅恽拒关②

[注释]

①陈蕃（？～168）：字仲举，汝南平舆（今属河南）人。官至太傅，录尚书事。②郅恽：字君章，汝南西平（今属河南）人。

[解说]

汉朝陈蕃，为豫章太守，性方严，杜门谢客，唯有徐孺子稚，陈蕃仰慕其才能，专为其设一榻而优待他，徐离开后就把榻挂在墙上。故唐朝王勃《滕王阁序》云："人杰地灵，徐稚下陈蕃之榻。"

汉朝郅恽，为上东城门侯时，光武帝曾因出猎夜间回来，郅恽严守制度闭门不纳，光武帝只好从东中门入。第二天，郅恽又上书批评这件事，奏章一传到光武帝手中，郅恽即得赐布百匹，而把东中门侯贬为尉。

堂开洛水① 社结香山②

[注释]

①堂：指九耆堂。洛水：位于河南省西部。源出陕西省洛南县洛源乡的

木岔沟。东流入河南境,经卢氏、洛宁、宜阳、洛阳,到偃师杨村附近流入伊河后称伊洛河,到巩义洛口以北入黄河。②社:集体性组织或团体。香山:指洛阳香山。位于伊河东岸。

[解说]

宋朝的文彦博,曾以太尉留守西都,因仰慕白居易、胡杲、吉旼、刘贞、郑据、卢贞、张浑、李元爽、禅僧如满等人组成的九老会,于是集洛中德高望重的公卿富弼、司马光等组成耆英会。借助资圣院建耆英堂,令人绘像堂中,共二十三人。

唐朝白居易,晚年放意诗酒,与嵩山僧如满为空门友,平泉客韦楚为山水友,刘禹锡为诗友,皇甫明之为酒友,又与胡杲等八人,皆年高不仕,共在香山结社,每天赋诗宴集,人争相效仿他们。

腊花齐放① 春桂同攀

[注释]

①腊:岁末。因腊祭而得名,通指农历十二月或泛指冬月。

[解说]

唐武则天天授二年腊月,卿相想诈称开花,请武则天到上苑去而暗中谋害她。武后应允,不久又怀疑其中有诈,于是派使臣到上苑宣诏:"明早武后游幸上苑,火速报春知,花须连夜放,莫待晓风吹。"凌晨,名花满苑,群臣惊异,图谋遂止。

明朝时仪征县的王、蒋二人没中科举时,新年同游于庙,闻到桂花香气,分别走近左右两棵树,各攀得已开桂花一枝,众人诧异。他们持花出门,一群小孩歌曰:"一布政,一知府,掇高魁,花到手。"众人问小孩怎么回事,小孩说:"随便唱戏。"后来二人同中正德进士,蒋公名南金,官知府,王公名大用,官布政使。

比干受策① 杨宝掌环②

[注释]

①比干：即何比干，汝阴（今安徽阜阳）人。官至廷尉正。汉代法律学家。策：竹、木制的小条，古代用于计数的筹码或算卦抽签。②杨宝：杨震之父，东汉弘农华阴（今属陕西）人。

[解说]

汉朝何比干，武帝时为廷尉，治尚仁恕，救活了数千人。一天，有个老妪找到何比干说："您先世有功德，到您这一辈，又处理冤案多平反，今赐策以广公后。"于是从怀中取出九十九枚策，曰："子孙能掌管大印的人有如此数。"

汉朝杨宝，天性慈爱，九岁时，在华阴山北，发现一雀被鸱所伤坠地，就放在怀里带回家，置巾笥中，用黄花喂养。一百多天后，雀伤痊愈，早上飞走，晚上飞回。忽然一天傍晚，变为一个黄衣童子，把白玉环四枚送给杨宝，说："善掌此环，使君子孙洁白。异世三公，当如此环矣。"杨宝子杨震，震子秉，秉子赐，赐子彪，日后接连显贵，正好与此数相符。

晏婴能俭① 苏轼为悭②

[注释]

①晏婴（前578～前500）：字仲，谥平，亦称平仲，又称晏子，夷维（今山东高密）人。齐国上大夫晏弱之子。春秋后期重要的政治家、思想家、外交家。历仕齐灵公、庄公、景公三朝，为上大夫，辅政五十余年。②苏轼：见十灰韵"苏轼奇才"。

[解说]

晏婴为齐国上大夫，力行节俭，饮食粗茶淡饭，身着粗布衣服，祀先人，用的猪也非常小，一件狐裘衣穿三十年，人们认为他太寒碜，而晏子却泰然自若。

宋朝苏轼，在给李公择的信中写道："我快五十岁了，才知道如何生活，最重要的就是要吝啬。而加以美名，则称为俭省。"所以司马光在洛阳，朋友相聚，宴会菜不过五品。苏轼后入黄州，又把聚会的菜品降为三个，说这样有三种好处：一曰安分以养福；二曰宽胃以养气；三曰省费以养财。

雪夜擒蔡① 灯夕平蛮②

[注释]

①蔡：指蔡州，今河南汝南。②蛮：指南蛮，古代对长江中游及其以南地区少数民族的泛称。

[解说]

唐宪宗元和九年，淮西节度使吴元济叛乱，李愬奉命平叛，因职位比吴元济低，所以淮西人轻敌而没有防备，李愬雪夜突袭蔡州，活捉吴元济，安定了淮西。

宋仁宗皇祐四年，广西少数民族首领侬智高起兵反宋，自称仁惠皇帝，据守昆仑关。狄青主动请缨，领兵平叛。当时正值元宵节，狄青为麻痹叛军，第一天夜宴将领，第二天夜宴众军官，次夜二鼓，狄青称病离席，命令孙元规临时主持宴会，招待在座客人，至天亮未敢退席。不久，忽然传来捷报，狄青已攻下昆仑关。

郭家金穴① 邓氏铜山②

[注释]

①郭：指郭况（9~59），真定藁（今属河北藁城）人。官拜大鸿胪卿。②邓：指邓通，西汉蜀郡南安（今四川乐山）人。官至上大夫。

[解说]

东汉郭况，光武帝郭皇后的弟弟。皇帝对他赏赐甚厚，累金数亿，当时人称他家为"金穴"。

西汉邓通，初为宫中黄头郎。汉文帝非常宠信他。占卜的人给邓通相面说："将来会贫困饿死。"文帝说："我能让邓通富起来，怎能说会饿死？"遂把蜀中的铜山赐给邓通，并允许他自己铸钱。邓氏钱币流通天下。后来景帝继位，因当初忌恨邓通，于是罚没邓通家产，结果邓通饿死。

卷 三

一 先

飞凫叶令①　驾鹤缑仙②

[注释]

①叶令：指河南叶县县令王乔。《风俗通》：叶县令王乔有道术，能将鞋变为野鸭，载他飞行。②缑仙：指王子乔。缑氏山在今河南偃师，《列仙传》称此山上有仙人王子乔。

[解说]

东汉叶县令王乔有神仙术，每月初一和十五都要进京朝见皇帝，皇帝怪他常来，却不见他乘坐车马，十分奇怪，便派人暗中观察他的行踪。又该他到京师的时候，暗中窥伺的人看见从叶县方向飞来两只野鸭，便张网捕获一只，却变成了一只鞋子。王乔就是靠这鞋飞来飞去的。

周灵王的太子晋，又称王子乔，爱吹笙，能模仿凤凰鸣叫，常在伊洛河一带游玩，后被仙人浮丘生接上嵩山修道。三十年以后遇见过去的熟人桓良，让桓良转告家人说："七月七日以后可到缑氏山顶见我。"到期，果然看见王子乔骑着白鹤立在山顶，能看到却无法接近。后人便在这里盖了祠庙来祭祀他。

刘晨采药① 周颐观莲②

[注释]

①刘晨：传说东汉时浙江剡县（今嵊州）人。其入天台山采药遇仙女故事，见古代小说《幽明录》。②周颐：即周敦颐（1017~1073），湖南道州人，因居于江西庐山濂溪，故后人称他为濂溪先生。北宋哲学家。《爱莲说》是他最著名的一篇散文。

[解说]

汉朝的刘晨、阮肇同入天台山采药，遇二仙女邀至仙家，结为夫妻。居半年后辞归，到家，子孙已传了七代。

宋朝周敦颐，性喜莲，每当莲盛开总要去观看良久，因作《爱莲说》，有句云："香远益清，亭亭净植，可远观而不可亵玩焉。"又云："莲，花之君子者也。"皆寓意深刻。

阳公麾日① 武乙射天②

[注释]

①阳公：即鲁阳公，楚平王孙司马子期之子，即鲁阳文子。《淮南子》说他挥戈阻止日落，太阳倒退三舍。古称三十里为一舍。这当然是神话传说，后人常用"日反三舍"这个典故来比喻人定胜天。②武乙（？~前1113）：商朝国君，姓子名瞿，商王康丁之子，于公元前1147年继位，在位35年。狂妄无道。

[解说]

鲁阳公与韩交兵，激战中已到黄昏，他便举戈麾日，日为之退返三舍。

武乙无道，制作木偶人，称为天神，与之相约搏斗，令人代天神，不胜，乃羞辱之。又做革囊盛血，仰面开弓射之，称作射天。

唐宗三鉴① 刘宠一钱②

[注释]

①唐宗：指唐太宗。鉴：即镜子。②刘宠：山东牟平人，东汉著名廉洁清官，曾任会稽（今浙江绍兴）太守。

[解说]

唐朝魏徵去世时，太宗十分悲伤，他对群臣说："我有三面宝镜。用铜作镜子，可以照我的衣帽；用史作镜子，可以知道历史上国家兴亡的教训；用人作镜子，可以看出我的成绩和失误。现在魏徵走了，我失去了一面镜子。"

刘宠曾任会稽太守，离任的时候，地方百姓为了感谢他，为他送行，并捐了一车铜钱作为礼物，非让刘宠收下不可。刘宠无法，只好选了一文钱拿走，才被百姓放行。

叔武守国① 李牧备边②

[注释]

①叔武：卫成公弟，又称夷叔。卫成公出奔时，大夫元咺拥叔武代理主持国政，叔武接受了晋国和诸侯的盟约，诸侯才允许卫成公回国复位，叔武去迎接卫成公时，被成公的前驱误杀。②李牧（？~前228）：战国末赵国大将，后来赵王中秦国的反间计，将李牧误杀。不久，赵国因无大将，被秦国所灭。

[解说]

春秋时晋国公子重耳逃亡出国，过卫国时，卫国拒绝接待。后来重耳回国当了国君，即晋文公，起兵伐卫，卫成公逃出国都。叔武被临时推举守国主政，与晋结盟，晋文公才同意卫成公回国。叔武去迎接卫成公时被成公的前驱误杀。

李牧是赵国名将，长期守卫赵国边境，曾大败匈奴兵，匈奴十余年不敢犯，因战功封为武安君。

少翁致鬼[①]　栾大求仙[②]

[注释]

①少翁：汉武帝时方士。汉武帝晚年迷信神仙方术，少翁骗得武帝信任，被封为文成将军。后伪造天书事情败露，被杀。②栾大：汉武帝时方士，封为五利将军，后以欺骗蒙蔽罪被杀，与少翁并称"文成五利"。

[解说]

汉武帝宠妃李夫人死，武帝思念不已。少翁自称能拘李夫人鬼魂来相见。于是在夜里点燃灯烛，挂起帐幔，让武帝坐于帐后，少翁则在外做法。武帝遥遥望去，见一个美貌女子，和李夫人一样，绕着帷幔步行。

栾大向汉武帝进言说："曾在海上遇见仙人，有制造黄金等术，并可配制不死药。"武帝相信了他的话，派他出海找仙人求不死药。

彧臣曹操[①]　猛相苻坚[②]

[注释]

①彧：即荀彧（163～212），东汉末颍川颍阴（今河南许昌）人，曹操重要谋士。②猛：即王猛（325～375），北海剧（今山东寿光东南）人，十六国时前秦大臣。

[解说]

三国荀彧，闻曹操有雄才大略，便和侄子荀攸一同投奔曹操。操把他比作张良，高兴地说："吾之子房也。"荀彧后成为曹操最为倚重的谋士。

王猛事苻坚为丞相，有谋略，秦势日大。苻坚把得到王猛比喻成刘备得到诸葛亮。王猛临终时劝苻坚切不可伐晋，苻坚不听，后果然在淝水之战中大败，秦因而灭亡。

汉家三杰[①]　晋室七贤[②]

[注释]

①汉家三杰：指辅助汉高祖刘邦夺取天下的张良、萧何与韩信。②七贤：即竹林七贤。魏晋之间，文人嵇康等七人相友善，纵酒郊游，以清高自许，尝同游于竹林，故人称"竹林七贤"。此处称"晋室七贤"不妥，因晋建国前嵇康、阮籍已故。

[解说]

汉高祖刘邦取得天下后，在洛阳南宫摆宴庆贺，向诸将说："运筹帷幄，决胜千里，吾不如子房；顺抚百姓，馈饷不绝，吾不如萧何；连师百万，战胜攻取，吾不如韩信。三者皆人杰，吾能用之，所以取天下。项羽一范增而不能用，所以为我擒也。"

晋朝嵇康，与陈留阮籍、籍兄子咸、河内山涛、河南向秀、琅邪王戎、沛人刘伶特相友善，有竹林之乐，时号竹林七贤。

居易识字① 童乌预玄②

[注释]

①居易：即白居易。见十一真韵"香山诗价"。②童乌：指汉扬雄子。预：参加，参与。玄：指《太玄经》，扬雄主要哲学著作，全书以"玄"为中心思想，是儒、道、阴阳家学说的混合物。

[解说]

唐代白居易《与元九书》中讲到他始生七月，便能识"之"、"无"二字。

汉代扬雄作《太玄经》。其子乌，年七岁，即能与雄论玄，人称神童。扬雄著《法言》说："吾家童乌，九岁预吾玄文。"

黄琬对日① 秦宓论天②

[注释]

①黄琬（140~192）：东汉末名臣，官至太尉，曾与王允共同设计杀董卓，后被卓部将李傕、郭汜所杀。②秦宓（？~226）：蜀汉时任大司农等官，

博学多识，以善议论知名当时。

[解说]

黄琬是黄琼之孙。建和初，正月日食，京师看不到，琼为魏郡太守，以状奏之太后。太后诏问食了多少，琼难以对。琬年七岁，在一侧说："可以说日食之余，如同月之初。"闻者皆惊而称赏。

三国蜀汉秦宓，有辩才。东吴使臣张温来访问，想难倒他，问曰："天有头乎？"宓曰："有！诗云：'乃眷西顾。'"又问："天有耳乎？"宓曰："有！诗云：'鹤鸣九皋，声闻于天。'"又问："有足乎？"曰："有！诗云：'天步艰难。'"又问："有姓乎？"曰："有！姓刘。"问："何以知之？"宓曰："天子姓刘，故以知之。"温大为敬服。

元龙湖海① 司马山川②

[注释]

①元龙：指陈登，字元龙，下邳（今江苏邳州）人，东汉广陵太守、伏波将军，有远见，在江淮一带极有威望。②司马：即司马迁（前145～前87?），《史记·太史公自序》叙述其游历山川之多，见识之广，为撰《史记》打下基础。

[解说]

许汜尝与刘备共论人物，汜说："元龙湖海之士，江湖豪气未除。"刘问其故。汜曰："以前我过下邳，他无主客礼，自上大床卧，让客人睡床下。"刘备说："君有国士名，而不留心救世，乃求田舍间言，元龙所做是对的。如果是我自当卧百尺高楼，让你卧于地下，何止上下床！"

司马迁年轻时南游江淮，上会稽，探禹穴，窥九嶷，浮沅湘，涉汶泗，讲业齐鲁乡社，过梁楚而归。知识广博，阅历丰富，才能作出《史记》。

操诛吕布① 膑杀庞涓②

[注释]

①操：即曹操。吕布（？~198）：字奉先，东汉末九原（今内蒙古包头）人，初从并州刺史丁原，后杀原投董卓，又与王允合谋杀董卓，后割据徐州，在下邳被曹操擒杀。②膑：即孙膑，战国时兵家，齐国阿（今山东阳谷东北）人，后为齐威王军师，定计杀魏将庞涓。庞涓（前475~前221）：魏国大将。

[解说]

东汉末，吕布据下邳，曹操伐布，用荀攸、郭嘉计，决泗、沂之水灌之。月余，布将宋宪、魏续等举城降，擒布斩之，下邳遂属于曹。

战国时孙膑，与庞涓同学于鬼谷子。庞涓妒忌孙膑才能，遂向魏王进谗言，将孙膑处以膑刑（剔去膝盖骨）。后孙膑潜逃齐国，为军师，与魏战，用减灶计诱庞涓入马陵道，乱箭射杀之。

羽救巨鹿① 准策澶渊②

[注释]

①羽：即项羽。巨鹿：地名，在今河北省。②准：即寇准。澶渊：地名，在今河南濮阳西南。

[解说]

秦兵围赵巨鹿，项羽带兵渡河往救，破釜沉舟，以示当誓死血战、不胜不回的决心。战士无不以一当百，遂杀秦将苏角，虏王离，大获全胜。

宋真宗朝，契丹入寇，寇准请帝幸澶渊，及至，帝登北城楼，诸军见帝亲至，士气大振，迎头痛击来犯之敌，斩获大半，射杀统军达览，契丹因停战请盟。

应融丸药① 阎敞还钱②

[注释]

①应融：东汉时汝南人，任汲县令，后官庐江太守。②阎敞：东汉时平舆（今属河南）人，曾在汝南（今属河南）郡太守衙门任吏员，道德高尚。

[解说]

汉朝应融，为汲县令。祝恬被朝廷征召，半路得了传染病，他的朋友邺县令谢著拒绝接待。至汲，诸生往语融。融认为祝恬是世之英才，当为国家干辅，怎能让他黯然住在客舍，碰到他不管就是为国不忠，便往见之，亲手为恬丸药，并制送终之具。后恬病稍减，两人相对悲喜，恬住了几十天，强健如初，才告别。

阎敞为郡吏。太守第五尝被朝廷征召进京，把薪俸钱一百三十万暂存到阎敞这里，敞埋置堂上。后尝死，只剩孤孙九岁，听尝说过有俸钱寄敞，长大了去找敞。敞一见悲喜不胜，乃取钱还之。孙曰："祖父只说是三十万，非一百三十万。"敞曰："太守大概因病糊涂了，就是一百三十万，你不必怀疑。"

范居让水① 吴饮贪泉②

[注释]

①范：指范柏年，南朝四川人，以清廉著名，有口才，受宋明帝赏识。②吴：指吴隐之（？~413），山东鄄城人。品行高尚，知识渊博，被吏部尚书韩康伯举荐，任著作郎，后为广州刺史，官至尚书。

[解说]

范柏年初见宋明帝，因说起广州有个贪泉，喝了贪泉水就贪得无厌。皇帝问他："你故乡也有这种泉水吗？"范回答说："臣乡只有文川、武乡、廉泉、让水，没有贪泉。"皇帝又问："那你家住在哪里？"范回答说："在廉、让之间。"皇帝认为他回答得好，任命他为梁州（今陕西汉中）刺史。

吴隐之以品行高尚廉洁著名，他担任广州刺史，不迷信喝了贪泉水的人就贪,便舀贪泉水喝了,并作诗一首。大意是古人说这水,喝一口便贪污千两黄金,但是品德高尚的人喝了,始终也不会变心为贪。以后他治理广州,更加清廉奉公。到去任回家,他妻子带了广州的一块沉香木,吴隐之看见,便将木头扔到河里,不让带走。

薛逢羸马① 刘胜寒蝉②

[注释]

①薛逢:唐朝诗人,河东(今山西永济)人,常以诗文俊拔自负其才,受当权者排斥,后官至秘书监。②刘胜:字季陵,东汉时登封(今属河南)人,曾在四川为官,退休后隐于家,不问世事。寒蝉:秋末的知了。成语"噤若寒蝉"比喻一声不响,不敢说话的人。

[解说]

唐朝薛逢,字陶臣,登进士第,官巴州刺史,廉洁有政声。晚年厄于宦途,骑一匹瘦马赴朝,正值新进士列队经过。前驱让薛逢让路,逢说:"莫贫相!我当年三五少年时,也曾东涂西抹当进士来。"

汉朝杜密,曾任北海相,去任回家,经常见知县对地方政务提建议。同郡刘胜,亦自蜀还,独闭门谢客,无所干预。太守王昱对杜密曰:"刘季陵高士。"杜密知道是讽刺自己提意见太多,回答说:"刘胜位列大夫,而知善不荐,闻恶不言,隐情惜己,自同寒蝉,此罪人也。"王昱很惭愧地谢过。

捉刀曹操① 拂矢贾坚②

[注释]

①捉:执、握。②拂:轻轻擦过。矢:箭。贾坚:十六国时前燕将领,渤海人,以善射知名,曾任东陵太守等职。

[解说]

三国时崔琰，相貌威严，髯长四尺。魏王曹操接见匈奴使臣，自以为个子低，面貌平常，不足震慑匈奴使臣，便让崔琰冒充自己接见使臣，而自己则亲自持宝刀，站立一旁充当侍卫。接见已毕，曹操派人去会见匈奴使臣，套问他对自己的印象。使臣说："魏王面貌高贵，非常人可及。不过他旁边站立执刀的人，相貌才是真正的英雄气象。"

十六国时，贾坚能拉开三石硬弓，以擅长射箭驰名。前燕皇帝慕容宝亲自考察他的射技，牵来一只牛，拴到百步以外，让他试射。第一箭从牛脊梁上擦过，射掉一溜牛毛，而不伤皮肤。第二箭射去，从牛肚子下擦过，仍然射落一溜牛毛，而不伤皮肤。上下两条箭沟十分对称。看射的人都十分赞叹。他说："射箭贵在射不中牛皮肤，如果射到牛身上，那有什么难处。"

晦肯负国①　质愿亲贤②

[注释]

①晦：即徐晦（？~838），唐朝直臣，以正直敢谏、为官守正而闻名于时，官至礼部尚书。②质：王质，宋莘县（今属山东）人，克己好善，曾任史馆修撰，出知陕州。

[解说]

唐朝徐晦与杨凭友善。李夷简弹杨凭，杨凭贬为临贺尉，亲友没人敢去送行，独徐晦至蓝田与别。权德舆问他："你不怕受连累吗？"对曰："晦自布衣，蒙杨公知奖，今日远谪，怎能不与之别？"几天后，夷简奏徐晦为御史。晦谢曰："平生未尝得一奉颜色，公何从而取之。"夷简曰："君不负杨临贺，肯负国乎。"

范仲淹贬饶州时，举朝莫敢相送，王质独扶病饯于京城门处。大臣劝他说："你为什么要自陷朋党？"质曰："范公天下贤者，质何敢望之。若得为范公党人,那么我荣幸极了。"

罗友逢鬼① 潘谷称仙②

[注释]

①罗友:东晋襄阳人,博学有才,初为荆州从事,为桓温僚属,后历任广州、益州刺史,卒于官。②潘谷:北宋河南伊洛间制墨名家,宋哲宗元祐年间曾于京师开封卖墨。其所制后被称为"潘谷墨"。

[解说]

东晋大将军桓温,曾召集下属官员摆宴,为某新任外郡太守的官员饯行。罗友迟到,桓温问他迟到的原因,他说:"半路遇到一个鬼拦路嘲笑我,说我老是送别人去当太守,没见人送我去当太守。"桓温因此上表,让罗友出任襄阳太守。

潘谷精于制墨,所制墨很名贵。诗人黄山谷曾用锦囊贮潘谷所制墨二丸珍藏。后来潘谷饮酒三天,发狂投井而死,人们从井上往下看,只见潘谷像和尚一样跌坐井中,手中还拿有念珠,因把他这形象画成一幅画。苏东坡写诗说:"一朝入海寻李白,空见人间画墨仙。"

茂弘练服① 子敬青毡②

[注释]

①茂弘:即王导。见五微韵"王葛交讥"。练(shū):一种稀疏的麻布织物。②子敬:即王献之(344~388),字子敬,东晋著名书法家,与其父王羲之并称"二王"。青毡:古时风俗,凡是担任教师的人才可以坐青毡。

[解说]

西晋末,中原动乱,晋迁都江南。初过江时,国库空虚,唯有练数千匹,售不出去,而国用不给。导患之,乃与朝廷官员各服练布单衣。于是士人竞相仿效,练遂涌贵。乃令主管出卖之,一匹涨至一金。

王献之夜卧斋中。有小偷入其室，盗物尽。子敬徐徐说："偷儿，青毡我家旧物，可留下来。"

王奇雁字① 韩溥鸾笺②

[注释]

①王奇：江西赣州人。初为县吏，后至京求学，中进士，官殿中侍御史。②韩溥：五代时长安人，博学善论，宋初官司门郎中。鸾笺：彩色的信纸，十种不同色彩信笺成为一套，故称"十种鸾笺"，为唐宋时蜀地特产。

[解说]

王奇年轻时为县吏。有人题雁字诗于屏风上云："只只衔芦背晓霜，昼随鸳鸯入寒塘。"奇密续曰："晚来渔棹惊飞去，书破遥天字一行。"县令很惊奇，因劝他读书求学。后游学京师，真宗偶见其作，也很欣赏，下诏准他参加进士考试。

唐韩溥与弟洎，俱有词学。洎尝轻视溥曰："吾兄为文，像盖个草房，庇风雨而已，我的文章才是修五凤楼的高手。"溥听说后把别人送的蜀笺题诗寄给洎曰："十样鸾笺出益州，新来寄自浣溪头。老兄得此全无用，助汝添修五凤楼。"

安之画地① 德裕筹边②

[注释]

①安之：即严安之，玄宗时任河南丞，执法极严。唐河南郡，治所洛阳。②德裕：即李德裕（787~850），赵郡（今河北赵县）人，唐武宗时宰相，曾与李宗闵、牛僧孺为首的另一派政治集团进行了近四十年的激烈斗争，史称"牛李党争"。

[解说]

唐玄宗在东京洛阳，为了与民同乐，特向百官赐酒食三天，并亲自登上宫门上的五凤楼,接见百姓。前来观看的百姓人山人海,喧哗拥挤,皇宫仪仗队用棍棒阻拦,也挡不住如潮的人流。玄宗看了心烦,有人奏说严安之有办法。玄宗便让严安之去维持秩序。安之到楼下,用手板在地上画了一条线,说:"过此线者处死。"结果百姓安静下来,一连三天,没有一个人敢过线。

李德裕被免去宰相职务,到西蜀任剑南节度使,他在成都建造一座楼房,名叫筹边楼。楼上左边墙画通向南方少数民族地区的地图,右边墙画通向吐蕃地区的地图,凡是山川险要,都在地图上标出,历历在目,以方便对边疆的治理。

平原十日① 苏章二天②

[注释]

①平原:即赵胜,战国时赵惠文王之弟,为赵相,封号平原君,以好客著名,有食客数千人。十日:秦昭王曾写书给平原君,说愿与平原君交朋友,请他到秦国来,一定好好招待,在一块儿痛快饮酒十天。后人便将"平原十日饮"作形容朋友短时欢聚之词。②苏章:扶风平陵(今陕西咸阳)人,东汉顺帝时曾任冀州、并州刺史,摧抑豪强,不徇私情。

[解说]

秦昭王任用范雎为相。范雎有个仇人魏齐,过去几乎害死范雎,范雎请秦王为他报仇。秦王知道魏齐藏在平原君家,便写信给平原君邀请他到秦国来欢聚。平原君到秦国后,秦王招待他喝了几天酒,就将平原君扣作人质,向他索要魏齐。

苏章任冀州刺史。他有个老朋友任清河太守,是苏章的下属,苏章到清河巡视,准备查办太守的贪赃罪行。到清河后,太守设宴招待老朋友,二人饮酒叙旧,太守十分高兴地说:"人都有一天,我独有二天。"以为苏章定能掩盖他的贪污罪行。苏章说:"今天我与故人开怀畅饮,这是私情。明天我作为冀州刺史,就要执行公法了。"遂将清河太守依法治罪。

徐勉风月① 弃疾云烟②

[注释]

①徐勉(466~535):东海郯县(今山东郯城)人。六岁即能作文,如同老手。南朝梁武帝时任吏部尚书,选举公平,修朝仪国典。②弃疾:即辛弃疾(1140~1207),字幼安,号稼轩,历城(今山东济南)人。曾领义军抗金,后投南宋。曾任安抚使等职,后被排斥去官。为著名词人,著有《稼轩集》,其词以豪放著称,与苏轼并称为"苏辛"。

[解说]

南北朝徐勉,六岁能为祈霁文,徐孝嗣称赞他说:"此人中骐骥,必能致千里。"尝与客人夜坐,有求官者来,勉正色曰:"今夕只谈风月,不宜及公事。"晚年尝曰:"人遗子孙以财,我遗子孙以清白。"

宋辛弃疾罢官后,以诗酒为伴,家事付于儿曹,作《西江月》云:"万事云烟已过,一身蒲柳先衰,而今何事最相宜,宜醉宜游宜睡。"

舜钦斗酒① 法主蒲鞯②

[注释]

①舜钦:即苏舜钦(1008~1048),字子美,绵州(今四川绵阳)人,北宋著名诗人。②法主:即李密(582~618),字法主,又字玄邃,陇西成纪(今甘肃秦安)人。隋末曾随杨玄感起兵,玄感兵败投入瓦岗军,被推为主,后降唐。鞯(jiān):马鞍下的垫子。

[解说]

苏舜钦诗歌豪放,好饮酒。在岳父杜衍家读书,每晚读《汉书》要饮酒一斗。每当看到精彩地方,就拍案而起,加以评论,举酒满饮一大杯。杜衍说:"有这种下酒物,喝一斗不为多。"后人称苏舜钦"汉书下酒"。

李密年轻时，曾骑一牛，铺一张蒲草编织的垫子于牛背，挂一帙《汉书》在牛角上，自己一手握牛绳，一手翻书看。越国公杨素见了很惊奇，对儿子杨玄感说："你不如他！"后杨玄感起兵反隋，用李密为谋主。

绕朝赠策[①]　苻坚投鞭[②]

[注释]

①绕朝：春秋时秦国大夫。晋国大夫士会离秦回晋时，绕朝送给他策。策：有两种不同解释，晋杜预注称策为马鞭，东汉服虔注称策为策书。②苻坚(338~385)：十六国前秦皇帝，先后灭前燕、前凉、代国等地，统一了北方大部分地区，后为羌族首领姚苌所杀。

[解说]

晋国大夫士会，因晋国内部矛盾，逃到秦国。晋人怕士会被秦国重用，便派人到秦国诈降，趁机说服士会回晋国，并设计让秦王派士会出使赵国。绕朝谏秦王不要放士会出国，秦王不听。士会临行时，绕朝去送行，对士会说："你不要以为秦国没有人识破你的心计，可惜我曾向国君进言没被采用罢了。"后来士会从魏国归晋，执掌国政。

苻坚平定了北方九州，十分骄傲，准备大举进攻东晋，不听苻融等的劝谏。苻坚说："我有兵马百万，即使将马鞭子扔进长江，也足够塞断江水。东晋能有什么险要可以依赖！"结果在淝水被东晋谢玄杀得大败，逃回北方，他的部下姚苌趁机叛乱独立，擒杀了他。

豫让吞炭[①]　苏武餐毡[②]

[注释]

①豫让：春秋时晋国执政大臣智伯的家臣。晋国后期，智、赵、魏、韩

四大姓掌握政权，世代为卿，其中以智氏势力最大。后赵、魏、韩三家联合兵变，灭掉智氏。不久赵、魏、韩三家又将晋国瓜分。史学家将三家分晋时间作为春秋与战国时代的分界线。②苏武（？～前60）：西汉杜陵（今陕西西安东南）人，曾出使匈奴被扣十九年，坚贞不屈。

[解说]

晋国大夫赵襄子杀了智伯，智伯的家臣豫让立誓为智伯报仇，几次行刺赵襄子未成，襄子因豫让有忠主之心而释放了他。但豫让报仇心不改，便在身上涂漆改变容貌，吞木炭改变声音，企图接近赵襄子，进行刺杀，结果仍然被识破擒获。赵襄子责问他说："你过去也在中行氏手下供职，中行氏被智伯杀掉，你为什么不替中行氏报仇？"豫让说："中行氏把我当普通人对待，我也以普通人对待他。智伯把我当国士对待，十分尊宠，我也以国士报答他。"豫让请求赵襄子脱下衣服，把衣服当成襄子本人，怒目而视，连砍三剑，完成报仇心愿，遂自杀而死。

苏武出使匈奴被扣，劝降不屈，被放逐到北海（今俄罗斯贝加尔湖一带）牧羊，渴则吃雪，饥则餐毡，长达十九年，才得以放还。

金台招士[①]　玉署贮贤[②]

[注释]

①金台：即黄金台，又称燕台。战国时燕昭王为了招揽天下人才，筑成高台，上置黄金千两，以奖励来投的人才，故名。②玉署：原为官署的别称，后专指翰林院。

[解说]

燕昭王欲招揽人才以自强，郭隗说："昔有求千里马者，带千金去买马，到后马已死，便用五百金把马骨买回。想买千里马的名声便传出去了，不到一年，来卖千里马的人有三起。大王招贤，先从隗始,贤于隗者,岂远千里哉。"王乃筑黄金台师事之。乐毅、邹衍、剧辛等人才闻风而至。

宋代苏易简,太宗时状元,累官翰林学士承旨。皇帝亲自写了飞白书"玉堂之署"四字赐给他。

宋臣宗泽[①] 汉使张骞[②]

[注释]

①宗泽(1060~1128):浙江义乌人,宋名将,曾多次上疏请高宗还都汴京,收复失地,被投降派所阻,忧愤而死。后谥忠简。②张骞(?~前114):汉中成固(今属陕西)人。两次出使西域,加强了汉朝与西北少数民族间的政治、经济、文化的交流,开辟了通向中亚的丝绸之路,立下不朽功勋。

[解说]

宋代宗泽,有文才武略,为东京留守,曾大败金师,十一战皆捷。金人惮之,呼为宗爷。后为汪伯彦、黄潜善所谗。临死叹曰:"出师未捷身先死,长使英雄泪满襟。"无一语及家事。

西汉张骞,武帝时出使西域,留居十余年,又从大将军霍光击匈奴,以功封博望侯。后再次出使西域,加强了中原与西域各地的联系。

胡姬人种[①] 名妓书仙

[注释]

①胡姬:胡,古代称西部和北部少数民族为胡人。姬,妇女的美称。

[解说]

晋朝文学家阮咸,与姑母家的鲜卑族侍女有私情。后来姑母要搬到很远的地方去,最初说可以把那侍女留下,后来却突然带走了。阮咸知道后,借了一匹驴子骑上去追赶,终于将那侍女追回,说:"人种不可丢!"后来侍女生下其子阮孚。

唐朝长安城中，有个妓女曹文姬，尤其擅长书法，为当时歌女界公认第一，被称作书仙。事载于《丽情集》。

二 萧

滕王蛱蝶① 摩诘芭蕉②

[注释]

①滕王：指李元婴（？~684），唐高祖第二十二子，封滕王。任洪州（今江西南昌）都督时曾建有楼，名滕王阁，为中国历史名楼之一。②摩诘：王维字，见四支韵"善画王维"。维摩诘为佛名，意为无垢。王维因此意取字摩诘。

[解说]

唐朝滕王元婴，善画蛱蝶。王建有《宫词》诗："传得滕王蛱蝶图。"

唐朝王维，善画，然常不顾及一年四季的区分。尝以桃、李、芙蓉、莲花同画。画袁安卧雪图，有雪里芭蕉，得心应手，意到便成。

却衣师道① 投笔班超②

[注释]

①师道：即陈师道（1053~1102），字无己，宋彭城（今江苏徐州）人，善诗文。经苏轼推荐，任徐州教授。家贫寒，安贫乐道，不附权贵。著有文集多卷。②班超（32~102）：东汉名将。在西域活动达三十年，保护了西域各族安全，巩固了东汉对西域的统治，封定远侯。

[解说]

宋陈师道，与尚书赵挺之为连襟。某次陈将侍皇帝郊祀典礼，非重裘不能御寒，师道衣不足，其妻子于挺之家借皮衣一袭。师道问其所来，妻以实告。师道曰："汝岂不知我不著他家衣耶。"盖恶挺之为人品行不端。寻忍冻病死。

汉班超，常为官府抄写文书供养母亲，久劳苦，有一天投笔叹曰："大丈夫无他志略，犹当效傅介子、张骞立功异域，以博取封侯，安能久事笔砚间乎！"遂投笔从戎，后封定远侯。

冯官五代① 季相三朝②

[注释]

①冯：即冯道。见十五删韵"冯道痴顽"。②季：即季文子（？~前568），春秋时鲁国大夫，执政多年以廉洁著称。

[解说]

五代冯道，始事唐庄宗为翰林学士，后历仕四姓十二君，历任宰相、太傅、太师等高官，人称"不倒翁"。自号长乐老子。著书数百万言，讲其更事四姓及契丹所得官爵以为荣。后人鄙其叛国无耻。

季文子，名行父，历相鲁国宣、成、襄三公，有政绩。襄公五年卒，家无衣帛之妾，食粟之马，人称其忠。

刘蕡下第① 卢肇夺标②

[注释]

①刘蕡（fén）：唐时昌平（今北京）人，著名才子，后被令狐楚、牛僧孺先后辟为从事，官终御史。②卢肇：唐宜春（今属江西）人。李德裕谪袁州（宜春）长史，颇看重卢肇，后德裕任宰相，卢肇绝不去依附，后官宣州等州刺史。

[解说]

唐文宗时宦官专权，刘蕡参加科举考试，作文竭力批评任用宦官之害，考官均为之赞叹，但怕得罪宦官而不敢录取。被录取的人说："刘蕡下第，我辈被录取，实在惭愧汗颜。"后人常以"刘蕡下第"之典故比喻科举考试的不公。

卢肇与黄颇都要应科举考试，太守摆宴为黄颇饯行，而不理卢肇。明年卢肇中了状元回乡，太守出迎，并请卢肇观看龙舟竞渡的盛会。卢作诗说："向道是龙人不信，果然夺得锦标归。"借龙舟为题来讽刺太守对自己的态度先后不一。

陵甘降虏[①]　蠋耻臣昭[②]

[注释]

①陵：即李陵（？～前74），成纪（今甘肃秦安）人，李广之孙。出征匈奴，兵败投降，后病死匈奴。②蠋：王蠋（zhú），战国时齐国隐士，燕灭齐，不肯降燕自杀。齐国大夫闻之，说："蠋是个百姓尚不肯事燕，何况我们受齐国俸禄的？"便找到齐湣王的儿子立为国君，恢复齐国。

[解说]

汉朝李陵，武帝朝为骑都尉，曾将步兵五千大胜匈奴。后战败，为校尉所辱，兵无后援，矢且尽。匈奴单于引兵遮道，矢如雨下，陵力尽乃降。

王蠋，齐国画邑（今山东临淄县西北）人。谏齐湣王不听，便回乡务农。燕昭王使乐毅破齐，毅闻蠋贤，令军士环画邑三十里勿入，备礼请蠋，蠋谢不往。燕人曰："不来，吾当屠邑。"曰："忠臣不事二主。"遂自缢而死。

隆贫晒腹[①]　潜懒折腰[②]

[注释]

①隆：即郝隆。见五微韵"仕治远志"。②潜：即陶潜，字渊明，见十灰韵"渊明赏菊"。

[解说]

每年七月七日，富室晒衣，晋郝隆独仰卧日中，人问他什么原因,曰:"晒吾腹中图书罢了。"

晋陶潜,为彭泽令。在官八十余日,吏报郡遣督邮至,当穿官礼服去拜见叩头,潜曰:"我岂为五斗米向乡村小儿折腰?"即日挂冠而去。

韦绶蜀锦① 元载鲛绡②

[注释]

①韦绶:唐德宗时任翰林学士,晚年得心疾,不受重用。②元载(?~777):唐凤翔岐山(今属陕西)人,肃宗时任宰相,代宗时权势日重,结党营私,生活奢侈,贿赂公行,后被赐死。

[解说]

韦绶做翰林学士时,德宗尝至其院,韦妃从幸,绶方昼寝,学士郑䌷欲叫醒他,帝不许。时适大寒,帝以妃蜀锦袍覆之而去。

元载所居芸晖堂内设紫绡帐,得于南海,即传说中的鲛绡之类,轻疏而薄,如同无物,虽严冬而风不能入,盛暑则凉自在。其色隐隐,或不知其为帐,以为卧室内生紫气之光而已。

捧檄毛义① 绝裾温峤②

[注释]

①檄:公文的一种。毛义:东汉庐江(今属安徽)人,家贫,以孝行闻名。②温峤:见九佳韵"温峤燃犀"。

[解说]

毛义以孝行称。南阳张奉,慕其名往访之,刚坐定而公文正好到,是任命义为安阳令。义捧公文而入,喜动颜色。奉心里轻之。到毛义之母去世,毛义去官守孝,后又被荐举贤良,屡征不至。奉才叹曰:"贤者固不可测,往日之喜色,乃为了母亲屈也。"

晋朝温峤,博学能文,丰仪秀整,为刘琨右司马,奉令往建康,其母崔氏阻止,拉住他不让去,峤挣脱衣襟而行。既至,屡求返回,朝廷不许。后母去世,阻乱不得奔丧,终身为恨。

郑虔扫柿①　怀素培蕉②

[注释]

①郑虔(685~764):唐郑州荥阳(今属河南)人,官广文博士,其诗、书法、绘画,被唐玄宗誉之为"郑虔三绝"。②怀素(737~799):唐朝僧人,著名书法家。

[解说]

唐朝郑虔年轻时好书法而无纸,尝于长安慈恩寺前扫柿叶,贮数屋,日为隶书。

唐僧怀素,善草书,居零陵东郊,贫无纸,常于所居种芭蕉,取叶代纸,以供挥洒,其所居处号曰"绿天庵"。

延祖鹤立①　茂弘龙超②

[注释]

①延祖:即嵇绍(?~304),字延祖,文学家嵇康之子,美姿容,官至侍中、平西将军。八王之乱中,晋惠帝被劫,嵇绍以身护帝,被乱兵刺死。宋文天祥《正气歌》中"为嵇侍中血"就是说的他。②茂弘:王导字,见五微韵"王葛交讥"。

[解说]

晋朝时,有人对王戎说:"昨于众人中见嵇绍,昂昂若野鹤之立鸡群。"河间王起兵作乱,嵇绍从惠帝临敌,侍卫皆奔溃,嵇绍力战死,血溅帝衣。事定,左右清洗帝衣,帝曰:"此嵇侍中血,不要洗。"

晋朝王导,小字阿龙。出将入相,相貌威严。元帝即位,又晋升侍中、司空。桓彝年轻时曾光头穿便衣于路边观看王导车队经过,叹曰:"人言阿龙不凡,阿龙就是不凡。"不觉随行至衙门,而忘了自己没整齐衣冠。

悬鱼羊续① 留犊时苗②

[注释]

①羊续(142~189):泰山平阳(今山东新泰)人,以清廉闻名。东汉末官庐江、南阳太守。②时苗:巨鹿(今属河北)人,曹操时官至典农中郎将,以不事权贵,为人清介知名。

[解说]

东汉羊续,因功累官庐江太守。清介自持,府丞送他一条鱼,羊续接受后把鱼挂到厅上。后府丞又来送礼,羊续指着前鱼让府丞看,谢绝了他的馈赠。

汉朝时苗为寿春令。用一黄母牛驾车上任,年后产一牛犊,时苗离任时,对主簿说:"我来时本无此犊,此犊是淮南所生者,当留这里。"群吏说:"六畜不认父,自当随母。"苗不听,留犊而去。

贵妃捧砚① 弄玉吹箫②

[注释]

①贵妃:即杨贵妃,名玉环,唐玄宗宠爱的妃子。②弄玉:春秋时秦穆公之女。

[解说]

唐玄宗坐沉香亭,时牡丹盛开,便召李白入宫,当时李白正大醉,用水淋其面,醉稍解。帝使杨贵妃为之捧砚,李白援笔立成《清平调》三章,婉丽精切,御手亲调羹赐给李白吃。

萧史,善吹箫,作凤鸣。秦穆公以女弄玉妻之,遂居凤楼,教弄玉吹箫。后弄玉乘凤,萧史乘龙,共成仙飞升而去。

三 肴

栾巴救火① 许逊除蛟②

[注释]

①栾巴：字叔元，东汉蜀郡成都（今属四川）人。一说为内黄人。②许逊（239~374）：字敬之，汝南（今属河南）人，晋朝道士，净明道派尊奉的祖师。相传著有《灵剑子》等道教经典。

[解说]

汉朝栾巴，桓帝朝四迁桂阳太守，有道术。桓帝于正月元旦大会群臣，栾巴赐酒不饮，忽含酒西喷去。有司弹劾栾巴不敬，栾巴曰："臣本县城东有火灾，故喷酒救之。"数日后，成都果奏报火灾说："初一日火灾，有雨从东北来，火熄，有酒气。"

许逊有道术。晋初为四川旌阳令，后弃官东归。虑豫章为蛟螭所穴，乃于牙城南井铸铁为柱，下施八索镇锁地脉，从此水妖遂绝迹。

诗穷五际① 易布三爻②

[注释]

①五际：指卯、酉、午、戌、亥。际：指交接、交会或局势形成的时候。汉代学者认为遇到这些年份，社会就会发生一些重大的变化。②爻（yáo）：《易经》中构成卦的长短横道。"—"为阳爻，"--"为阴爻。

[解说]

西汉韩婴著《韩诗外传》说："五际交会时，则有改变之形。"《诗纬》一书中说："午、亥之际为革命，卯、酉之际为改正。"

《易经》中每卦本为六爻，三国吴虞翻撰《易注》，称郡吏陈桃梦见一个道士布六爻卦，烧其三卦让虞翻吞之，道士说："易道在天，三爻足矣。"虞翻因而懂得了《易经》。

清时安石① 奇计居巢②

[注释]

①清时：太平盛世。安石：谢安字，见十四寒韵"谢安折屐"。②居巢：县名，即今安徽巢湖。此处借指居巢人范增。

[解说]

东晋宰相谢安，早年曾辞官隐居于会稽东山，日与王羲之等游山玩水，钓鱼打猎，吟诗作赋，享尽太平盛世之乐。后来朝廷征召，东山再起，国事繁杂，但是回归东山高卧，享受清闲隐居之志，始终不渝。

秦末居巢人范增，年已七十余岁，胸中多有奇计，曾说服项梁立楚国王后代为王，以壮大义军声势。后归项羽为谋主，被尊为亚父。陈平为刘邦用反间计，使项羽不用范增，范增回乡后不久病故，项羽因此很快被刘邦所灭。

湖循莺脰① 泉访虎跑②

[注释]

①脰（dòu）：脖子。②虎跑：泉水名。在浙江杭州市西南大慈山白鹤峰下慧禅寺（俗称虎跑寺）侧院内，距市区约五公里。

[解说]

苏州地区湖水众多，最大的是太湖，又有石湖、女坟湖、澹台湖等。又有莺脰湖，因其形如同莺脰，故名。

杭州西湖南山定慧寺有虎跑泉。明初文学家宋濂曾著文说：传说唐朝时有僧人性空大师住于定慧寺，因寺中无水，准备往别处去。夜梦神人告诉他："南岳有童子泉，当派两只虎去把泉移来。"

第二天，果然有两只老虎在山上跑，随之涌出泉水，因名虎跑泉。又镇江府南兽窟山招隐寺也有虎跑、鹿跑二泉。

近游束皙① 诡术尸佼②

[注释]

①束皙：晋阳平元城（今河北大名东）人，博学多识，著作颇丰。初为中书令张华手下属官，后转著作郎。惠帝时因病辞官，在家教授生徒，去世时年仅四十。②尸佼：战国时法家代表，晋国人，一说鲁国人。传秦相商鞅曾师事之。

[解说]

束皙是汉太傅疏广的后代，因避乱迁居，改疏为束。《楚辞》有《远游》，束皙于是作《近游赋》。

《汉书·艺文志》有《尸子》二十篇，已佚。今本《尸子》为后人所辑。唐韩愈《送孟东野序》称："孟轲、荀卿，以道鸣者也……邹衍、尸佼、孙武、张仪、苏秦等，皆以其术鸣。"

翱狂晞发① 嵇懒转胞②

[注释]

①翱：即谢翱，福建福安人，宋末元初诗人，著有《晞发集》。晞（xī）发：披散头发使之干燥。晞，干燥。②嵇：即嵇康（224~263），字叔夜，谯郡铚（今安徽宿州西南）人。三国时文学家，竹林七贤之一，曾任中散大夫，故人称"嵇中散"。胞：膀胱。

[解说]

谢翱和文天祥很要好，元兵南下，谢翱率领一支义军参加文天祥领导的抗金斗争，兵败后，文天祥被俘。谢翱隐匿民间，后来当了道士，闻文天祥遇害，痛哭不止，著《晞发集》。

嵇康，性疏懒，朋友山涛（字巨源）要去选官，举荐嵇康代替自己原来的官职。嵇康很不高兴，写了一篇《与山巨源绝交书》，书中说:"游山水,亲鱼鸟,是多么快乐。一旦做官吏,这些快乐都没有了。"又说:"我性懒,每当小便,都不想起身,非要让尿在膀胱里转上很久,忍不住了才去厕所!"

西溪晏咏① 北陇孔嘲②

[注释]

①西溪:在今江苏泰州东北,宋时设盐场。晏:即晏殊(991~1055),江西临川人,北宋著名词人,官至同平章事。②陇:高的山丘。孔:即孔稚圭(447~501),会稽山阴人,博学多识,南齐时任南郡太守,终散骑常侍。代表作《北山移文》一篇,颇著盛名。

[解说]

宰相晏殊,早年曾在西溪盐场做官,亲自种了一棵牡丹,并题了一首诗刻在石上。后来范仲淹也来西溪盐场做官,也题了一首咏牡丹的诗。由于这里有了两位大名人的诗作,于是一些附庸风雅的人,纷纷来此题咏诗词并刻石留念,这棵牡丹花也因此而升值,当地人用朱漆栏杆把花围了起来。几年后,这棵牡丹枝干越长越大,一次开花数百朵。

周颙曾隐居于钟山读书,后来被征召去做海盐令,想从北山经过。孔稚圭对魏晋以来把隐居作为沽名钓誉的捷径十分反感,便写了一篇《北山移文》,假借山灵之口对假隐士进行讽刺、嘲笑,文中有"南岳献嘲,北陇腾笑"之句。

民皆字郑① 羌愿姓包②

[注释]

①郑:郑浑,东汉末开封人,为曹操属下,任地方官,重视农田水利,使财政收入大增,魏明帝时官至将作大匠。②包:包拯。

[解说]

郑浑担任下蔡长、邵陵令时,天下刚从战乱中安定下来,郑浑鼓励百姓开荒种田，走致富道路。百姓生活日渐宽裕，人口增加。人们都感谢郑浑，所以不论生男生女，取名常用郑字。

宋神宗时，西羌少数民族领袖俞龙珂归顺中央。朝见皇帝时，他说："平生听说包拯是朝廷忠臣，希望赐我汉姓姓包。"神宗同意，赐姓包名顺。包顺后亦当了京尹，有政绩。

骑鹏沈晦① 射鸭孟郊②

[注释]

①沈晦：宋睢阳（今河南商丘）人，徽宗时状元，历任广西经略，后知潭州（今长沙），卒于任。②孟郊（751～814）：字东野，湖州（今属浙江）人，唐代著名诗人。

[解说]

宋人笔记《春渚纪闻》载：沈晦曾梦见自己骑大鹏鸟，飞翔直上。醒来后便作了一篇《大鹏赋》，记梦中之事。不久在科举考试中大魁天下，成为状元。

孟郊任溧阳县尉时，曾有诗云："不知竹枝弓，射鸭无是非。"后来在河边筑一居室，便取名为"射鸭堂"。

戴颙鼓吹① 贾岛推敲②

[注释]

①戴颙（385～448）：东晋末隐士，善奏琴，精书法和绘佛像。先居会稽（今浙江绍兴），后居京口（今江苏镇江）黄鹄山，朝廷屡次征召，皆不应。②贾岛：见四支韵"贾岛祭诗"。

[解说]

戴颙在春天时，带了两个柑子和一斗酒外出。有人问他去干什么，他说："去听黄莺的鸣叫声，这声音是医治俗耳的针砭，是引起诗肠的音乐鼓吹。"

贾岛有一次在骑驴时,想出一句"僧敲月下门",又想把"敲"字换成"推"字,便在驴背做推敲的动作,不觉冲撞了京兆尹韩愈的仪仗。卫士将他拥到韩愈马前问话,贾岛说明原因,韩愈说:"敲字好。"后和贾岛论诗,结为诗友。

四 豪

禹承虞舜[①]　说相殷高[②]

[注释]

①禹:见四友韵"禹梦玄彝"。虞舜:见一东韵"重华大孝"。②说:即傅说,见四支韵"傅说骑箕"。殷高:即商高宗武丁。商王盘庚迁都于殷(今河南安阳小屯村),因而从盘庚以后至纣亡国,称之为殷。对整个商朝,亦称为商殷或殷商。

[解说]

夏禹,字高密,崇伯鲧之子,娶涂山氏女,才四天,遂往治水,功成,后受舜禅让而治天下。

傅说居虞虢间,道路为水所坏,高宗使因罪受刑的人筑路,傅说贫不自给,替筑路工做饭,高宗于板筑间见到他,和他交谈,惊奇地发现傅说为圣人,乃立为相。

韩侯备裤[①]　张禄绨袍[②]

[注释]

①韩侯:即韩昭侯(?~前333),战国时代韩国国君。前358至前333年在位。②张禄:即范雎(?~前255),字叔,战国时魏人,秦国名相。绨(tí)袍:一种粗丝面料的棉袍。

[解说]

战国时韩昭侯有一条破裤子,他让侍卫好好收藏起来,侍卫说："不如赏给手下的人。"昭侯说："我听说英明的国君一颦一笑都要很慎重,把这破裤子赏给人,比笑一笑的事大得多,因而应该更加慎重。我必须等待有功的人才能把这裤子赏赐给他。"

战国时魏国人范雎,是大夫须贾的门客,随须贾出使秦国。秦国人送给范雎丰厚礼品,须贾怀疑范雎把魏国机密泄露给秦国,秦国人才送给他丰厚礼品。回到魏国后,须贾将自己的怀疑报告了相国魏齐。魏齐不落实这事,便将范雎抓起来拷打,范雎装死,被扔到厕所中,半夜里才得以逃出。后改名张禄,到秦国游说秦昭王,被秦王任用为相国。不久,须贾又出使秦国,范雎便化装,穿一件破烂衣服去见须贾。须贾大吃一惊,可怜范雎贫穷到这样,便把一件绨袍送给范雎御寒。后来,须贾晋见秦相张禄,才知道张禄就是范雎,十分害怕。范雎说:"你向魏齐诬告我,罪当死,不过因送我一件绨袍,还有点故人情谊。今免你死罪,必须回去,让魏齐前来领罪。"

相如题柱①　韩愈焚膏②

[注释]

①相如:即司马相如,见四支韵"司马淹迟"。②韩愈:唐朝文学家。见三江韵"韩比云龙"。焚膏:点灯。膏,油脂。

[解说]

司马相如将往长安,过成都升仙桥,在其柱上题字说:"不乘驷马高车,不复过此桥。"后来为中郎将,持节使蜀,太守以下官员都出城郊迎,县令背着弓箭在前为他开路。

韩愈七岁读书,一天要记数千言,长大后仍坚持不倦。后来为国子博士,更加勤奋,晚上点灯读书到深夜。经史百家的书,皆寻来阅读。

捐生纪信①　争死孔褒②

[注释]

①纪信：汉王部将，因面貌近似刘邦，作为刘邦替身诳楚，被焚死。后人以其忠，立庙祀之。②孔褒：孔子二十世孙，字文礼，孔融之兄，其他史书未载。

[解说]

项羽围荥阳，汉王刘邦危急，纪信乃假扮汉王，乘汉王车出东门诈降，汉王乘机从西门走脱。信遂被楚霸王烧死。

山阳张俭为太监侯览所恨，逃亡到孔褒家，没遇到孔褒。孔褒弟孔融年十六，把他藏了起来。事泄，张俭逃脱，褒、融兄弟被捕。孔融自称当死，孔褒说："他来投我，我应当领罪。"他的母亲说："大事应由年长负责，我当其罪。"一门争死，最后孔褒被杀。

孔璋文伯①　梦得诗豪②

[注释]

①孔璋：指陈琳。见十二文韵"陈琳檄文"。文伯：文章宗伯，对杰出文学家的敬称。②梦得：指刘禹锡（772～842），唐代文学家，洛阳人。诗文以短小精悍著名，散文《陋室铭》尤为脍炙人口。

[解说]

东汉末年，东吴的文学家张纮读了河北陈琳的《武库赋》、《应机论》，给陈琳写信，十分赞赏。陈琳回信说："我远在河北，这里文人很少，所以我容易称雄，被誉为文伯实在有些过头了。如今北方有王景兴（王朗），南方有您和张子布（张昭），比起你们，我实在是小巫见大巫了。"

唐文学家刘禹锡，被白居易称为"诗豪"。

马援矍铄①　巢父清高②

[注释]

①马援（前13~49）：扶风茂陵（今陕西兴平）人，东汉光武帝时名将，为伏波将军。②巢父：上古传说中的隐士。

[解说]

马援年六十二，五溪变乱，援请命去平定。光武帝担忧他年纪大，不许。援乃披甲上马，据鞍顾盼，以示可用。光武帝笑曰："精神矍铄呀，这老头啊！"遂派他前往。

巢父，舜时隐士。年老以树为巢，住于其中，因称巢父。尧让以天下而不受，经过清洁之泉水，自洗其耳，说："向闻贪言，污吾耳也。"又传说是许由以清冷之水洗耳，巢父牵牛犊，嫌水污不饮而去。

伯伦鸡肋①　超宗凤毛②

[注释]

①伯伦：指刘伶，字伯伦，沛国（今江苏沛县）人，竹林七贤之一，喜饮酒，著有《酒德颂》，醉死于晋初。②超宗：即谢超宗，南朝宋、齐时人，著名诗人谢灵运之孙。宋时曾任丹阳丞，入齐曾为黄门郎，恃才好酒，被贬官。凤毛：比喻文采。

[解说]

刘伶，终日沉醉，放荡不羁。有一次与俗人口角，人卷袖举拳准备打他，刘伶很正经地说："我瘦得和鸡肋一样，怎能受得住您那肥大的拳头？"那人因而泄气而去。

谢超宗，有文采。南朝宋时，作了一篇《谢淑仪诔》，孝武帝看了，十分赞叹说："超宗殊有凤毛，真是灵运复生了！"

服虔赁作①　车胤重劳②

[注释]

①服虔：字子慎，荥阳（今属河南）人，东汉末经学家，官至九江太守，

著《春秋左氏传解谊》等书。②车胤：字武子，东晋时南平（今湖南蓝山）人。幼机敏，囊萤代灯，照以读书，博学善谈，官至吏部尚书。

[解说]

服虔准备为《春秋》作注，想研究一下诸家对《春秋》不同的见解。听说崔烈正在讲授《春秋》，便化名为崔烈的学生做饭当佣人，趁机偷听崔烈的讲解。听了几天，知道崔烈不如自己，便略略在学生中议论崔烈的长短。崔烈知道后，怀疑他是服虔。一天早上，趁天刚明人还未起，便连叫"子慎"，服虔在睡梦中不觉惊醒应声，二人遂成了朋友。

车胤在京城做官时，晋孝武帝准备讲解《孝经》。谢安兄弟二人召集一些官员先在下边私下讲习。车胤想多向二谢请教，又难以开口，便对袁平说："不问怕要紧地方没弄懂而遗漏，问多了又怕加重了老师的劳累。"

张仪折竹[①]　任末燃蒿[②]

[注释]

①张仪：见四支韵"善辩张仪"。②任末：字叔本，后汉蜀郡新繁（今属四川）人，在京师洛阳讲学十余年，后授郡功曹，未赴任卒。旧本《龙文鞭影》称其为宋人，误。任末燃蒿故事见于晋人王嘉所著《拾遗记》。

[解说]

战国苏秦、张仪同师鬼谷子，以游说显名。二人早年以为人雇佣抄书为业，遇有用的好文，无处记，便以墨书掌内及股里，夜还折竹为简供书写。

任末，年十四便勤学，或依林木下，编茅为庵，削竹为笔，夜则映月望星，暗则燃蒿照书而读，有心得，则书其衣裳或手掌里。

贺循冰玉[①]　公瑾醇醪[②]

[注释]

①贺循（260~319）：会稽山阴（今浙江绍兴）人。司马睿镇建业，聘为军咨祭酒，积极辅佐司马睿即帝位，建立东晋政权。建武初拜太常，终光禄大夫。②公瑾：即周瑜（175~210），字公瑾，庐江舒（今安徽舒城）人，三国时东吴大将，大破曹操于赤壁。

[解说]

晋贺循，操行清厉，晋元帝司马睿建立东晋政权，宗庙制度，皆循所定，被誉为当世儒宗。帝曾说："循冰清玉洁，位上卿，而居室才蔽风雨。"赐六尺床荐席褥，并钱三十万。

三国周瑜，英达有文武之才。程普尝称赞说："与公瑾交，如饮醇醪，不觉自醉。"

庞公休畅① 刘子高超②

[注释]

①庞公：指庞德公，见三江韵"鹿门隐庞"。②刘子：指刘讦（xū）（488~518），南北朝梁平原（今属山东）人，以孝闻名，精佛典，隐居不仕。

[解说]

东汉庞德公与司马德操家住汉江两岸，两家隔江相对，友情深厚，常坐船往来，言谈十分欢畅。

南北朝刘讦，与堂兄士光及阮孝绪，并称为三隐。族祖孝标尝给他们写信称："讦超凡脱俗，如半天朱霞，士光矫矫出尘，如云中白鹤。"尝戴鹿皮冠，披衲衣，游山泽间，风神颖俊，意气弥远，遇者以为神仙。

季札挂剑① 吕虔赠刀②

[注释]

①季札：春秋时吴国国君之子，尝出使各诸侯国，有贤名，因被封在延陵（今江苏常州），所以又称为延陵季子。②吕虔：任城（今山东济宁）人，

三国时仕于魏,官徐州刺史,魏明帝时卒。

[解说]

季札,春秋时吴王寿梦少子,兄诸樊欲让国于札,不受,封之延陵,号延陵季子。季札尝出使鲁国,从徐国过,徐君爱好季札的剑,但口不敢言。札心里知道,为出使上国不便赠他。及出使还至徐,徐君已死,季札便解剑挂在徐君墓边树上而去。

吕虔有佩刀,工匠相之,以为必登三公,才可佩此刀。吕虔因以刀赠属下王祥说:"卿有公傅的才干肚量,聊以相赠。"祥推辞,最后强迫他接受。

来护卓荦① 梁竦矜高②

[注释]

①来护:即来护儿(?~618),江都(今江苏扬州)人,隋朝名将,后随炀帝至扬州,为宇文化及所杀。②梁竦:乌氏(今甘肃平凉)人,贵族出身,恃才不仕,以研习经书自娱。

[解说]

隋朝来护儿,幼聪慧,卓荦不群,读《诗经》至"击鼓其镗,踊跃用兵"、"羔裘豹饰,孔武有力",抛书叹曰:"大丈夫当如是,会为国灭贼,以取功名,安能区区事笔砚乎?"后仕至大将军、荣国公。

汉朝梁竦,字叔敬,尝说:"闲居可以养志,诗书足以自娱。州郡之职,徒劳人耳。"后朝廷多次征召,都不往,闭门自养,著有《七序》。班固称赏他说:"孔子作春秋,而乱臣贼子惧;梁竦作《七序》,而窃位素餐者惭。"

壮心处仲① 操行陈陶②

[注释]

①处仲:即王敦(266~324),字处仲,临沂(今属山东)人,王导堂

兄。东晋初任侍中、大将军,权倾内外,自为丞相,后起兵叛乱时病死。②陈陶:剑浦(今福建南平)人,五代时南唐诗人,隐居于洪州西山,自号三教布衣。

[解说]

晋朝王敦,为荆州刺史,每醉后以铁如意敲唾壶,高歌曹操的诗:"老骥伏枥,志在千里;烈士暮年,壮心不已。"歌毕,壶口都被敲缺。

五代陈陶,操行高洁,郡守严撰打算试之,遣小妾莲花前往挑拨他。陶见女不让进门。莲花献诗曰:"莲花为号玉为腮,珍重尚书遣女来;处士不生巫峡梦,空劳云雨下阳台。"陶答曰:"近来诗思清如水,老去风情薄似云;已向升天得门户,锦裘深怨卓文君。"

子荆爽迈① 孝伯清操②

[注释]

①子荆:即孙楚(? ~293),字子荆,太原中都(今山西平遥南)人,西晋时官冯翊太守。②孝伯:即王恭(? ~398),字孝伯,东晋孝武帝皇后之兄,历任平北将军,兖、青两州刺史,东晋末在战争中被杀。

[解说]

晋朝孙楚,字子荆,才藻卓绝,爽迈不群。年少时欲隐居,对王武子说想枕石漱流当山中隐士,误说成枕流漱石。王曰:"流可枕,石可漱乎?"子荆曰:"所以枕流,是打算洗洗耳朵;所以漱石,欲坚砺牙齿。"

晋朝王恭,字孝伯,清操过人。自负才华出众,尝言名士不必奇才,只要能常得无事,痛饮酒,熟读《离骚》,便可为。恭美姿容,尝披鹤氅,踏雪而行,孟昶见而赞叹说:"真神仙中人。"

李订六逸① 石与三豪②

[注释]

①李：指李白，见七虞韵"李白乘驴"。②石：指石延年，见十四寒韵"曼卿豪饮"。

[解说]

唐朝李白与孔巢父、陶沔、韩准、裴政、张叔明订交，居山东徂徕山，号称"竹溪六逸"。

宋朝石延年，气节自豪，不务世事，工诗嗜酒。同时代的学者石介作《三豪诗》称："欧阳修豪于文，石曼卿豪于诗，杜默豪于歌也。"

郑弘还箭① 元性成刀②

[注释]

①郑弘：东汉会稽（今浙江绍兴）人，后官至太尉。②元性，即蒲元性，一作蒲元。三国时为诸葛亮属官，有巧思，善铸造。

[解说]

郑弘青年时采樵白鹤山，拾得神人遗箭，有神人来寻，弘与之。问弘所欲，曰："常患若耶溪采薪为难，愿得早晨刮南风，晚上刮北风。"后果然应验。后俗遂呼若耶溪风为郑公风。

蒲元性于斜谷口为诸葛亮铸刀二千口。刀成，说："汉水钝弱，不堪淬火；蜀江爽烈，是大金之元精，可以用。"命取之，蒲用以淬刀，说："杂有涪水不可用。"派去取水的使者说："不杂。"蒲以刀画水说："杂八升。"使者服，说在涪水渡口漏水，果然加了涪水八升。因更换水而淬之。以竹筒装满铁珠，举刀砍之，应手立断，称为"神刀"。

刘殷七业① 何点三高②

[注释]

①刘殷：新兴（今甘肃武山西）人，曾任晋朝新兴太守，十六国时任刘

聪太保、录尚书事。②何点（437～504）：庐江（今属安徽）人，南北朝时隐士。

[解说]

晋朝刘殷，性至孝，有子七人，五子习五经，一子习《史记》，一子习《汉书》，一家之内，七业俱兴。

南北朝何点，容貌方雅，博物多识，博览群书，宋、齐累征不出。兄求弟胤，皆隐居不仕，世称何氏三高。

五 歌

二使入蜀　五老游河①

[注释]

①五老游河：古代神话传说，始出处未详。《竹书纪年》、《孔子集语》等书均载之，称五老为五星之精。

[解说]

东汉时李郃，通五经，知天文。汉和帝派了两个使者去蜀地考察风俗民情，二使者夜晚住宿于驿馆，并未亮明身份。李郃这时在驿舍担任接待过往官员的候吏，他问："二位从京城来，可知道朝廷派两个使臣来益州（今成都），不知何时动身？"使者吃惊地问他怎么知道有两个使者要来，李郃说："有两个使者星照临益州，所以知道。"

传说孔子曾说过一个故事：唐尧带了舜等人游首山，观河渚，在这里碰见五个老人也在结伴游河。五老看到尧舜等人来到，一老唱歌说："河图将来告帝期。"二老说："河图将来告帝谋。"三老说："河图将来告帝书。"四老说："河图将来告帝图。"五老说："河图将来告帝符。"歌罢，有赤龙衔着玉苞，金泥玉检（以水银和金为泥作饰、用玉制成的检。古代天子封禅所用）封着的天书从河里浮出来，五老化成流星飞向昴星之间。

孙登坐啸① 谭峭行歌②

[注释]

①孙登：魏晋时隐士，汲郡共县（今河南辉县）人，好读《易》抚琴，善长啸，隐居苏门山。②谭峭：五代时南唐隐士，泉州（今属福建）人，好仙术，在南岳炼丹。丹成，水火不侵，后入青城山成仙。

[解说]

三国孙登隐于汲郡北山土窟，好读《易》。后栖苏门山，阮籍去拜见他，登相对不答，籍对之长啸，终不答，意尽而返。行至半岭，闻有声起岩谷间，如鸾凤鸣，林谷传响，则登独啸也。籍因著《大人先生传》。

唐朝谭峭，幼聪敏，文史过目不忘。后向道学仙，曾行吟作歌曰："线作长江扇作天，靸鞋抛在海东边。蓬莱信迩无多路，只在谭生拄杖前。"

汉王封齿① 齐王烹阿②

[注释]

①汉王：指汉高祖刘邦。齿：即雍齿，刘邦老乡，初从刘邦起兵，不久叛刘，后又归刘。刘邦非常恨他反复无常。②齐王：指齐威王（？～前320）。妫姓，田氏，名因齐，齐桓公之子。战国时期齐国国君。见吴越两国称王，便自称"齐王"。烹：古代用鼎镬煮人的酷刑。阿：地名，即东阿，在山东省西部。

[解说]

汉高祖大封同姓，诸将坐沙中窃窃私语。刘邦望见之，问张良，良曰："陛下靠他们取天下，而只封同姓，诸将欲谋反耳。"因劝上急封最讨厌的雍齿为什邡侯。诸将听说喜曰："齿封侯，吾辈更无患矣。"遂安定下来。

齐威王时,说即墨大夫坏话的天天有,他派使视之,而即墨治理得很好。说东阿大夫的好话天天有,他派人去观察,而东阿治理得却很坏。于是赏给即墨以万家,即日烹死东阿大夫及左右经常为他讲好话的人。群臣悚惧,无敢再谎奏者,齐国大治。

丁兰刻木① 王质烂柯②

[注释]

①丁兰:东汉河内(今河南沁阳)人,其事被载入"二十四孝"。②王质:晋朝衢州(今属浙江)人,烂柯事出晋《述异记》一书。柯:木质的斧柄。

[解说]

汉朝丁兰,早丧母,刻木像,侍候她如同生前一样,郡守表彰了他的孝行。

晋朝王质,入山伐木,至石室,见二人下围棋,质置斧观棋。等看完回来,斧柯已朽。到家后已过了数百年,亲旧都早已去世。乃复入山学道,因名其山曰"烂柯山"。

霍光忠厚① 黄霸宽和②

[注释]

①霍光(?~前68):河东平阳(今山西临汾西南)人,西汉大臣,奉武帝遗诏辅政,封博陵侯。前后事四帝,执政二十年,社会安定,经济得到一定发展。②黄霸(?~前51):西汉淮阳阳夏(今河南太康)人,武帝时出仕,宣帝时任扬州刺史、颍川太守,有治绩,被誉为"汉代优秀地方官"的代表,与龚遂并称"龚黄",后任宰相。

[解说]

霍光在汉武帝时,为光禄大夫,出入宫禁二十余年,小心谨慎,未尝有过错。武帝欲立太子弗陵,以其年幼,遍察群臣,唯霍光忠厚可任大事，乃使黄门画师画周公负成王朝诸侯图赐之。光不久被任命为大司马大将军，受遗诏辅少主，是为昭帝。

汉朝黄霸，武帝朝为河南太守丞，温良谦让，足智善御众。武帝末，用法多深，昭帝立，霍光秉政，仍遵武帝之法，由是俗吏多奉行严酷的统治策略，而霸独用宽和方法治理，深得民心。宣帝时，召为廷尉，判案决狱公平合理。

桓谭非谶①　王商止伪②

[注释]

①桓谭（？~56）：字君山，沛国相（今安徽淮北）人，博学多通，好音乐，善鼓琴，光武帝时官议郎给事中，因反对谶纬之学，几乎被杀。谶（chèn）：即谶纬，秦汉时巫师、方士编造的一种预言凶吉的隐语或短文。②王商（？~前25）：西汉涿郡广望（今河北清苑西）人，汉成帝时任左将军，后任丞相，因与大将军王凤不合，被免职。

[解说]

东汉桓谭，为议郎给事中。光武由谶书即位，遂欲以图谶决定疑难。谭力谏，帝怒其诽谤圣人，欲斩之，谭叩头流血，贬为六安丞。藏书极多，时人称："挟桓君山之书，富于猗顿。"猗顿，春秋晋国富人。

汉朝王商，成帝朝为左将军。京师无故流言大水将至，大将军王凤以为太后与皇帝应上船躲水，下令吏民上城墙避水。王商说："此言必讹，不宜重惊百姓。"有顷稍定，果是谣言，王凤十分惭愧。

隐翁龚胜①　刺客荆轲②

[注释]

①龚胜（前68~11）：西汉彭城（今江苏徐州）人，汉哀帝时任谏议大

夫，多次上书批评朝廷奢侈，刑罚苛酷。②荆轲（？~前227）：战国时齐国人，后徙于卫，卫人称之为庆卿，燕国人又称之为荆卿。

[解说]

西汉末王莽秉政，龚胜辞官归隐，号为隐翁。莽使太守以下千人致诏征之，胜遂称疾，绝食十四天而死。

荆轲，燕太子丹客卿，受命说秦王返回诸侯被秦所侵地，不行则刺杀之。轲奉命入秦，刺秦始皇不中，为秦所杀。

老人结草① 饿夫倒戈

[注释]

①结草：老人结草报恩的故事，用以表示真心实意地来报答恩惠。

[解说]

晋文公臣魏武子，有宠妾，武子有病，对儿子颗说："必嫁此妾。"后来病重昏迷，又说："必以殉葬。"既卒，颗听从先前所说嫁之。秦师伐魏，有老人结草以绊秦将杜回马足，颗得以擒获之。老人自称乃妾父也，结草以报活女之德。

晋灵公不道，欲杀大臣赵盾，诈请盾饮酒，而埋伏甲士乘机击杀。武士灵辄临时倒戈，抵抗灵公甲士，保护赵盾逃脱。以前盾过首山，见一饿夫卧于桑间，问其病否，饿夫说："三天没吃东西了。"因取饭食之，并救济其家。饿夫即灵辄也，故舍命救盾得免。

弈宽李讷① 碑赚孙何②

[注释]

①李讷：荆州石首（今属湖北）人，生卒年不详。唐文宗时在世，三任华州刺史，官终兵部尚书。②孙何（961~1004）：蔡州汝阳（今河南汝南）人，好学有文采，十五岁能属文，累官两浙转运使，卒于任上。

[解说]

唐朝李讷，性暴躁而酷爱围棋，每下子极沉静宽缓。有时躁急，家人密以围棋具置其前，便欣然取子布弄，立刻忘记其不高兴的事。

宋朝孙何，好古文，为转运使，性严急，州县官员对他都很头痛。便寻求古碑磨灭者数本，钉于馆中。孙至读碑，辨识文字，往往直到天暮，不复检阅文案。

子猷啸咏① 斯立吟哦②

[注释]

①子猷：即王徽之，字子猷，东晋书法家王羲之之子，性卓荦不羁，官黄门侍郎，后弃官东归。②斯立：即崔立之，字斯立。唐德宗时进士，官蓝田县丞。

[解说]

王徽之，性爱竹。每于竹前啸咏，指竹树说："不可一日无此君。"一次过吴中，听说某绅士家有竹子，准备去赏玩，主人得知，便打扫备饭准备招待。子猷坐着小轿来到，让人一直抬到竹林下，啸吟良久，主人以为他玩一会儿还会与自己见面交谈。谁知他观玩竹子之后，竟上轿扬长而去，根本不理主人，使主人狼狈不堪。

唐朝崔立之，唐宪宗元和初任蓝田县丞，院内有老槐树四行，南墙边有高大竹林一片。他每天吟哦于竹林之中，有事来问他，他就说："我有公事，你先回去！"韩愈因此为他写了一篇《蓝田记》。

奕世貂珥① 闾里鸣珂②

[注释]

①奕：盛大。貂珥：汉朝宦官帽子上插貂尾，悬挂珥珰为饰，后遂以貂珥比喻显贵。②闾：指民户聚居处，里巷。鸣珂：古代贵族之马笼头以玉为饰，走动时作响，故称鸣珂。珂，一种似玉的美石。

[解说]

汉朝金日䃅（mì dī）本匈奴休屠王的太子，后归汉。汉武帝赐姓金，拜为侍中，后与霍光同辅昭帝，封为侯爵。他与张安世皆佩七叶貂珥。汉朝显贵家族中，以金、张两家最为兴盛。

唐朝张嘉贞为监察御史，后历任梁、秦二州都督，开元年间任中书令，其弟嘉佑，任金吾将军。每当早朝时，他们的车马随从塞满一条闾巷，因此这条街巷便被称为鸣珂里。

昙辍丝竹① 裒废蓼莪②

[注释]

①丝竹：弦乐器和竹管乐器。也泛指音乐。②蓼莪（lù é）：《诗·小雅》篇名。此诗表达了子女追慕双亲抚养之德的情思。后以"蓼莪"代指对亡亲的悼念。蓼、莪，两种植物名。

[解说]

东晋羊昙是谢安的外甥，为安所看重。安亡后，昙一年不听音乐，安故居在西州门，昙因而走路不再经过西州路。一日大醉归，不觉至州门，左右曰："此西州门。"昙悲感不已，恸哭而去。

司马昭以王仪直言而杀之，仪的儿子裒（póu），痛父死于非命，从不面西而坐，以示不臣于晋。隐居教授，累辟不就。庐于墓侧，攀柏悲号，涕泪着树，树为之枯。每读《诗》至"哀哀父母，生我劬劳"句，未尝不再三流涕。受业门人因此不读《蓼莪》之篇，恐裒闻之而触其悲。

箕陈五福① 华祝三多

[注释]

①箕：即箕子，殷纣王诸父，名胥馀，国于箕。纣王无道，箕子谏之不听，被囚禁。周武王克商后释放他并向其求教。《书·洪范》有他对答武王的话。

[解说]

周武王灭商以后,向箕子请教,箕子给他讲"洪范",有治理天下的九种大法,即九畴。其中讲到人们应当享受的五种幸福:第一是寿,第二是富,第三是康宁,第四是攸好德,第五是考终命。

帝尧到华地去巡视,当地的封人(官职名)祝福尧说:"愿圣人多福、多寿、多男子。"尧表示不接受这种祝福。他说:"多生儿子,担心的事也多,富有了就会多麻烦事,长寿了所受的屈辱也会多。这些不利于培养清净无为的德性。"封人回答说:"天生万民,必然会授给他们职事,儿子多了给他们职事去做,还有什么可担心呢?富有了让大家来分享,还会有什么麻烦呢?长寿的人在天下有道时,与万物一同昌盛,天下无道时,则修德施仁,又有什么屈辱呢?"

六 麻

万石秦氏①　三戟崔家②

[注释]

①秦:即秦彭(?~88),扶风茂陵(今陕西兴平)人,出身官宦世家,妹为明帝贵人,官山阳太守,后又任颍川太守。②戟:指棨戟,有丝绸外套或漆过的木戟,为官员出行前列仪仗之一。唐代制度,三品以上高官,可以在门外列棨戟。崔:指崔琳。

[解说]

汉朝秦彭,茂陵人,六世祖名袭,与子侄辈五人,同时皆食禄二千石,因号为万石秦氏。彭为山阳太守,有凤凰、麒麟、嘉禾、甘露之瑞,肃宗褒奖之。

唐朝崔琳,玄宗开元中为中书令,弟圭为太子詹事,瑶为光禄卿，俱列荣戟，时号三戟崔家。

退之驱鳄[①]　叔敖埋蛇[②]

[注释]

①退之：即韩愈，字退之。见二冬韵"韩比云龙"。②叔敖：即孙叔敖，蒍（wěi）姓，名敖，字孙叔，春秋时楚国人。虞丘任楚相，将他推荐给楚庄王。后为相，执政期间，兴修水利，发展生产，成为楚国著名贤相。

[解说]

唐宪宗迎佛骨，韩愈谏之，宪宗怒，贬潮州刺史。到任问民间疾苦，说河中有鳄鱼。愈乃作《祭鳄鱼文》以祭之，是夕风雨大作，鳄鱼遂西徙六十里。

春秋楚国孙叔敖，孩时见两头蛇，不吉，恐后人复见，杀而埋之。归，哭告母亲："听说见两头蛇者死，儿恐不得事亲矣。"母曰："有阴德者必有阳报，你埋蛇，是阴德，可不死。"后仕楚为令尹。

虞诩易服[①]　道济量沙[②]

[注释]

①虞诩：东汉时武平（今河南鹿邑）人，任武都（今属甘肃）太守。顺帝时官至尚书仆射。②道济：即檀道济（？~436），高平金乡（今属山东）人，南北朝刘宋名将，官征南大将军，为彭城王刘义康所忌，被冤杀。

[解说]

汉朝虞诩，为武都太守，兵不满三千。羌兵万余围之，诩陈兵从城东门出，西门进入，互易衣服，回转数周，羌以为兵多，害怕而退，遂设伏击之。

南北朝檀道济，事刘宋文帝，领兵伐魏，粮尽退兵，魏人追之。道济在晚上令人唱筹量沙，以少许米覆其上以充粮堆。天明，魏人见道济资粮有余，而不敢击，道济因全军而返。

伋辞馈肉① 琼却饷瓜②

[注释]

①伋：即孔伋（jí），孔子之孙，字子思，后人称之为子思子，在孔庙中与颜渊、曾参、孟轲并称为四配，地位仅次于孔子。②琼：即苏琼，武强郡（今属河北）人，南北朝北齐时任清河太守，善行教化，北齐亡，仕周为博陵太守。

[解说]

鲁穆公馈送鼎肉给孔伋，伋因为馈送太多，拒使者出大门之外，北面稽首行礼致谢，而不受肉。

苏琼守清河六载，不受馈赠，郡资深前辈赵颖送他圆瓜，琼勉强留置梁上，并不剖食。人闻受颖瓜，争献新果。至门，闻颖瓜尚在梁上，相顾而还。

祭遵俎豆① 柴绍琵琶②

[注释]

①祭（zhài）遵（？~33）：颍川颍阳（今河南许昌）人，东汉刘秀大将，官征虏将军，谥成侯。②柴绍（？~638）：晋州临汾（今属山西）人，唐高祖李渊女婿，任镇军大将军，封谯国公。

[解说]

汉朝祭遵，从光武征讨河北，赏赐都尽与士卒，粗衣布被，家无私财。范升奏曰："遵为将，用儒家思想言行来治军和选拔将士，虽在军旅，仍遵守儒家祭祀礼仪，不忘俎豆。"帝每叹曰："安得忧国奉公之臣，如祭征虏者乎？"

唐朝柴绍，尚高祖平阳公主。吐谷浑寇边，绍御之。吐兵据高射绍军，矢如雨下。绍安坐，遣人弹胡琵琶，二女子对舞。虏十分惊异，停射观之。绍伺其松懈，以精骑从后掩击之，虏遂溃。

法常评酒① 鸿渐论茶②

[注释]

①法常：其事迹始见于《清异录》一书，作者陶谷，主要活动于五代时期，历仕晋、唐、汉、周及宋。是书多采用五代时异闻，故法常当系五代时人。②鸿渐：即陆羽（733~804），字鸿渐，竟陵（今湖北天门）人，后隐居苕溪（今浙江湖州境内），闭门著书诵诗，不受官府召。

[解说]

释法常，性嗜酒，无论寒暑常醉。醉则熟睡，觉则高吟曰："优游曲世界，烂漫枕神仙。"又对人说："酒天虚无，酒地绵邈，酒国安恬。无君臣贵贱之拘，无财利之图，无刑罚之避。陶陶焉，荡荡焉，乐其可得而量也，转而入于飞蝶者也，则又懵腾浩渺而不思觉也。"

唐朝陆羽，嗜茶，著《茶经》，论茶之功效，并煎煮之法，造茶具二十四事，被贩茶者祀为茶神。

陶怡松竹① 田乐烟霞②

[注释]

①陶：指陶渊明。见十灰韵"渊明赏菊"。②田：指田游岩，唐京兆三原（今属陕西）人，后隐居于嵩山颍水南岸之箕山，曾被召进京任太子洗马，不久放归。

[解说]

晋朝陶渊明，弃官归田，作《归去来辞》，有"三径就荒，松菊犹存"之句，以松菊自怡。

唐朝田游岩，隐居箕山，高宗幸嵩山，亲自至其门，田野服出拜，仪止谨朴。帝问："先生近来好吗？"对曰："臣所谓爱泉石已入膏肓，病烟霞已成痼疾。"

孟邺九德① 郑珏一麻②

[注释]

①孟邺：安国（今属河北）人，家世微寒，少为州吏，廉洁勤谨，北齐时为东郡太守，以宽厚称誉于时。邺，《北齐书》、《北史》均作业。②郑珏(jué)：荥阳（今属河南）人，五代梁时曾为相，后唐明宗时又复为相，为人谨慎厚长，文章华美，但政治上碌碌无为。

[解说]

北齐孟邺为东郡太守，以宽厚著名。郡内麦或一茎五穗，或三穗四穗，县人送嘉禾一茎九穗，均以为是政化所感的祥瑞。

后唐郑珏，与李愚同为学士。郑住所阁下忽生一麻，李曰："你该当宰相哩。"等到霜降结实，乃白麻也。珏不久果然当了宰相。

颜回练马① 乐广杯蛇②

[注释]

①颜回（前521～前481）：春秋末鲁国人。字子渊，亦作颜渊，孔子最得意弟子。练：练制成的白色熟绢或织品。②乐广：南阳（今属河南）人，晋初任侍中、河南尹，后官至中书令。

[解说]

《孔子家语》里有个故事：孔子和颜回一同登上泰山，望见苏州阊门外系有白马，孔子便问颜回那是什么东西，颜回说："有一匹练状的东西。"孔子说："是白马。"仔细看了一下，果然是一白马，后人便称一马为一匹马。

乐广招待一个过去的朋友饮酒，那客人看到杯中有一条蛇的影子，便吓病了。乐广知道后，仔细观察客厅，发现墙上壁画中画有角弓，弓影落到酒杯中似蛇形。于是他又把那客人请来，还在原来的地方喝酒，问客人："还看到蛇的影子吗？"客人说："还是过去那样子。"乐广便告知客人弓影的缘故，客人的疑心立刻没有了，而疾病顿愈。

罗珦持节① 王播笼纱②

[注释]

①罗珦：唐会稽（今浙江绍兴）人，初入曹王李皋幕府，平乱有功，历任庐州刺史、京兆尹，以老病求解职，任太子宾客。②王播（759~830）：太原人，历任淮南节度使、盐铁转运使等职，加重赋税，搜刮不已，每月均有钱财进奉皇帝，后升宰相。

[解说]

唐朝罗珦，少贫困，尝投福泉寺，随僧人吃饭二十年。后持节归乡，书僧房云："二十年来此布衣，鹿鸣西上虎符归。故时宾从追前事，到处松杉长旧围。野老共遮官路拜，沙鸥遥认隼旗飞。春风一宿琉璃殿，惟有泉场惬素机。"

唐朝王播，穆宗朝宰相。微时客扬州木兰寺，随僧人吃饭。僧人很讨厌他，把开饭钟放到饭后才敲，王播听到钟声来吃饭时，饭已吃完。播很愧恨，题诗于壁云："上堂已了各西东，惭愧阇黎饭后钟。"后来做了大官又来寺院视察，前诗已被僧人用碧纱笼罩住保护起来，因续云："三十年前尘土面，于今始得碧纱笼。"

能言李泌① 敢谏香车②

[注释]

①李泌：见一东韵"邺仙秋水"。②香车：战国齐大夫，亦作香居。

[解说]

唐朝时，肃宗之子建宁王李倓，战功卓著，太监李辅国诬告其谋反,建宁王因此被李泌冤杀。李泌与肃宗同寝,一再请求辞官回乡隐居。肃宗说:"卿以朕不听从你提的北伐之谋而想辞职吗?"对曰:"不是。乃建宁王事耳。臣非咎既往,欲陛下慎将来。昔天后忌杀长子弘,次子贤十分恐惧,作《黄瓜辞》希望其感悟。辞曰:'种瓜黄台下,瓜熟子离离。一摘使瓜好,再摘使瓜稀,三摘犹为可,四摘抱蔓归。'今陛下已摘一矣,慎勿再摘。"上愕然曰:"卿言朕当书衣袖上牢记。"

齐宣王为大室,占地百亩,三年完不成,群臣莫敢谏。香车问宣王曰:"荆王丢掉先王之礼乐,而演奏淫乐,敢问这样荆邦算有主乎?"曰:"算无国主。""算有臣子乎?"曰:"等于无臣。"车曰:"今王为大室,三年不成,群臣没一个敢谏,算有臣子吗?"王曰:"算无臣。"车曰:"既没臣,臣请离去矣。"趋而出。王曰:"香子留,何谏寡人太晚也。"遂立即停工。

韩愈辟佛　傅奕除邪[①]

[注释]

①傅奕(555~639):相州邺(今河南安阳东北)人,通天文历法,唐初为太史令,多次上书请禁止佛教,并将魏晋以来的斥佛言论编为《高识传》十卷。

[解说]

唐朝韩愈谏阻宪宗迎佛骨,以为佛不足敬奉,当让有司把佛骨投诸水火,永绝根本,可谓毁佛到极点了。而《韩文外集》又载他与大颠三封书信,则又未始不信佛。相信哪个呢?东坡力言其书信为伪作,朱熹又力辩其为真。

唐朝傅奕,上疏请除佛法。中书令萧瑀责问他,傅奕说:"萧瑀并不是生于空桑树洞中没父亲的人,却遵无父之教。"太宗得胡僧,能咒人死,复咒而苏。傅奕曰:"此邪术也。邪不压正,使咒臣必不行。"咒之，果然不灵验。

春藏足垢① 邕嗜疮痂②

[注释]

①春：指阴子春（？~551），武威姑臧（今甘肃武威）人，南北朝梁西阳太守，后任梁、秦二州刺史。②邕：指刘邕，南朝宋莒县（今属山东）人，嗣其祖父刘穆之南康郡公的爵位，性喜吃疮痂，手下有吏员二百人，不论有罪无罪，轮流鞭打，取其伤痂做饭吃。

[解说]

南北朝阴子春，官至刺史，身上全是污垢，脚数年才洗。一次，他说每洗次脚都要失财败事，后在梁州，洗脚者再，竟败事。

南北朝刘邕，喜食疮痂，以为味似鲍鱼。尝去看望孟灵休，灵休正患痔疮，疮痂落床上，邕取而食之，灵休大惊，乃悉剥取以饷邕。

薛笺成彩① 江笔生花②

[注释]

①薛：指薛涛（768~831），唐长安人，流寓成都，为当地名妓、女诗人，与诗人元稹交厚，与白居易、杜牧、张籍、刘禹锡等诗人均有唱和之作，著有诗集一卷传世。②江：指江淹（444~505），字文通，济阳考城（今河南兰考）人，南北朝时历仕宋、齐、梁三朝，曾官御史中丞、授紫金光禄大夫，后人辑有其著述《江文通集》传世。

[解说]

唐朝薛涛，居浣花溪百花潭畔，以潭水造十色彩笺，时称薛涛笺。

南北朝江淹，少时梦人授以五色笔，遂文辞日丽。后十余年，又梦人将笔取去，嗣后文思日钝，再无佳句。成语"梦笔生花"、"江郎才尽"典故均出于此。

班昭汉史① 蔡琰胡笳②

[注释]

①班昭：又名姬，东汉史学家班固之妹，嫁曹世叔，故人称之为曹大家(gū)。大家，古时对妇女的尊称。著有《女诫》七篇，《汉书》八表及《天文志》亦其所续。②蔡琰：字文姬，东汉末女诗人，蔡邕之女。汉末大乱，流落匈奴十二年，后归中原再嫁董祀。著有《悲愤诗》、《胡笳十八拍》等。

[解说]

东汉班昭，兄班固著《汉书》未竟而卒，和帝诏班昭续成之。数召入宫中，令皇后、贵人事以师礼。

三国蔡文姬，六岁知音律。后为匈奴所掳，曹操痛蔡邕无子，以金璧赎归，文姬因有感而作《胡笳十八拍》。

凤凰律吕① 鹦鹉琵琶

[注释]

①律吕：古代用竹管制成的校正乐律的器具，以管的长短来确定音的不同高度，共十二个管，成奇数的六个管叫做律，成偶数的六个管叫做吕，后用律吕作为音律的统称。

[解说]

传说黄帝使伶伦采解谷之竹，吹之作黄钟之音。于是制成十二管，以听凤凰之鸣，其雄鸣为六律，雌鸣为六吕，称为律本。故《抱朴子》曰："轩辕听凤凰鸣而调律。"

宋朝蔡确为宰相，贬新州，侍儿名琵琶，有鹦鹉很聪明，公每扣传呼佣人的响板，鹦鹉便呼其名。琵琶去世，蔡公有一次误触响板，鹦鹉又唤琵琶不止。蔡确悒悒不乐，因抒怀曰："鹦鹉言犹在，琵琶事已非。伤心漳江水，同渡不同归。"

渡传桃叶① 村名杏花②

[注释]

①桃叶：指桃叶渡，在今南京市秦淮河畔，《桃叶歌》为南朝陈时流行的乐府歌曲名，歌词为东晋王献之所作。②杏花：指杏花村。杏花村在池州（今属安徽）秀山门外。

[解说]

晋朝王献之，有爱妾桃叶，其妹名桃根，王献之曾到渡头送她们，因名其渡曰"桃叶渡"。桃叶渡在今秦淮河口。歌曰："桃叶复桃叶，渡江不用楫；但渡无所苦，我自来迎接。桃叶复桃叶，桃树连桃根；相怜两乐事，独使我殷勤。"

唐朝杜牧，诗情豪迈，人称小杜以别杜甫。任池州刺史时作《清明》诗，有"借问酒家何处有，牧童遥指杏花村"句。明太守顾元镜诗："牧童遥指处，杜老旧题诗。红杏添新色，黄垆隐昔时。远山凭作画，好鸟解吹篪。偷得馀闲在，官钱换酒卮。"

七 阳

君起盘古① 人始亚当②

[注释]

①盘古：中国神话中开天辟地的人。古时天地浑沌如鸡卵，盘古生于其中，劈开浑沌，阳清上浮为天，阴浊下沉为地，天日高一丈，地日厚一丈，盘古死后，身躯化为日月、星辰、山川、草木、金石等。②亚当：《圣经》上所说的人类始祖。据清初吴景旭所著《历代诗话》卷七十九称：万历辛巳（1581），奉耶稣教者利玛窦自欧罗巴来中土传教，讲《圣经》。"人始亚当"之说，从那时起传入中国。

[解说]

《易经》上讲：原始浑沌之气，称为太极。太极生两仪（阴阳），两仪生四象（四时），四象生八卦（天地、风雪、水火、山泽），从而生宇宙万事万物。盘古又称为浑沌氏，明天地之道，通阴阳之理，是三才（天、地、人）最早的主宰。

西方《圣经》上说：上帝以水土合成男，复取男一肋成女，男名亚当，女名夏娃，生二子，种类蕃息，秽染天地。后一千六百五十六年，洪水滔天，仅留一善良好人诺亚夫妇及其三子夫妇共八人，生下后代，分掌天下。

唐宗花萼① 灵运池塘②

[注释]

①唐宗：指唐玄宗李隆基。花萼：比喻兄弟之间相亲相爱的情谊，出自《诗·小雅》中的《常棣》。诗中用常棣花萼的紧密和艳丽，来象征兄弟之间亲密的友情。②灵运：即谢灵运（385~433），东晋谢玄之孙，袭爵康乐公，故后人又称他为"谢康乐"，后降刘宋，任永嘉太守。著名诗人，与陶渊明并称"陶谢"。

[解说]

唐玄宗与他的几个兄弟藩王十分友爱。当了皇帝后，他把过去所居府邸改名兴庆宫，并在宫西南角盖楼，名称"花萼相辉之楼"。闲时他登上此楼，可以望见临近诸兄弟王府风景，还能听到诸王府内的奏乐声。有时他高兴了，便召几位兄弟来楼上同宴，或到兄弟王府内欢聚，对诸王赏赐非常优厚。

南朝时候的谢惠连，十岁时就能作出优美的文章，堂兄谢灵运对他的文章十分赞赏。谢灵运说过："我每当构思诗文，一见到惠连，便能产生灵感，想出好句子来。"有一次他在永嘉西堂写诗，构思了一天也没想出满意的诗句，疲倦睡去，忽然梦见惠连。醒来后，立刻得到"池塘生春草"的诗句。灵运深深感到此句精巧优美，感叹地说："这真是有神在暗中帮助，不是我能想出来的。"

神威翼德[①]　义勇云长[②]

[注释]

①翼德：即张飞（？~221），字翼德，涿郡（今河北涿州）人，蜀汉大将之一，谥桓侯。②云长：即关羽（？~219），字云长，河东解（今山西运城西南）人，蜀汉五虎上将之首，谥壮缪侯。因忠于刘备，被后人尊为武圣并加以神化，祭祀他的"关帝庙"遍及全国。

[解说]

三国张飞，字翼德。结义兄长刘备背曹，败奔南方。曹操追之，飞于当阳桥上瞋目横矛，曰："燕人张翼德在此，可来决死！"敌皆无敢近者。魏谋臣程昱等咸称飞与关公为万人敌。

三国关羽，字云长，喜读《左氏春秋》，与刘备誓同生死。尝守刘备家眷，困于下邳。曹操使张辽说降，公三约以明志。后于万众中斩颜良，诛文丑，以报答曹操，封所赐财物官印而奔刘备。及刘备即位，假节钺，镇荆州，威震华夏。

羿雄射日[①]　衍愤飞霜[②]

[注释]

①羿（yì）：神话传说中人物，《山海经》称之为天神。《淮南子》则称之为尧臣，受命射日。②衍：即邹衍，战国时齐国人，先秦哲学家中阴阳家的代表人物，曾游说于赵、魏、燕等国，受到尊礼，著有《邹子》，今不传。

[解说]

传说尧时，十日并出，禾苗枯焦，尧命羿射去其九。后有穷国君亦善射，慕之而因袭其名。

战国时邹衍，闻燕昭王礼贤下士，乃自梁至燕，昭王为筑碣石宫，师事之。昭王去世，惠王信谗言，系衍于狱。衍冤不能白，仰天大哭，夏月天为降霜。

王祥求鲤[1]　叔向埋羊[2]

[注释]

①王祥（？~269）：临沂（今属山东）人，士族出身，三国魏时为司隶校尉，因战功封侯，晋武帝时官至太保。他年轻时卧冰求鲤的故事被编入"二十四孝"。②叔向：春秋时晋国大夫，又称羊舌氏。名肸（xī），封于杨（今山西洪洞东南），又称杨肸。

[解说]

晋朝王祥，事继母朱氏甚恭谨。冬天，母思食生鱼，天寒水结冰，祥解衣将用体热化冰求之，冰忽解，有双鲤跃出。望江县埠南岸有小池，祥曾奉母避乱于此，每天寒冰冻如人卧形。当地人以为是王祥卧冰之地，因名为卧冰池。

叔向，春秋时晋国大夫。尝有偷羊的人，以羊头送给向，向母不肯吃而埋之。停了三年，偷羊事败，遣捕，追至向家，挖地验之，羊头骨肉都化尽，唯一舌尚存，冤乃白。叔向后遂以羊舌为姓氏。

亮方管乐[1]　勒比高光[2]

[注释]

①管乐：指管仲和乐毅。管仲（？~前645），帮助齐桓公成为春秋时第一个霸主。乐毅，战国时燕将，曾率兵击齐国，连下七十多城。②勒：即石勒（274~333），上党武乡（今属山西）人，曾为农奴，后聚众起义，投刘渊为大将，成为割据一方的势力。319年自称赵王，建立政权，史称后赵。高光：指汉高祖刘邦和光武帝刘秀。

[解说]

三国诸葛亮，躬耕南阳，好为《梁父吟》，每抱膝长吟，以管仲、乐毅自比。后出佐刘备，助蜀三分鼎峙。

后赵石勒，因徐光谓其超过汉高祖，便说："你的话太过了，人岂能没有自知之明，朕遇汉高祖，当北面而事之；若遇汉光武，可以并驱中原。大丈夫宜磊落如明月，绝不学曹操与司马懿，欺孤凌寡，狐媚以取天下。"

世南书监① 晁错智囊②

[注释]

①世南：即虞世南（558~638），越州余姚（今属浙江）人，隋朝时任起居舍人，唐时官至秘书监，擅长进谏。书监：指秘书监，掌管图书典籍的官名。②晁错（前200~前154）：颍川（今河南禹州）人，汉文帝时任太子家令，后太子即帝位（即景帝），他任御史大夫。

[解说]

唐朝虞世南，十八学士之一，文章高深渊博。太宗尝称其有五绝：一德行，二忠直，三博学，四文词，五书翰。上一日外出巡行，有司请载书以随从。上曰："有虞世南在，执行秘书监职务，就不用带书。"

汉朝晁错，学申、商刑名于张恢生，为人峭直深刻。曾向皇帝进言太子宜令知术数，文帝认为不错，任命其为太子家令。以能言善辩得太子信任，号为智囊。

昌囚羑里① 收遁首阳②

[注释]

①昌：即姬昌（前1152~前1056），姬姓，名昌。商纣时为西伯，亦称西伯昌。相传西伯昌在位五十年，谥文王。其子姬发继位，是为周武王。羑（yǒu）里：地名，在今河南汤阴县北。②收：指薛收（592~624），字伯褒，蒲州汾阴（今山西万荣西南）人，隋时隐居不仕，唐初为李世民部下，檄文露布皆由他起草。

[解说]

周朝时，商纣王无道，周文王姬昌时为西伯，闻之窃叹，崇侯虎造谣诬陷之，纣王便囚姬昌于羑里。文王因演伏羲八卦为六十四卦，而系之辞，是为《周易》。

南北朝薛收，初隐居于首阳山，入唐在秦王李世民部下任主簿，从讨王世充及平刘黑闼，为书檄露布，或马上作辞，赅敏如素构。后封汾阴侯，早卒。太宗即位，对房玄龄说："薛收若在，当以中书令任之。"

轼攻正叔① 浚沮李纲②

[注释]

①轼：指苏轼，见十灰韵"苏轼奇才"。正叔：即程颐，字正叔，见四支韵"伊川传易"。②浚：指张浚，见十四寒韵"浚杀曲端"。李纲（1083~1140）：字伯纪，号梁溪先生。绍武（今属福建）人。北宋末、南宋初抗金名臣。

[解说]

宋朝程颐，哲宗朝为讲官，持己过庄，苏轼谓其不近人情，每加玩侮，遂属顾临等连章劾之，出为勾管西京国子监。绍圣间，追贬元祐诸臣，遂又被诬为奸党。

宋朝李纲，钦宗朝为相。张浚为侍御史，劾纲以买马招军之罪。黄潜善、江伯彦趁机排挤之，遂贬提举洞霄观。在相位仅七十五日，议者惜之。

降金刘豫① 顺虏邦昌②

[注释]

①刘豫（1073~1146）：景州阜城（今属河北）人，南宋初金国扶植的傀儡，多次配合金兵攻宋，均告失败，遂被废，迁居于临潢（今内蒙古巴林左旗附近），不久病死。②邦昌：即张邦昌（1081~1127），北宋末东光（今属河北）人，历任礼部侍郎等职，力主与金人讲和。金兵攻陷汴京，立他为楚帝，仅当了三十三天皇帝即垮台。高宗即位后，李纲力主严惩，被处死。

[解说]

宋朝刘豫,为河北提刑。金人南侵,弃官居真州。张悫荐之,起知济南府,时山东盗起,豫求易南郡,执政不许,豫遂叛降金兀术,被立为齐帝。

宋朝张邦昌,以进士累官太宰。靖康初,金人攻陷汴京,俘徽、钦二帝北去,立邦昌为楚帝。高宗立,贬邦昌于潭州,赐死。

瑜烧赤壁① 轼谪黄冈②

[注释]

①瑜:即周瑜(175~210),字公瑾,庐江舒县(今安徽舒城)人,三国东吴大将,在赤壁大破曹兵。赤壁:在今湖北武昌县西赤矶山,一说在今湖北蒲圻西北赤壁山。②轼:即苏轼。见十灰韵"苏轼奇才"。

[解说]

三国周瑜,仕吴为建威中郎将。曹操统军八十万征吴,东吴多人建议迎降曹操,瑜独请战。领精兵三万,与操战于赤壁,火攻破之。以功拜偏将军,领南郡太守。

宋朝苏轼,出判杭州,中丞李定、御史舒亶摘其诗文,以为怨谤君父,逮捕下狱。曹太后闻之,言轼为仇人中伤,乃得轻议,贬黄州团练副使。

马融张帐① 李贺锦囊②

[注释]

①马融(79~166):东汉著名经学家、文学家,历任南郡太守等职。曾注释"五经"、《论语》及《老子》、《淮南子》、《列女传》等书,著有赋、颂、碑、记等各体文章多篇。②李贺(790~816):字长吉,昌谷(今河南宜阳)人,唐宗室,擅长歌诗,诗句新奇瑰丽,有《李长吉集》。

[解说]

汉朝马融,马援之后,历官南郡太守。高才博学,世称通儒,从游者以千计，卢植、郑玄皆其高弟。常坐高堂设绛纱帐，前授生徒，后列女乐。故后人用"绛帐"来作师长或讲座的代称。

唐朝李贺，耽苦吟，每旦出，骑弱马，小童背锦囊随后，每遇有心得，即书写投其囊中。暮归，母探囊见诗草，必怒曰："这孩子非呕出心血才止。"

昙迁营葬[①] 脂习临丧[②]

[注释]

①昙迁：南朝宋高僧，俗姓支，本月支人，寓居建康，王僧虔任吴兴太守及湘州刺史时，均携昙迁至任所，闲则同游。②脂习：字元升，东汉京兆（今陕西西安）人，任太医令。孔融死，往抚尸哭之。魏文帝曹丕喜孔融文章，又赞脂习之义，升脂习为中散大夫。

[解说]

释昙迁与范蔚宗、王昙首是好友，后蔚宗被诛，门有十三丧，知交无敢近者，昙迁货卖衣物，悉营送葬。宋孝武帝闻而叹赏，语徐爱曰："卿著《宋书》，勿遗此事。"

三国脂习，与孔融友善。曹操为司空，威权益重，融对曹倨傲，习常劝告之。及融被诛，百官与融素友善者，没一人敢去收恤。习独抚尸而哭曰："文举，卿离开我而死，我又有谁可说话呢？"曹操大怒欲杀之，后以其耿直原谅了他。

仁裕诗窖[①] 刘式墨庄[②]

[注释]

①仁裕：即王仁裕（880~956），五代时天水（今属甘肃）人，知名于秦陇间。前蜀及后唐时任翰林学士，后汉时官兵部尚书，后周显德年间去世，著有《西江集》。②刘式：字叔度，袁州（今江西宜春）人，宋初历任大理寺丞、兼通州丰利监、工部员外郎等职。

[解说]

五代王仁裕,著诗万篇,时号诗窖子,指所存积之多也。

宋朝刘式,太宗朝掌财务十余年。及去世而家徒壁立,唯遗书数千卷。其妻陈氏,指示诸子曰:"这是你们父亲的墨庄,今遗留给你们,你们要好好经营它。"其后诸子及孙,并起高第,都成为名臣。

刘琨啸月① 伯奇履霜②

[注释]

①刘琨:字越石,中山魏昌(今河北无极北)人,晋时名将,以战功封广武侯,西晋末都督并、冀、幽三州军事,东晋元帝时任侍中、太尉,在并州与刘聪、石勒等混战,兵败投幽州刺史鲜卑人段匹磾,后为段所害。②伯奇:即尹伯奇,传说中的孝子,后变为小鸟伯劳。

[解说]

晋朝刘琨,与祖逖均以豪放著名。永嘉初,任并州刺史,转战至晋阳,为胡骑包围,城中饮食窘迫。琨乃乘月登楼清啸,贼闻之皆凄然长叹。中夜又奏胡笳,贼又流涕歔欷,人人怀乡土之念。天明,遂皆弃围而走。

周代尹伯奇母死,父吉甫又娶后妻,生了伯封,后母诬伯奇,吉甫偏听偏信,把伯奇赶到野外。伯奇自伤无罪见逐,遂作《履霜操》以歌之,希父感悟也。宣王出游,吉甫随从,闻其歌声。宣王曰:"此孝子之词也。"吉甫乃寻找伯奇于郊野,已化为伯劳。吉甫遂射杀后妻以谢之。

塞翁失马① 臧谷亡羊②

[注释]

①塞翁失马:出自《淮南子·人间训》,是比喻福祸可以互相转换的成

语故事。②臧谷亡羊：此故事源于《庄子·骈拇》，比喻处事方法不同而其危害是相同的。

[解说]

长城边上住着一个老牧民，有一天他养的马忽然跑出去丢失了，邻人们来安慰他。他说："这也许并不是什么坏事。"停了几个月，他的马自己回来了，还带着几匹草原上的好马。邻人们又来祝贺他。他说："这也许并不是什么好事。"后来，他的儿子试骑草原上带回来的马，从马身上跌下来，跌断了胳膊。邻居们又来慰问他，老头子仍然平静地说："这也许是件好事吧。"不久，发生了战争，身体强壮的人都被征兵上了前线，很多人战死了。老翁的儿子因为折臂，没有被征召去当兵，平安在家过日子。

臧和谷两个人一同去牧羊，结果两个人的羊都丢失了。问丢失的原因，臧说："我带着书在读，忘了看好羊。"又问谷，谷说："我是离开羊跑到远处游玩才把羊丢失的。"两个人丢羊的原因虽然不同，但是结果是一样的。

寇公枯竹①　　召伯甘棠②

[注释]

①寇公：指寇准。见十灰韵"准题华岳"。②召伯：指周召公，姓姬名奭(shì)，食采于召，故称召公，谥号康，后人又称之为召康公。周成王时与周公共同辅政。自陕以西，由召公主政，陕以东由周公主政。

[解说]

宋朝寇准，真宗朝宰相，后因责斥丁谓为奸臣，被谪三黜，乾兴初，再贬雷州。剪竹插神祠前，祝告说："我如果没有辜负朝廷，枯竹再生。"结果竹果然再生。后准死，灵车过公安县，百姓迎祭。斩竹挂纸钱，逾月皆生笋成林。因称之为相公竹。

召公，周同姓，食采于召，其谥为康，称召康公。召公与周公分陕而治，陕以东由周公治之，陕以西由召公治之。尝巡视南方，偶休息甘棠树下。及离去，百姓思念他，为之赋《甘棠》诗，爱其树不忍伐。

匡衡凿壁① 孙敬悬梁②

[注释]

①匡衡：西汉东海承（今山东苍山兰陵镇）人，世为农民，家贫苦学，精于经学，官至丞相，封乐安侯，后因多占土地，免为庶人。②孙敬：汉信都（今河北冀州）人，终年苦读，人称闭户先生，工书法，见《书小史》。

[解说]

汉朝匡衡，家贫好学。邑有大姓，多藏书。衡去当佣人，不求其价。主人怪问，衡曰："愿准许借看藏书遍读之。"主人感叹，给之以书。尝夜读无灯烛，凿邻居壁，借其灯光苦读，遂致学问造诣超人。

汉朝孙敬，性嗜学，整年闭户读书。每夜读恐打瞌睡，乃以绳悬其发髻于梁上，一打盹则拉到头发，疼痛而醒，乃继续读之。

衣芦闵损① 扇枕黄香②

[注释]

①闵损：字子骞，鲁国人，孔子弟子。他的事迹被列入"二十四孝"。②黄香：东汉时江夏安陆（今属湖北）人，性至孝，事迹载入"二十四孝"。博通经史，汉章帝、和帝时官至东郡、魏郡太守，为人谦恭，逢事不与民争利。

[解说]

春秋闵损，性至孝。母死，父娶后妻，唯爱己所生之二子，而虐待闵损，衣以芦花。一日损为父御车，体寒失控，父怒鞭之，衣破，中乃芦花也。父知其故，欲去后妻。损故启曰："母在一子寒，母去三子单。"父乃止，后母因此感悟，对三子慈爱如一。

汉朝黄香，事亲至孝。夏月扇枕席，冬则以身温被。年长后，博通经史，能文章，京师有谚语说："天下无双，江夏黄童。"

婴扶赵氏① 籍杀怀王②

[注释]

①婴：即程婴，春秋时期晋国卿赵朔的友人。赵氏：春秋时晋国赵衰跟从公子重耳流亡国外十九年。重耳在其随从努力下，归国即位，为晋文公，赵衰尤称首功，子孙遂世代为晋卿，势力日增。至春秋末，与另外魏、韩两家势力，三家分晋。晋亡，赵、魏、韩为战国时期的强国，与秦、楚、齐、燕共称为战国七雄。②籍：即项羽，名籍，字羽。怀王：指楚怀王（？~前205），即后怀王义帝熊心（前208至前205年在位），楚怀王熊槐之孙。

[解说]

春秋时，晋景公宠臣屠岸贾为了争权，诬告赵氏谋反，骗取景公相信，擅自率兵攻赵氏，杀大夫赵朔。赵朔妇生遗腹子，屠岸贾听说后，又要捕杀。程婴与赵朔门客公孙杵臼定计，将程婴的儿子冒充赵氏孤儿，让公孙杵臼抱婴儿藏于深山，程婴却假装出首告发公孙藏匿赵氏孤儿。屠岸贾便出兵搜山，杀公孙和假孤儿，程婴遂得匿藏赵氏真孤。十五年后，孤儿赵武成人，在韩厥等卿士支持下，景公平赵氏冤，立赵武为大夫，诛死屠岸贾。

秦朝末年，项羽起兵反秦，用范增计，寻战国楚怀王之孙于民间，立为怀王，以号召百姓，后又尊为义帝。灭秦后，项羽自立为王，密令部将杀死义帝。刘邦遂为义帝发丧，率诸侯兵讨伐项羽。

魏徵妩媚① 阮籍猖狂②

[注释]

①魏徵（580~643）：字玄成，馆陶（今属河北）人。唐太宗时重臣，历任谏议大夫、侍中，封郑国公。妩媚：现代汉语中多指女子、花木的美好可爱。古汉语亦指政治人物的正直美好。唐太宗称魏徵妩媚，在于其不面从。面

从，当面顺从，背后另说一套，甚至当面阿谀，背后发诽谤之言。不面从，表里如一，正是魏徵言行美好之处。②阮籍：见四支韵"阮籍青眼"。

[解说]

唐朝的魏徵，作为唐太宗的臣子，有时向太宗进行规劝，太宗没接受。太宗向魏徵解释，魏徵不回答。太宗说："你答应以后再进一步劝谏，又有什么不可以？"魏徵说："过去虞舜曾告诫臣下不要面从。现在我明知道事情不对，而叩头听从陛下的意见，就成为面从，这不是稷、契这些臣子侍奉虞舜的胸怀。"太宗听后笑着说："有人说魏徵傲慢狂妄，在我看来，他显得更加妩媚可爱的原因，就在这一点上。"

三国魏国的阮籍，生得高大漂亮，性格放荡不羁，有时闭户读书，连续一月不出门。有时去游山玩水，一整天乐得忘回家。有时他独自驾着牛车，不从路上走，走到车轮无法通过的时候，常常痛哭而回。唐朝王勃写了一篇《滕王阁序》，文中说"阮籍猖狂，岂效穷途之哭"，就是出自这个故事。

雕龙刘勰^①　愍骥应场^②

[注释]

①刘勰（xié）：南北朝时南齐至梁时人，幼年成为孤儿，家贫，依僧佑居寺院十余年，学习刻苦，精通佛理和儒家经典。南齐末著成《文心雕龙》，为我国第一部系统论述文学理论的专著。梁朝时，经尚书令沈约推荐，任东宫通事舍人等官，后来出家为僧。②应场（？~217）：汝南南顿（今河南项城）人，东汉末著名文学家，建安七子之一，后被曹操聘为丞相府属员，官终五官将文学。

[解说]

南北朝刘勰，著《文心雕龙》五十篇，论古今文体，欲请当时文坛领袖沈约批评审定。因地位悬殊无法去求见，便拿了书装成卖书的小贩，在沈家大门外等他的马车。约取读，极为赞赏，认为深得文理。

三国应场,"建安七子"之一,时遭董卓之乱,不得志于时,因作《愍骥赋》悯千里马之不遇时以自况。

御车泰豆[①]　习射纪昌[②]

[注释]

①泰豆:亦作太豆,系姓氏,而非名,驾车名手造父的老师。古有造父为周穆王驾车去会见西王母的神话。②纪昌:上古时善射箭的人。以上两个传说均出自《列子》一书。

[解说]

造父向泰豆氏学驾车,三年过去了,泰豆一句话也没教他,造父对师父越加恭谨。这时泰豆才对造父说:"好弓匠的儿子,要先学编簸箕,好铁匠的儿子,要先学缝皮衣。只有识多见广,才能精通本行。"泰豆氏把一根根的木桩立在地上作为道路,自己在上行走。桩子很小,只能容下一只脚,泰豆在上面行走和来回奔跑,从不失足跌倒。他让造父学他的步法动作、快慢缓急,到完全相似之后,便可以掌握好马缰绳,驾驭六匹马拉的大车了。造父学了三天,便掌握了行走的全部技巧,于是泰豆便告诉造父驾车的秘诀,造父很快便得心应手地驾车了。

纪昌跟飞卫学射箭,飞卫说:"你先学不眨眼,然后才可学射。"纪昌回家后躺在妻子的织布机旁,目不转睛地瞪着织布机的脚踏板。这样练了三年,就是用锥子尖刺到他的眼眶前,他也不眨一下眼。他又去见飞卫,飞卫说:"这还不行,要锻炼眼力,把一件小东西看得很大。"纪昌回到家中,用牛毛吊了一只虱子,挂在窗户下,每天目不转睛地看着虱子,虱子慢慢变大起来。三年以后,他把虱子看得和车轮一样大,再看别的东西,仿佛像小山一样。于是飞卫用燕国出产的牛角做成弓,北方出的竹子做箭杆,让他射虱子，箭从虱子中心穿过，吊虱子的牛毛完好无损。

异人彦博① 男子天祥②

[注释]

①彦博：即文彦博（1006~1097），字宽夫，介休（今属山西）人，北宋名臣，曾任宰相，封潞国公，七十余岁以太师退休。八十岁后又再次起用，命为平章军国重事，任五年，再次退休。②文天祥（1236~1283）：字宋瑞，吉州吉水（今属江西）人，南宋末丞相。积极组织抵抗元兵，被俘后，囚三年，多次劝降，不屈就义。

[解说]

宋朝的文彦博，立朝端重有威望。契丹使耶律永昌来朝见皇帝，见彦博直立于殿上，十分威武，立刻改容问道："这是潞公吗？何其壮也！"苏东坡回答使者说："您见到的只是潞公的容貌罢了，还没听见过他说话，他在总理国家事务时，语言宏博，说古论今，虽年少力壮的名家，也比不过他。"永昌拱手说："天才异人也。"

宋朝文天祥，元主欲以为相，不屈，只好杀掉。天祥面南再拜而死，其衣带中有赞曰："孔曰成仁，孟曰取义，惟其义尽，所以仁至。读圣贤书，所学何事？而今而后，庶几无愧。"元朝皇帝叹曰："文丞相真男子，本朝将相都比不上他，真是可惜也。"

忠贞古弼① 奇节任棠②

[注释]

①古弼：代（今山西大同）人，北魏时任侍中、吏部尚书等职，以性直敢谏著名，颇得魏太武帝的宽容优待。②任棠：东汉上邽（今甘肃天水西南）人，隐居不仕，以教授生徒为生。

[解说]

南北朝古弼，仕北魏以忠直闻名。尝奏减免苑囿，太武帝方与刘树下棋，弼侍坐，良久不获申。乃起于帝前，摔树下床，以手搏之曰:"朝廷不理,实尔之罪。"帝愕然曰:"不听奏事,朕之过也,树何罪?"弼具状,帝奇而准其奏。弼头尖,时称笔公。太武帝尝称他为社稷臣,又称之为国宝。

汉朝任棠,隐居教授,有奇节,太守庞参去问候他,棠不与说话,但拔野薤一大棵,盛水一盂置大门影壁前,自抱儿孙伏在门下。参思其意,良久才说:"水者,欲吾清也;拔大棵薤者,欲吾打击权势豪强也。抱儿当户,欲让我开门恤孤也。"叹息而去。

何晏谈易① 郭象注庄②

[注释]

①何晏:见四支韵"平叔傅粉"。②郭象(252~312):河南(今河南洛阳)人,西晋学者,好老庄,善清谈,官至黄门侍郎、太傅主簿。

[解说]

三国何晏,研究《易经》十分精通,所不清楚者九处。一日请来管辂共同论《易》,辂为剖析玄旨,九事皆明。时邓玄茂在一侧,问曰:"君善《易》,而语不及《易》中辞义何?"辂曰:"不用讲《易》中的辞义,便能说明《易》的道理,才是真正懂《易》的人。"晏笑着称赞曰:"可谓抓住了要害。"

晋朝向秀,注《庄子》,于旧注之外,注释新奇别致,丰富了魏晋玄学的内容。唯《秋水》、《至乐》三篇未完成而卒。子幼,遂零落。郭象遂窃为己注,另外自注《秋水》一篇,又译《马蹄》一篇,其余只是作了断句而已。

卧游宗子① 坐隐王郎②

[注释]

①宗子:指宗炳(375~443),南阳涅阳(今河南镇平)人,好弹琴,善绘画,精于佛理,后入庐山学佛,被兄长逼归。东晋、刘宋朝多次征召他做

官,皆不就。②王郎:指王坦之,晋太原人,东晋时渡江南迁,出身世代显宦之家,历官侍中、中书令,徐、兖二州刺史。

[解说]

南北朝宗炳,好琴书,善画,精玄理。每游览山水佳处,往往忘归。尝西涉荆巫,南登衡岳,因建屋于衡山。以生病还江陵,叹曰:"老病俱至,名山恐难遍看,只好躺在床上卧游了。"凡所历览,皆图于室。

晋朝王坦之,誉满朝野,标的当时,《世说新语》云:"王中郎以围棋为坐隐,支遁以围棋为手谈。"

盗车毕卓① 割肉东方②

[注释]

①毕卓:晋朝人,放达不拘小节,初任吏部郎,东晋迁江南,曾任桓温部下长史,卒于官。②东方朔:见二冬韵"方朔三冬"。

[解说]

晋朝毕卓,少放达,喜饮酒,尝曰:"得酒满数百斛,左手持酒杯,右手持蟹螯,游泳于酒池中,便足了一生。"大兴末,任吏部郎。邻居家酿酒熟,卓因醉,夜至邻居家瓮边偷饮,为管酒者捉住捆起来。天明后主人来看,乃毕吏部也。

汉朝东方朔,诙谐滑稽。武帝朝待诏金马门,帝社日赐从官肉,大官还未到,朔先割肉而归。有司奏帝,令自责。朔曰:"受赐不待诏,何无礼也;拔剑自割,何其壮也;割之不多,何其廉也;归遗小妾,又何其仁也。"上笑曰:"令卿自责,反乃自誉!"

李膺破柱① 卫瓘抚床②

[注释]

①李膺:见十四寒韵"爽欣御李"。②卫瓘:见十二文韵"卫瓘披云"。

[解说]

东汉李膺调任司隶校尉,这时太监张让的兄弟张朔任野王县令,贪残无道,害怕李膺执法严正,便逃往京师,藏到哥哥家中的空心柱子里。这事被李膺侦知,便率领吏员和士兵到张家打破柱壁,将张朔拘捕,关到洛阳监狱,经过审问,录下他的口供,立即处死。自此以后,内监们受到震慑,气焰大大收敛。

晋惠帝当太子的时候,很多人认为他能力低下,不堪当皇帝。卫瓘有一回喝了酒,跪倒太子坐床前说:"臣有话想说。"太子说:"你想说什么?"卫瓘却话到嘴边又停了下来,再三抚摸着床说:"这座位真可惜呀!"太子才醒悟这是在劝谏他,因而假装不知地说:"卿真大醉了吧!"

营军细柳[①]　校猎长杨[②]

[注释]

①细柳:地名,在今陕西咸阳西南。西汉名将周亚夫屯兵于此,故又称细柳营。②长杨:地名,在今陕西周至东南。本秦旧宫,汉时又加修整,作为行幸狩猎之所,又称为射熊馆。

[解说]

西汉周亚夫屯兵细柳,文帝亲自去劳军。至营门,因而不得入,先驱曰:"天子至。"军门都尉曰:"军中只听将军令,不听天子诏。"文帝派使持节诏将军,才传令开门。门士又请曰:"将军令约,军中不得驰马。"文帝乃按辔徐行。至营,亚夫戎装出迎曰:"甲胄之士不拜。"文帝改容曰:"真将军也。"

汉成帝打猎,扬雄随从,归后作《羽猎赋》以讽。明年秋,又捕兽关入长杨射熊馆,用以夸耀胡人,农民因而不得收敛。扬雄从射熊馆还,上《长杨赋》,以笔墨成文章,故借翰林为主人,子墨为客卿以讽刺。俱详见《文选》。

忠武具奠① 德玉居丧②

[注释]

①忠武：指岳飞，见一东韵"武穆精忠"。②德玉：指顾德玉，字润之，元朝嘉兴（今属浙江）人，从宁国路儒学教授俞观光学。其事迹见于陶宗仪《南村辍耕录》，旧本《龙文鞭影》作唐朝人，误。

[解说]

宋朝岳飞，家贫力学，学射于周侗。侗死，朔望必卖衣物具酒肉，到侗墓祭奠哭泣，开侗所赠弓，发三箭乃归。

元朝顾德玉，从俞观光学。观光无子，后病死，德玉奉其尸敛于家。明年葬顾氏先茔旁，岁时享祭唯谨。有人问他："敛于家，合乎礼吗？"德玉回答说："生时受他教诲，死而委诸草莽，是仁者所不为的。"

敖曹雄异① 元发疏狂②

[注释]

①敖曹：即高昂（501～538），字敖曹，渤海郡（今河北景城）人。年少时天下大乱，趁机聚众劫掠，后投高欢军，作战奋勇。东魏时以战功升为侍中，封京兆郡公，性凶猛强悍，后与西魏争洛阳，兵败被杀。②元发：即滕元发（1020～1090），东阳（今属浙江）人，历任御史中丞、龙图阁学士、知开封府等职。

[解说]

南北朝高昂，字敖曹，龙准豹头，容体雄异。少不遵师教，专事驰骋，每言男儿当横行天下，自取富贵，谁能端坐读书，作老博士也。后仕北齐为大都督，渡河祭河伯曰："河伯水中之神，高敖曹地上之虎。"

宋朝滕元发，性疏狂。未做官时为范仲淹馆客，尝私自出去狎邪饮酒。范为之担忧，一夕等他出外，范准备劝说他一下，便径到书室，明烛读书等候。半夜元发大醉入门，长作揖问范读何书，曰：《汉书》。问汉高帝刘邦是个什么样的人，范踌躇无言，只好退让而走。因为《汉书》所讲刘邦年轻时的生活正与元发一样。

寇却例簿① 吕置夹囊②

[注释]

①寇：指寇准，见十灰韵"准题华岳"。②吕：指吕蒙正（944～1011），河南（今河南洛阳）人，宋太宗时状元，在太宗、真宗朝二任宰相，善于发现人才。经他发现提拔的吕夷简、富弼，后来均成为一代名相。夹囊：公文袋。

[解说]

宋朝寇准，真宗朝为相，用人多不讲资历，同列都不高兴。办事的人员拿官员资历的例簿让他看，准曰："宰相是要进贤能退不肖。若按例论资排辈升降，一吏职耳。"却去不用。

宋朝吕蒙正，淳化中两居相位。夹囊中有册子，每四方人谒见，必问地方上有什么人才，记到本子上，悉分门类。朝廷求贤，取之囊中，而用无不当。

彦升白简① 元鲁青箱②

[注释]

①彦升：即任昉（459～507），字彦升，南北朝时乐安博昌（今山东博兴）人，幼而好学，善为文章，十六岁即被辟为丹阳主簿。梁朝建立，历任御史中丞、秘书监领前军将军，出任新安太守，有廉政，卒于任。白简：古代凡弹劾奏章用白纸，故名。②元鲁：即王准之（378～433），字元鲁（一作元曾），琅邪临沂（今属山东）人，官至御史中丞，由其曾祖起四代人均曾任此职。

[解说]

南北朝任昉，字彦升，初事齐为太学博士，后事梁武帝为御史中丞，每奏劾，必曰："臣谨奉白简以闻。"简，简略申诉。故后世遂以弹章别称为"白简"。

南北朝王准之，自曾祖彪之起，四代人博闻多识，练习朝仪，家世相传，尤谙江左旧事。撰文藏入青箱，世谓王氏青箱业。后为御史中丞，尤为百僚所惧怕。

孔融了了[1]　黄宪汪汪[2]

[注释]

[1]孔融（153~208）：字文举，孔子二十世孙，有文名，为"建安七子"之一。东汉末任北海相、太中大夫，多次轻慢曹操，后为曹操所杀。[2]黄宪：字叔度，东汉末汝南慎阳（今河南正阳）人，隐居不仕，在文人中有很高声誉，极受士林推崇。

[解说]

汉朝孔融，十岁随父到洛阳。时李膺有盛名，诣门者多不通。融对门卫说："我与李府君是亲故。"门房才去通报。坐定，膺问他："高明祖父与仆有旧乎？"对曰："昔先君仲尼（孔子）与君先人伯阳（李耳）同道，而相为师友，则融与君累世通家也。"膺与宾客都很惊奇。陈韪至，人语之。韪曰："小时了了，大未必佳。"融曰："想君小时，必当了了。"

郭泰至汝南访黄宪，对人说："叔度汪汪若千顷之波，澄之不清，淆之不浊，不可量也。"名士陈蕃、周举说："一月不见叔度，便觉得鄙俗形态就产生了。"

僧岩不测[1]　赵壹非常[2]

[注释]

[1]僧岩：即赵僧岩，北海（今山东潍坊南）人，南朝宋、齐隐士。[2]赵壹：西县（今甘肃礼县）人，东汉时隐士，博学善辩，恃才傲物，有《刺世

疾邪赋》等各体文十六篇传世。

[解说]

南北朝赵僧岩，思想高远无常，人不能测。与刘善明友好，善明在青州做官，欲举僧岩为秀才，岩大惊，拂衣而去。后忽为僧，栖迟山谷。

汉代赵壹，被举荐任负责送钱粮簿书的上计吏，到京谒司空袁逢，诸计吏皆拜伏，壹独长揖不拜。逢与语，大奇之，遂整衣下堂，延之上坐。又去见河南尹羊陟，陟知其非常人，遂与袁逢共荐之。不久西还，十辟公府不就。

沈思好客① 颜驷为郎②

[注释]

①沈思：字持正，宋神宗归安（今浙江湖州）人，隐居不仕，以富有藏书知名。吕洞宾传说北宋时已有。沈思的故事见《东坡集》。②颜驷为郎：事出自《汉武故事》。

[解说]

唐朝吕洞宾，得道成仙。宋神宗熙宁九年，游湖州归安之东林，有隐士沈思，号东老，能酿十八仙白酒。吕一日自称回道人来求饮，自午至晚，饮酒数斗无酒容，乃擘石榴皮书诗于壁曰："西邻已当忧不足，东老虽贫乐有余。白酒酿成缘好客，黄金散尽为收书。"

汉朝颜驷，庞眉皓发才当个郎官，武帝过郎署，问他怎么这样老，对曰："文帝好文，臣好武；景帝好美，臣貌丑；陛下好少，臣已老，是以三世没机会晋升。"武帝便擢升他为都尉。

申屠松屋① 魏野草堂②

[注释]

①申屠：即申屠蟠，东汉末陈留外黄（今河南民权）人，博通五经，深

受学者郭泰、蔡邕等器重,隐居芒砀山,不受征召。②魏野(961~1020):陕州(今河南三门峡)人,好吟诗,精弹琴,北宋时隐士,著有《草堂集》十卷,所居称"魏野草堂",后为名胜古迹。

[解说]

汉朝申屠蟠,隐居精学,博冠五经,兼明图纬。见汉室陵夷,累征不就。依松为屋,杜门养高。董卓废立,荀爽、陈纪等皆被威胁出山,独蟠得全,人服其先见。

宋朝魏野,陕县人,居东郊,筑草堂,有水竹之胜。无论贵贱,皆便衣会见。出骑白驴,号草堂居士,好弹琴赋诗。宋太宗巡视汾阴,召之不至,命画工图其所居观之。一日,野方教鹤舞,忽报中使至,抱琴跳墙走避。

戴渊西洛①　祖逖南塘②

[注释]

①戴渊:字若思,广陵(今江苏扬州)人,少时游侠,后被荐举为孝廉,任豫章(今江西南昌)太守,加振威将军,以讨贼功,封秣陵侯。②祖逖:见八齐韵"祖逖闻鸡"。其部下多为暴桀勇士,时扬州大灾,饥民数以万计,此辈多为盗贼,劫掠富豪。祖逖待之如子弟,去慰问他们时说:"是否再去下南塘呢?"鼓励其去南塘劫掠富室以救灾民。

[解说]

晋朝陆机,赴假还洛,辎重丰盛。戴渊指使少年劫掠。渊在岸上,坐在交椅中,指挥左右皆很得体。渊神姿锐颖,迥异寻常。机异之,于船楼上遥谓曰:"卿有如此才能,亦复作劫耶?"渊不觉流涕,投剑归机。词语非常,机遂与定交,作书荐渊过江,仕至征西将军。

晋朝祖逖,过江南下时,公私俭薄,无好服玩。王、庾等大臣去探望祖逖,忽见裘袍重叠,珍饰罗列,怪而问他。祖曰:"昨夜又往南塘去了一次。"祖逖年轻时,常亲自敲着健儿鼓行劫。遇到打劫之人，亦从容不问。后祖逖北伐，所部以纪律严明受到人民拥护。

倾城妲己① 嫁番王嫱②

[注释]

①妲己：有苏氏之女，殷纣王宠妃。周武王灭殷商，被杀。②王嫱：字昭君，西汉时南郡秭归（今属湖北）人，汉元帝时被选入宫。匈奴呼韩邪单于入朝请求和亲，昭君自愿前往。后人根据其事编有《昭君和番》等小说、戏曲多种。晋朝时因避司马昭讳，又称之为明君或明妃。

[解说]

殷纣王伐有苏，得美女妲己，色可倾城。纣宠幸，对她言听计从，牝鸡司晨。她鼓动纣作炮烙之刑，增纣之暴，遂致亡国。

汉元帝使画工图后宫，按图召幸。宫女皆贿赂画工。昭君王嫱，姿容最丽，志不苟求，工遂画毁其容。匈奴入朝，命后宫愿往者赐之。嫱愿往，陛辞，光彩射人，帝悔恨无及。画工毛延寿等，同日被处死刑。汉人怜嫱远嫁，多作歌送之。后生子为单于。

贵妃桃鬓① 公主梅妆

[注释]

①贵妃：即杨玉环，见三江韵"洗儿妃子"。

[解说]

唐玄宗禁苑中，有千叶桃花盛开，玄宗与杨贵妃宴花下，帝亲折桃花一枝，插妃子宝鬓说："此花亦能助娇态。"

南北朝宋武帝女寿阳公主，人日（正月初七）卧于含章阁檐下，梅花落额，粘着如钿，益增娇媚。后妇女争相仿效，遂巧制贴面妆饰，名曰："寿阳妆。"

吉了思汉　供奉忠唐①

[注释]

①供奉：古代供职于皇帝左右的官员通称供奉官。唐代选有一技之长者在宫中服务，称为"供奉"。

[解说]

秦吉了，鸟名。形如鹦鹉而色白，脑有黄肉，冠头红。耳聪心慧舌巧，能通人言。白居易又云其毛青黑，花颈，未知孰是。一日，有外国人买去了秦吉了，其忽然说："我汉禽不入夷地。"遂不食而死。

五代唐昭宗播迁，随驾驯养一只供玩的猴子，猴子随班起居，昭宗便让人给猴子穿上一件红袍官服，号"供奉"。罗隐诗："何如学取孙供奉，一笑君王便着绯。"朱温篡位，猴子看见温，径趋而前，对朱温跳跃奋击，遂为朱温所杀。

卷 四

八 庚

谢躄赵胜①　磨石刘桢②

[注释]

①躄（bì）：足不能行。赵胜：即平原君，见一先韵"平原十日"。②刘桢（？~217）：字公幹，东平（今属山东）人，"建安七子"之一，初为曹操府掾属，以不敬获罪，罚做苦工，不久仍为吏。

[解说]

平原君赵胜，喜宾客，至者数千人。家临小巷，巷中民家有躄足者，平原君美人居楼上，看见大笑。明日，躄者来请说："臣闻君好士，必贵士而贱妾。臣不幸有疾，而君后宫临而笑臣，臣愿得笑者头。"平原君笑应曰："可以。"终不杀美人。年余，门下客走了超过半数。平原君怪之，门下一人说："以君不杀笑躄者，以君爱色而贱士也。"于是平原君乃斩笑躄者美人头，亲自登门向躄者谢罪焉。其后门下客乃略有复来。

魏文帝曹丕为魏王世子时，尝请下属诸文学官吃饭，酒酣欢畅，便令夫人甄氏出拜，座中众人皆低头恭迎，而刘桢独平视。曹操闻之，乃捕桢，免死，配输作部当磨石工。一日，操赴尚方观匠作，见桢端坐磨石，问曰："石如何？"桢对曰："石出荆山悬岩之颠，外有五色之章，内含卞氏之珍，磨之不加莹，雕之不增文，禀性坚贞，受之自然，故其理枉屈，纡绕而不得申。"操顾左右大笑，即日赦免了他。

何收图籍[①] 孔惜繁缨[②]

[注释]

①何：即萧何，见一东韵"何守关中"。②孔：即孔子。繁缨：繁为大带，缨为马鞅的装饰。只有诸侯的驾车马匹，才有用繁缨装饰的资格，新筑大夫要求使用诸侯才准使用的乐器曲悬和用繁缨装饰的马匹来拜见国君，是一种名位上的僭越。

[解说]

汉朝萧何随沛公入关，秦王子婴投降。诸将争走财货之府，何独收秦丞相、御史律令图书藏之。刘邦因得知天下交通险要，户口多少、富庶强弱，为平定天下打下了基础。

春秋卫国孙桓子帅师伐齐，兵败。镇守新筑的官员出兵救之，桓子于是得以逃出。卫国赏新筑人以城邑，不要。请求允许用曲悬、繁缨以朝见诸侯，许之。孔子听说了这件事，感叹道："可惜啊。不如多赏给他城邑，代表人的地位和身份的名位与礼器是不可以随便送人的。"

卞庄刺虎[①] 李白骑鲸[②]

[注释]

①卞庄：即卞庄子，春秋时鲁国卞邑大夫，有勇力，以刺杀老虎而闻名，齐国想侵鲁，惧卞庄子之勇而止。②李白：见七虞韵"李白乘驴"。骑鲸：去

世的代词。宋代赵蕃有挽友人诗:"今日骑鲸去,他年化鹤还。"

[解说]

春秋卞庄子,尝刺虎,管竖子劝止他说:"两虎正在争食一牛,争牛必然要斗,斗则大者受伤小者死亡,那时去刺杀伤虎,必然一举而两获。"庄子然之,果获两只老虎。

唐朝李白,天才独绝,贺知章称之为"谪仙人"。后来泛舟游采石,大醉,见水中月影,狂叫捉之,坠水而死。后人因建捉月亭吊之,或称之为骑鲸上天而去,盖托言隐语。

王戎支骨① 李密陈情②

[注释]

①王戎(234~305):琅邪临沂(今属山东)人,凉州刺史王浑之子,初为相国掾,后历荆州刺史,官至司徒,为"竹林七贤"之一。②李密:字令伯,晋武阳(今四川彭山)人,孤儿,由祖母抚养成人。晋灭蜀汉,晋武帝召为太子洗马,密因祖母年老无人奉养,乃上《陈情表》叙与祖母之情,谢绝征召。祖母死,始为官,仕至汉中太守。

[解说]

晋朝王戎与和峤同遭大丧。王鸡骨支床,和哭泣备礼。武帝对刘仲雄说:"卿数次去探望王、和二人了吗?闻说和峤哀毁过礼,使人担忧。"仲雄回答说:"和峤虽然按礼仪守丧,但神气不损;王戎虽不完全依礼,而哀毁过甚,瘦得露骨,站立都困难。臣以和峤为生孝,王戎为死孝。陛下不应忧峤而应忧戎。"

晋朝李密,父早亡,母改嫁,养于祖母刘氏。武帝征为太子洗马,密上《陈情表》,乞赐归养。其警句云:"臣无祖母,无以至今日;祖母无臣,无以终馀年。母孙二人,更相为命,是以区区不能废远。"帝览表叹曰:"密不空有此名。"下诏表彰之,赐奴婢二人,郡县定时供给他精美饮食以养祖母。

相如完璧① 廉颇负荆②

[注释]

①相如：即蔺（lìn）相如，战国时赵国人，因智抗秦王，完璧归赵，晋升上大夫。后又随赵王会秦王于渑池，使赵王不受秦王屈辱，因功再升上卿。后对大将廉颇一再谦让，留下历史上著名的"将相和"故事。②廉颇：见十四寒韵"廉颇雄餐"。

[解说]

赵王得到楚国的和氏璧，秦昭王愿用十五城来换。蔺相如奉璧到秦国，见秦无诚意，便哄骗秦王，让他斋戒五日再受璧，却暗使使者怀璧归赵，以身待命于秦。秦王以为贤，礼貌地送他归国。赵终不与秦璧。

廉颇、蔺相如同仕赵，相如位居廉颇之上。廉颇不高兴，欲羞辱相如，相如每称疾引避，人都以为相如太软弱而看不起他。相如对部下说："秦人不敢加兵于赵，是因为我两人在也。我所为者，先国家而后私仇也。"廉颇闻之，肉袒负荆，造门请罪，卒成刎颈之交。

从龙介子① 飞雁苏卿②

[注释]

①介子：即介子推，亦作介之推，春秋时从晋文公流亡国外十九年，途中有次缺粮，介子推割股上肉给文公吃。后文公回国为国君，介子推耻于争禄，奉母隐于绵山。②苏卿：即苏武，见一先韵"苏武餐毡"。

[解说]

春秋时晋文公返国，赏从亡诸臣，不及介子推。推奉母隐于绵上。有人为之不平，悬书宫门曰："有龙矫矫，遭灭谴怒，三蛇从之，一蛇割股，二蛇入国，厚蒙爵土，馀有一蛇，弃于草莽。"文公曰："噫！寡人过也。"乃使人寻子推，不出。使臣以为用火焚绵山,子推必出。乃烧山,子推始终不出,遂焚死于山内。文公哀之,因环绵山而封之,号曰介山。后人以子推被焚死之日为"寒食节",这天禁举火炊饭,故名寒食。

西汉苏武使匈奴。不肯降,匈奴把他囚居北海牧羊十九年。昭帝即位,复遣使至匈奴,常惠夜见汉使,教使者对单于说:"天子射上林得雁,足系苏武所写帛书,知武等俱在北海。"单于惊谢,遂放苏武等南还。

忠臣洪皓[①] 义士田横[②]

[注释]

①洪皓(1088~1155):饶州鄱阳(今属江西)人,以礼部尚书衔出使金国,坚贞不屈。回国后因忤秦桧,被贬濠州团练副使,后徙袁州,途中卒。②田横(?~前202):秦末狄县(今山东高青)人,战国末期齐国贵族,后沦为百姓,与其兄起兵反秦。汉朝建立,他不降汉,率五百人逃亡海岛。

[解说]

宋朝洪皓担任赴金通问使,至云中(今山西大同),金人迫使事伪齐刘豫,皓曰:"万里衔命,不能奉两宫南归,恨力不能碎逆豫,忍事之耶?愿就鼎镬。"粘罕大怒,将要杀他。旁一校曰:"此真忠臣也。"为皓跪请,乃得流放冷山(今吉林农安以北),绍兴十二年始放归。

田横,故齐王田荣的兄弟,与其徒五百余人居海岛。刘邦使人召之,田横与二客往洛阳,离洛阳不到三十里,自杀。二客传首洛阳,以王礼葬横。既葬,二客亦自杀。其从者闻之,五百人俱自杀。

李平鳞甲[①] 苟变干城[②]

[注释]

①李平:字元方,原名李严,三国时南阳(今属河南)人。原为刘璋成

八庚

都令,后事刘备,与诸葛亮同受刘备遗诏辅政。诸葛亮出祁山,李平为留后,失职免官。鳞甲:喻心机峻深。②苟变:战国时卫将。干城:干,盾牌;城,城墙。比喻国家的捍卫者,或御敌有功的将领。

[解说]

诸葛亮兵出祁山,李平运粮不继,派人让诸葛回兵。回来后李平又假作惊讶,称不知回兵的事。诸葛亮拿出李平手书信件,李平也不承认是他写的。诸葛亮跟蒋琬等写信说:"曾有人跟我说过,李元方肚里有鳞甲,我认为有鳞甲不去触犯他就行,不料他还如同苏秦、张仪一类游说之士会弄计诡辩。"遂将李平免职到梓潼郡做老百姓。

孔子的孙子子思向卫侯推荐苟变说:"他的才干可以担任率领五百辆战车的将军。"卫侯说:"我也知道苟变的才干,不过他过去当吏员时,吃过百姓两个鸡蛋,所以我不用他。"子思说:"英明的国君任用官吏,好比匠人选用木料,要取长弃短。君侯您现在处于战乱年代,必须选用勇猛武士当爪牙,怎能为两个鸡蛋而抛弃干城的大将?这事不可让邻国知道。"卫侯说:"谨受教诲。"

景文饮鸩[①] 茅焦伏烹[②]

[注释]

①景文:即王景文(413~472),名彧,因和宋明帝同名,遂以字行。南朝时琅邪临沂(今属山东)人。少年时聪慧能文,与谢庄齐名,明帝时因是皇后之兄,备受重用。历尚书左仆射、太子太傅、扬州刺史,封江安县侯。明帝病危,虑景文有异志,赐死。②茅焦:齐国人,被秦始皇封为上卿。

[解说]

宋明帝赐王景文死,敕书夜晚来到时,景文正与客人下围棋,看敕书毕,神态自如,把敕书压在棋盘下,等争劫完毕,将棋子收入盒中,才慢慢说:"奉旨赐死。"取敕书让客人看,然后拿起毒酒对客人说:"这酒不能劝客。"遂喝毒酒而死。

秦始皇处死与太后私通的嫪毐后,又将太后迁往雍地,并说敢谏者沸水烹死。共烹死了二十七人。齐国来的客人茅焦谏说:"陛下用车裂酷刑处死了假父(吕不韦),囊扑死二弟,又迁太后于雍,并杀死进谏的忠臣,恐怕天下要瓦解,再无人愿来秦国了。"说罢解衣要往锅里跳。始皇慌忙下殿阻止,请茅焦上殿,拜为上卿,并亲自驾车去迎太后回来。

许丞耳重　丁掾目盲①

[注释]

①丁掾:即丁仪,字正礼,沛郡(今安徽宿州西北)人。三国时为曹操属官,与曹植友善,谋立曹植为太子。曹丕即位,被杀。

[解说]

东汉时,黄霸任颍川太守,督邮来向他报告说有个姓许的县丞年老耳聋应当撤换。黄霸说:"许丞是个廉洁的官员,虽然年纪大些,但还能拜赐迎送,耳聋又何妨,要好好帮他一下,不要失去任用贤能的本意。"

三国时的丁仪,曹操常称赞他的才干,想把女儿嫁他为妻。曹丕说:"丁仪瞎了一只眼,怕妹子不中意。"后来曹操几次与丁仪谈话,十分惊奇赞赏。责备曹丕说:"丁仪即使两眼都盲,也应把女儿嫁给他,何况只有一只眼盲。"

佣书德润①　卖卜君平②

[注释]

①德润:即阚泽(?~243),字德润,三国时吴国大臣。会稽山阴(今浙江绍兴)人。少好学,博览群书,通历法,著有《乾象历注》等书。官至太子太傅。②君平:即严遵,字君平,西汉临邛(今四川邛崃)人。成帝时

卖卜于成都，卜筮终生。

[解说]

阚泽年轻时，家贫好学，给人做佣工抄书，完工后书也读遍了。

严君平卖卜，一天卖一百文钱，够生活了就关门，以著述《易经》研究为事。扬雄尊他为老师。有人劝他出去做官，他不听，叹息说："益我货者损我神，生我名者杀我身。"

马当王勃[①]　牛渚袁宏[②]

[注释]

①王勃（650~676）：字子安，绛州龙门（今山西河津）人。诗人，初唐四杰之一。《滕王阁序》是他散文的代表作。遗著有《王子安集》。②袁宏（328~376）：阳夏人。少有逸才，喜作《咏史诗》，初为安西将军谢尚参军，后官至东阳太守。

[解说]

马当山在彭泽，距南昌七百里，王勃去南方探望父亲，船停马当山下，夜梦水神对他说："助你一帆顺风。"天明后，船便到达南昌赣江边。正好都督阎伯屿重修滕王阁成，九月九日在阁上大宴宾客。阎都督为了夸耀他女婿吴子章的才华，让吴事先写成一篇《滕王阁序》做准备，到宴客时故意请客人来作序，客人没一个敢答应。王勃年龄最小，却没推辞便写。阎都督不高兴，但读到王勃写的"落霞与孤鹜齐飞，秋水共长天一色"时，乃叹服说："真天才也。"尽欢而散。

袁宏年少时家贫，在运粮船上做佣工。有次船停在长江边上的牛渚山下，正是中秋，袁宏在船头吟诗，恰有谢尚乘船过此，听到所吟诗很有情致，便派人去问，乃袁宏自作咏史诗，因请来相见，畅谈直到天明。此后袁宏名声日增。

谈天邹衍[1]　稽古桓荣[2]

[注释]

[1]邹衍：见七阳韵"衍愤飞霜"。[2]桓荣：沛郡龙亢（今安徽怀远）人。家贫为人佣工，苦读博学，精研《尚书》，东汉光武时为议郎，授太子经书，后讲学于太学，明帝以师礼待之。官至太子太傅，封关内侯。

[解说]

战国时，邹衍听说燕昭王好士，便往燕国，昭王作碣石宫居之，待以师礼。燕国有个山谷，风景美而严寒，不生庄稼，邹衍吹奏音乐以调和其气，黍便可生长，因称这地方为黍谷。邹衍尤其好谈天地自然的事，《战国策》上说："邹衍大言天事，号为谭天衍。"

东汉光武帝到太学，召集博士研讨经义，桓荣以阐明道理来分析问题本质，而不以表面的华丽辞藻取胜。光武帝很欣赏他，赐给他车辆马匹和官印。桓荣把学生都召集到一起，陈列车马官印，说："今天获得的这些荣誉，都是研经稽古得来的，大家要更加努力啊！"

岐曾贩饼[1]　平得分羹[2]

[注释]

[1]岐：指赵岐（？~201），京兆长陵（今陕西咸阳）人。原名嘉，因避宦官迫害而改名。精通经学。汉献帝时历官并州刺史、太常等职。[2]平：指郑平。

[解说]

东汉唐玹靠他兄弟宦官唐衡的势力，当上了京兆尹，德才俱无，百姓都瞧不起他，赵岐与堂兄赵袭也讲过几次贬低他的言论，因此唐玹大怒，要抓捕赵岐。赵岐遂改名逃往北海郡，隐居在市场上卖胡饼，名士孙嵩知道他不是普通人，遂把他带回家中藏了起

八庚

来。后来遇到大赦，赵岐才离开孙家。汉献帝兴平年间，赵岐任太仆持节使巡视全国各地，又与孙嵩相遇，二人悲喜交集，相对流涕。

唐朝李林甫的女婿郑平任户部员外郎，有一天林甫见他须发斑白，便对他说："皇上明天要赐甘露羹，你如吃了，即使是白发皓首，也可以变黑。"次日果然有中使来林甫家送羹，郑平吃了，一夜之间须发尽黑。

卧床逸少① 升座延明②

[注释]

①逸少：即王羲之（321～379），字逸少。东晋大臣王导之侄，历官右军将军，故习称王右军。精书法，被后世誉为书圣。其所书《兰亭序》尤具盛名。②延明：即刘昞，字延明，敦煌（今属甘肃）人。通经史，乡居讲学，有盛名，受业者多达五百余人。

[解说]

太尉郗鉴派门生去丞相王导家，希望选一个王家子弟为女婿。王导让他去东厢房任意挑选。门生回来后对郗鉴说："王家诸位郎君都是很不错的人才，不过听说我是被派来挑选女婿的，都显得过于矜持端庄，唯有一个郎君躺在东窗下的床上，露着肚皮吃胡麻饼，好像不知道有客人来相亲一样。"郗鉴说："这正是我要寻的快婿。"因此又去打听，才知道是王羲之，便将女儿嫁他为妻。

刘昞十四岁时跟博士郭瑀学习，郭有学生五百人，通经术的八十多人。郭有个女儿才十五六，想选个称心女婿，心中属意延明，便另外设立一个座位，对学生们说："我有女，想寻一快婿，谁愿坐这个座位的，便把女儿嫁他。"延明立即振衣急步走去坐上，神态自如。郭说道："延明就是适合坐这里的人。"遂将女儿嫁给他。

王勃心织① 贾逵舌耕②

[注释]

①王勃：见八庚韵"马当王勃"。②贾逵（30~101）：东汉扶风平陵（今陕西咸阳）人。著名古文经学家，被称为儒宗。历官侍中、左中郎将。

[解说]

王勃六岁能作文，与卢照邻、杨炯、骆宾王共称"初唐四杰"。他每到一个地方，都有人请托他作文，酬金十分丰厚，人们将他靠文章获报酬形容为心织笔耕。每当作文，先磨好墨汁数升，然后用被子蒙头而卧，忽然跳起拿笔疾书，文不改窜，一挥而就，人们称此为腹稿。

贾逵未做官时，以教授学生为业，有从千里以外远来者。作为学费的粮食，堆满了仓库。人们说："贾逵不是靠气力耕种，而是舌耕。"

悬河郭子① 缓颊郦生②

[注释]

①郭子：即郭象（252~312），字子玄。西晋时事东海王司马越为主簿。好老庄道家之学，善清谈，曾为《庄子》作注。②缓颊：和蔼地去为人说情。缓，缓和、和蔼。郦生：即郦食其（lì yì jī），陈留高阳（今河南杞县）人。为刘邦文臣，善口辩，常做说客出使，封广野君。后去说齐王，被齐王烹死。

[解说]

郭象爱谈玄学，极有口才。王衍说："每听郭象讲话，口若悬河泻水，滔滔不绝，永不干涸。"

汉王刘邦听说魏豹叛汉，因正在对付楚王项羽，一时顾不上出兵平叛，便让郦生去劝说魏豹不要叛汉。郦生到河东见魏豹，魏豹谢绝郦生劝说，对郦生说："人生一世是很短暂的，如同白驹过隙一样。如今汉王傲慢而侮辱人，随意谩骂诸侯和群臣，好像骂奴隶一样,没有一点上下礼节,我实在不愿再见他。"劝说没有成功,于是汉王派韩信出兵攻击魏豹,将他虏获。

书成凤尾① 画点龙睛②

[注释]

①凤尾:古代签署公文要写一"诺"字,义为允诺,相当现代公文中的"可"、"照办"。署诺要将"诺"字写成凤尾形花押,故称为"凤尾诺"。②画点龙睛:这是个寓言故事,出自唐张彦远《历代名画记》一书。画家张僧繇,南朝梁时吴郡(今江苏苏州)人,善画释道人物,历官右军将军、吴兴太守。

[解说]

南北朝时,南齐的江夏王萧锋,四岁时就能在井栏上练书法。井栏上写满了字,便用水洗去再写。早晨起来不扫窗台上的尘土,先在尘土上写字。五岁时,齐高帝让他学写"凤尾诺",一学便写得很漂亮,齐高帝很高兴,奖赐给他一个玉麒麟,说:"麒麟赏凤尾也。"

张僧繇善画,被誉为一代绝技。在金陵安乐寺画两条龙于壁,而不点龙睛。人问其故,他说:"点了就会飞走。"人以为他胡说,强他点睛,才点了一龙,立刻雷鸣电闪,一条龙破壁腾空而去,没点睛的另一条龙仍然留在壁上。

功臣图阁① 学士登瀛②

[注释]

①图阁:封建王朝为表彰功臣而建的高阁,画功臣像挂于阁中。北周庾信撰《大将军纥于弘神道碑》:"天子画凌烟之阁,言念旧臣。"唐太宗、代宗均曾画功臣像于凌烟阁。②登瀛:瀛洲,本传说中东海中的仙山名。唐太宗设立文学馆于宫门西侧,图十八学士像于馆中,被选中者备受宠幸,如登仙山,故称登瀛洲。

[解说]

唐太宗贞观十七年（643），下令图画功臣长孙无忌、李孝恭、杜如晦、魏徵、房玄龄、高士廉、尉迟敬德、李靖、萧瑀、段志玄、刘弘基、屈突通、殷开山、柴绍、长孙顺德、张亮、侯君集、张公瑾、程知节、虞世南、刘政会、唐俭、李世勣、秦叔宝等人像于凌烟阁。

唐高祖武德三年（620），以秦王李世民功劳大，晋升天策上将军，位在王公之上。并建立办事府邸，设置僚属。世民便在宫西建立文学馆，聘请四方知名文人杜如晦、房玄龄、虞世南等十八人为文学馆学士。又让画家阎立本为他们画像，陈列馆内。当时人们称他们为"登瀛洲"。

卢携貌丑① 卫玠神清②

[注释]

①卢携（？~880）：范阳（今河北涿州）人，迁居于郑。唐乾符中任宰相，内倚田令孜，外结节度使高骈，独专朝政。黄巢破潼关，被贬职，自杀。②卫玠（286~312）：晋安邑（今山西夏县）人，著名美男子。官太子洗马。

[解说]

卢携生得面貌丑陋，曾带了自己写的文章去求见尚书韦宙，韦家子弟因卢携面丑，常常轻慢侮辱他。韦宙说："卢携虽然丑，但他的文章写得有头有尾，将来一定贵显。"

卫玠生得很漂亮，神清气秀，人都称他像玉雕成。他的舅父王济叹息说："和他站在一起如傍珠玉，真使我自觉形秽。"后来他迁居建业（今南京），街上人争着看他，路都堵塞不通。去世时才二十七岁，人们都说是"看杀卫玠"。

非熊再世① 圆泽三生②

[注释]

①非熊：即顾非熊。苏州人，唐代诗人、隐士顾况的儿子。应试达三十年，始成进士，官县尉，后慕父风隐居茅山。②圆泽：唐代高僧。其传说故事见于《甘泽谣》及苏东坡撰《圆泽传》等书。《太平广记》等书或作圆观。

[解说]

唐代诗人顾况年老，其子非熊忽然得急病暴亡，况哀伤不已，作诗曰："老人丧爱子，日暮泪成血；老人年七十，不作多时别。"不久又生一子，仍名非熊，二岁能言。人称非熊再世。

唐代僧人圆泽，与隐士李源是好友，二人约好一同去游峨嵋山，途中见一妇人，圆泽突然说要再生，当为此妇人子。约好十三年后在杭州天竺寺相见。当晚圆泽亡。十三年后李源如期到杭州天竺寺后，见一牧童扣牛角歌唱："三生石上旧精魂，赏月吟风不要论；惭愧情人远相访，此身虽异性常存。"即圆泽后身。今天竺寺有三生石，就是圆泽再世与李源相会处。

安期东渡① 潘岳西征②

[注释]

①安期：即王承，字安期，太原人。曾为东海太守，为政清简，言辞文章均简要精辟。西晋末，避乱东渡长江，为镇东府从事中郎，被称东晋中兴名臣第一。②潘岳：见四支韵"潘岳诚奇"。

[解说]

西晋末，中原大乱，难民纷纷东渡长江，道路梗塞，人怀危惧，每遇艰险，安期均处之泰然，表情平静，家人看不到他有忧喜之色。

潘岳才名冠于当时，为文辞藻华美如锦。尝作《西征赋》、《闲居赋》等名篇。《文选》注称：《西征赋》是为长安令所作，潘家在巩县东，所以称西征。该文记述西行所见古迹之美恶，以为劝诫。

志和耽钓①　宗仪辍耕②

[注释]

①志和：即张志和（约730～约810），婺州（今浙江金华）人。唐代诗人，曾任左金吾卫录事参军，遇事贬南浦尉。遇赦，隐居江湖，自号烟波钓叟。②宗仪：即陶宗仪，字九成，号南村，黄岩（今属浙江）人，元末明初文学家。隐居于松江，耕作之余，著《南村辍耕录》，另有《南村诗集》及节录明以前小说、史志所编的《说郛》。

[解说]

张志和，亲亡不再仕，耽于钓鱼，传说其钩不设鱼饵，志不在鱼也。隐士陆羽问他："平常都和谁来往？"他说："我与天空为居室，明月为灯烛，五湖四海为朋友，一天也没分别过，又何必去来往。"

陶宗仪，爱好著书，元末避乱于华亭农村，下田耕作时常带有笔砚，并设一瓮于树下，遇有心得，便写在纸上投入瓮中。日久存纸满瓮，遂取出整理成书，名为《南村辍耕录》。

卫鞅行诈①　羊祜推诚②

[注释]

①卫鞅：见十一真韵"鞅更秦法"。②羊祜：见十五删韵"羊祜探环"。

[解说]

秦使卫鞅伐魏，魏使公子卬御之。两军相近，卫鞅使人送书信给公子卬说："我从前和公子是很要好的朋友，现在都成了两国的将领，实在不忍相攻，请与公子相见当面结盟，欢乐地痛饮一番，罢兵休战，以安秦、魏。"公子卬看了信，认为说得很对，便约定时间、地点见面结盟，并举行盛大宴会庆贺，卫鞅却埋伏一队武士，突然袭击，俘虏了公子卬，攻破其军而回。

晋朝大将羊祜镇守襄阳，安抚远近，深得江汉一带人心。并和东吴大将陆抗隔着边境相交往，一切从道德诚信出发，以争取吴国人的信任。陆抗派人送酒给羊祜，羊祜当即饮用，并不怀疑。陆抗有病，羊祜派人送药来，陆抗便将药服下，左右有不少人劝止不可乱吃敌国送来的药。陆抗说："岂有能用药毒人的羊叔子！"

林宗倾粥[①]　文季争羹[②]

[注释]

①林宗：即郭太（128～169），亦作郭泰，字林宗。见四支韵"郭泰人师"。②文季：即沈文季（442～499），吴兴武康（今浙江德清）人。南齐时官会稽太守、尚书右仆射，东昏侯时，见朝政昏乱，托病不问政事，仍受猜疑，被杀。

[解说]

郭林宗到陈地考察交流学问，有个少年魏德公请求做他的童仆，林宗留用了他。林宗偶然身体不适，整夜让德公熬粥。粥中有沙，林宗责备德公说："为年长的人做粥，有沙子，不可吃。"把盛粥的杯子掷到地下，一连三次，德公没有一点不耐烦的表情，反而有点高兴。林宗说："以前只看到你的表面，如今看到你的内心了。"德公遂从林宗这里学得了精妙的学问。

南齐高帝萧道成举行宴会，上了一道羹脍，山东籍的官员崔祖思说："这一味菜南北方都很推重。"沈文季说："羹脍是吴地的特色菜，祖思是北方人，恐怕不知道吧。"祖思立刻引用了《诗经》上的一句诗"炰鳖脍鲤"，他说："这恐怕不是说吴地的吧。"文季便引用晋朝文学家陆机说过的话：莼羹以溧阳千里湖出产的为最佳。"千里莼菜"，这和鲁、卫有什么关系。齐高帝十分高兴地说："莼羹只江南才有，沈文季说得对。"

茂贞苛税[①]　阳城缓征[②]

[注释]

①茂贞：即李茂贞（856~924），博野（今属河北）人。唐末为凤翔节度使，割据一方。五代梁时自封为岐王，后唐昭宗封他为秦王。②阳城：北平（今河北清宛）人，唐德宗时曾任谏议大夫、道州刺史，后弃官隐居。

[解说]

李茂贞治凤翔，赋税繁苛，油灯皆征税。不许松柴入城，怕以松柴生火代灯，减少油税收入。当时有歌舞艺人讽刺说："臣请一并把明月也禁止。"

阳城在道州，治民如治家，因体谅百姓困难，不忍催逼，赋税一时征收不齐，观察使数次加以责备，派判官去督促，阳城便对自己作了个考评："抚字心劳，催科政拙。考下下。"自囚于狱，坐卧于一旧门扇上。判官留一二日，深为不安，辞去。后又另遣别官来督，城携妻子中道遁去。后顺宗立，召其回任，城已去世。厚恤其家。

北山学士① 南郭先生②

[注释]

①北山学士：指徐大正，北宋时瓯宁（今福建建瓯）人。筑室于北山之下，故人称之为北山学士。②南郭先生：指雍存，北宋全椒（今属安徽）人。隐居于城南，因自号曰南郭先生。

[解说]

徐大正有《过严子陵钓台》诗："光武初从血战回，故人长短尚论才。中兴若起唐虞业，未必先生恋钓台。"苏东坡见之，遂与定交。后筑室北山之下，号为"闲斋"，秦少游为之作记，东坡赋诗。

雍存隐居不仕，以文史自娱。钱公辅《游山诗》"每从南郭先生到"，说的就是雍存。

文人鹏举[①]　名士道衡[②]

[注释]

①鹏举：即温子升，字鹏举，太原（今属山西）人，北魏时为散骑常侍，东魏末为高澄咨议参军，后被高澄疑为通敌，下狱饿死。②道衡：即薛道衡（540~609），汾阴（今山西万荣）人，历仕北齐、北周，隋文帝时为吏部侍郎、检校襄州总管。

[解说]

温子升文章清婉，博学多识，济阴王元晖业说："江左文人，宋有颜延之、谢灵运，梁有沈约、任昉。我子升足以凌颜铄谢。"子升尝作《韩陵山寺碑》，南朝文学家庾信北来，十分喜爱其文，回南方后，人问及北方人才，他说："只有韩陵一片石可以与他说得来而已。"

薛道衡尝作《人日》诗说："入春才七日，离家已二年。"南方人读到后说："谁说这个人懂得作诗？"又看到"人归落雁后，思发在花前"，才高兴地叹服说："盛名之下果然不虚传。"

灌园陈定[①]　为圃苏卿[②]

[注释]

①陈定：字子终，即陈仲子，居于於（wū）陵，故又称於陵子终。战国时隐士。汉刘向《古列女传》称其为楚国人，晋皇甫谧《高士传》称其为齐国人。②苏卿：指苏云卿，宋代隐士，广汉（今属四川）人。南宋高宗绍兴初居于豫章（今江西南昌）东湖。

[解说]

楚王听到陈仲子的名声，派人带黄金百镒去见他，要聘他担任相国。仲子对妻子说："担任了相国，出行时车马成群，前呼后拥，吃饭时各种美味菜肴摆满一丈大的地方。"他妻子说："车马成群，你用以安身坐卧的地方不过一小块；美食成片，你用以充饥的菜肴肉食不过一饱就可以了。今为了一席之地，一肉之饭，而整天去为楚国的国事担忧受怕，恐怕先生你性命要不保了。"于是夫妻一同逃走，以给人灌园种菜为生。

苏云卿在东湖，布衣草鞋，开荒种菜。他人缘很好，人们争买他的菜，所以柴米不缺，有余便周济穷人。年轻时他和张浚是好朋友，后来张浚当了宰相，写下书信、准备了聘金，托当地官员去请他出来做官。张浚对地方官讲："苏卿这人不是一封信能请得动的。"于是地方官带了书信礼金亲自上门力请，约好停几天再来陪他一同去京晋见宰相。到了那天，地方官来请，只见书信和礼金都放在桌上，苏云卿已逃走不知去向。

融赋沧海[①]　祖咏彭城[②]

[注释]

①融：指张融，见一东韵"粗服张融"。②祖：指祖莹，见四支韵"祖莹称圣"。

[解说]

南北朝张融写了一篇《海赋》，其中有警句："穷区没渚，万里藏岸。湍转则日月似惊，浪动则星河若覆。"拿给徐凯之看。凯之说："您这篇赋实在超过晋朝木华作的《海赋》，可惜没讲到盐。"张融便拿笔增补："漉沙构白，熬波出素；积雪中春，飞霜暑路。"

北魏中书令王肃在衙门里偶然吟唱《悲平城》一诗："悲平城，驱马入云中，阴山常晦雪，荒松多朔风。"有彭城王元勰在一旁，称赞这诗写得美，让王肃再吟一首，却因口误把平城读成彭城，王肃笑他说错了，元勰有点惭愧。当时祖莹也在座，便说："有《悲彭城》这首诗，大概王公没见到过。"王肃请祖莹背诵。祖莹应声而吟："悲彭城，楚歌四面起，尸积石梁亭，血流淮水里。"王肃十分叹赏，元勰亦分外高兴。

温公万卷① 沈约四声②

[注释]

①温公：即司马光，见四支韵"光进五规"。②沈约（441~513）：吴兴武康（今浙江德清）人。南北朝梁时官至尚书令。文学家、史学家，著有《四声谱》、《宋书》等。四声：即平、上、去、入四种声调。"天子圣哲"四字分别属于四声。

[解说]

北宋温国公司马光书斋名独乐园，藏书有万余卷，光早晚都在室内翻阅，虽经几十年书仍然平整如新，好像没有用手摸过一样。他曾经给家中子弟说："商人收藏的是货币，我们只有这些书籍。如果爱书不如爱货币，那么就可知道这个人的人品了。"

南朝沈约聪慧过人，聚书达二万卷，著《四声谱》，以为过去的诗人经千载而未能详解，而该书则独得四声之妙。梁武帝问什么是四声，约回答说："天子圣哲。"

许询胜具① 灵运游情②

[注释]

①许询：字玄度，高阳（今属河北）人。东晋时隐居于会稽，有文名，与谢安、王羲之等友善，曾参加兰亭聚会。朝廷召为司徒掾，不就。②灵运：指谢灵运，见七阳韵"灵运池塘"。

[解说]

许询好游山玩水，而其身体矫健便于登陟。当时人说他："不但有游览的盛大热情，还有寻胜陟险的才干。"

谢灵运寻名山访胜迹，必选幽深险峻的地方，层岩叠嶂数千里，都游历殆遍。登山常穿木屐，上山时则去前齿，下山时则去后齿。尝从始宁南山伐木开路，直到临海，随从有好几百人。临海太守王琇十分惊骇，以为是山贼，后来知道是谢灵运，才安下心来。

不齐宰单①　子推相荆②

[注释]

①不齐：指宓不齐，字子贱，春秋鲁国人。孔子弟子。②子推：指介子推，名光，春秋末孔子同时，与晋文公臣介子推不是一人。荆：楚国本名。

[解说]

宓不齐担任了单父宰，这地方上有五个很有学问的人，不齐将他们当老师看待，随时向他们禀报情况和请教施政办法。结果不必过分操劳，政务清闲，常坐在大堂上弹琴休息，而将地方治理得很好。不久孔子的另一个学生巫马期亦来当单父宰，早顶星星而出，晚戴星星而回，日夜操劳，事事亲自处理，结果地方亦大治。巫马期去问宓不齐原因，不齐说："我会使用人，你只知用自己力量，靠用人的可以清闲安逸，靠用力的只能辛苦劳累。"

介子推年仅十五岁，便在荆地担任了相国。孔子听说后便派人去探看。回来后说："走廊里站有二十五个俊秀的士人，大堂上坐有二十五个年高的老人。"孔子说："合二十五人的智慧，智慧胜过汤武，并二十五人的力量，力量大过彭祖，用以治天下都能够成功，用他治理一个国家，能有不济事的吗？"

仲淹复姓①　潘阆藏名②

[注释]

①仲淹：指范仲淹（989～1052），字希文，苏州吴县（今属江苏）人。北宋名臣，官至枢密副使、参知政事，谥文正。工诗文，作《岳阳楼记》，有"先天下之忧而忧，后天下之乐而乐"的名句。②潘阆：号逍遥子，大名（今属河北）人。北宋诗人，其诗苦寒清奇。为人狂妄不羁，曾畏罪潜逃，真宗赦其罪，授滁州参军。

[解说]

范仲淹，三岁丧父，随母改嫁朱氏，遂改姓朱。后中进士，始改回本姓。其谢启说:"志在投秦,入境遂称夫张禄;名非霸越,乘舟且效于陶朱。"时人以为他讲得非常亲切。

潘阆,其《苦吟》诗云:"发任茎茎白,诗须字字精。"又《贫居》诗云:"长喜诗无病,不愁家更贫。"后坐卢多逊党获罪,逃往潜山山谷寺为行者。题诗钟楼云:"顽童趁暖贪春睡,忘却登楼打晓钟。"郡守孙仅见诗,说:"此逍遥子也。"让寺僧唤之,已经逃遁。

烹茶秀实① 漉酒渊明②

[注释]

①秀实:指陶谷(903~970),字秀实,新平(今陕西彬县)人。五代时历仕晋、汉、周三朝,入宋任礼部尚书。②渊明:指陶渊明,见十灰韵"渊明赏菊"。

[解说]

陶谷在后周时任翰林学士,买了一个曾在党太尉家当过歌妓的婢女,他让歌妓用雪水煮团茶,问:"党家有这种风味吗?"歌妓说:"他是个粗人,怎能有这!只知道在销金帐里浅酌低唱,饮羊羔美酒而已。"陶谷听后为自己寒酸而面有惭色。

陶渊明性恬淡,喜欢饮酒。客人来都要设酒,如先醉,便对客人说:"我醉欲眠君且去。"邻居请他饮酒,酒有滓,他便脱下头巾漉之,漉毕,仍把头巾戴上。庐山和尚惠远请他参加诗社,他说:"有酒就去。"惠远假许之。到后没酒,皱眉而回。

善酿白堕① 纵饮公荣②

[注释]

①白堕:即刘白堕,北魏河东(今山西)人,善酿酒,所酿酒名"白堕酒",为古代名酒之一。②公荣:即刘公荣,名昶,魏末晋初沛郡(今安徽宿

州西北）人。官兖州刺史，与王戎、阮籍友善，有知人之鉴。

[解说]

刘白堕所酿酒，夏天以瓮贮酒曝晒于日中，一旬而味不变，醉则经月不醒。朝中的高官贵族把这酒当做礼品馈送，往往远达数千里以外。青州刺史毛鸿宾带了一瓮酒送人，半路上遇到强盗抢劫，他们尝了这酒，统统醉倒被擒。当时人说："不畏张公拔刀，唯畏白堕春醪。"

刘公荣与人一齐喝酒，人员十分复杂。有人嘲笑他，他说："比我强的人，不可不和他饮酒；不如我的人，亦不可不和他饮酒；像我一样的人，更不可不和他饮酒。"所以整天与人共饮而醉。

仪狄造酒① 德裕调羹②

[注释]

①仪狄：善造酒，夏禹之臣。其事迹见于《世本》、《战国策》等书。②德裕：即李德裕，见一先韵"德裕筹边"。

[解说]

以前帝女让仪狄造酒送给禹品尝，禹饮了以后觉得很甘美，说道："以后必然有以酒亡国的。"遂疏远仪狄，并戒绝美酒。又周有杜康亦善造酒，以酉日死，所以后人造酒，都忌酉日。

唐李德裕任宰相，不喝京师的水，只用无锡惠山的泉水，千里运来，当时称之为"水递"。有个僧人建议说："水递有损盛德，京师昊天观后有一泉，与惠山泉水相通。"因取水称重量，与惠山泉水相等，才取消水递。德裕每饮一羹汤，其费用约得三万钱。其羹用真珠、宝贝、玉石、雄黄、朱砂煎汁而成。煎三次便倒掉其渣。

印屏王氏① 前席贾生②

[注释]

①印屏：故事最早见于唐人所著《开天传信记》，但无王氏姓。王氏见

于宋朱胜非所著《绀珠集》。②贾生：贾谊（前200～前168），世称贾生，洛阳人（今属河南）。西汉文学家、政论家，年少时即以文才出众著称。文帝时官太中大夫，为权贵中伤，贬长沙王太傅，后又拜梁王太傅。后梁王堕马死，贾生以为己失职，忧郁而终。

[解说]

唐玄宗有个宠爱的美人姓王，她几次梦见被人叫去陪同饮酒。她就把这事告诉了皇帝，玄宗说："这一定是有法术的道士干的，如果再有这事，你可以留点记号。"停了几天，在梦中又被人叫去，她便用手在砚台里沾满了墨汁，将手印到屏风上面。醒来后，便告诉了玄宗。玄宗派人去搜索，果然在东明观中找到手印，而道士已经逃跑了。

贾谊年少多才，召为博士，提升极快，后遭人妒忌而被诬陷，贬为长沙王太傅。停了几年，文帝忽然想念贾谊，便召他到皇官中宣室殿相见。文帝问关于鬼神的事，一直谈到半夜。文帝听得津津有味，不觉将座位前移，靠近贾谊。文帝叹息说："好久不见贾生，自以为学问超过他了，今天看来仍然不及他。"便又任命他为最受宠爱的小儿子梁王的太傅。

九 青

经传御史① 偈赠提刑②

[注释]

①经：指《三字经》。南宋末王应麟首撰，明、清多次递增。御史：指明代聊城（今属山东）人傅光宅。光宅，万历进士，官至御史。②提刑：宋代官名，各路均设此职，主管司法、刑狱和监察，兼管农桑。此处指郭祥正，字功父，一作功甫，当涂（今属安徽）人，诗人，喜佛法，号净空居士。著有《青山集》。

[解说]

有大版《三字经》,明代蜀人梁应升为之图,聊城傅光宅御史为之序。较坊刻本多"胡元盛,灭辽金。承宋统,十四君。大明兴,逐元帝。统华夷,传万世"八句。十七史为十九史。乃知出于明代人之手,但不知是谁所修订。明神宗在东宫时,曾读此书。

守端禅师,号白云,宋朝舒州高僧,因为郭功甫提刑来访问,召集寺内僧众说:"夜来在枕上作了个偈,以谢功甫大儒。说给大家听,请以后传示四方。这不仅是谢功甫,而要给天下有鼻孔的僧人脱去肉汗衫。"这偈就是后来流传极广的启蒙诗句:"上大人,孔乙己。化三千,七十士。尔小生,八九子。佳作仁,可知礼。"

士安正字①　次仲谈经②

[注释]

①士安:即刘晏(715~780),字士安,曹州南华(今山东东明)人。唐朝理财家,一度为宰相。掌管国家财政达二十年。②次仲:即戴凭,字次仲,汝南平舆(今属河南)人。东汉经学家,官至侍中、虎贲中郎将。

[解说]

唐玄宗到泰山封禅祭天,刘晏才八岁,写了一篇颂词祝贺。玄宗很惊奇他年龄小,让宰相张说试一试他。张说考察后说:"小小年纪有这样才能,真是国家的祥瑞。"玄宗赐他游皇宫,贵妃抱他坐在膝上,亲自为他整理发髻,宫女给他拿来鲜花和水果。玄宗当即授他为太子正字的官职,问他:"卿作正字,正得几个字?"刘晏说:"天下字都正,只有朋字未正。"代宗时官至宰相,理财有绩。后被杨炎诬陷,被杀之日,家中仅有书籍二车,米麦数斛。天下人都为之呼冤。

戴凭研习京氏《易》,元旦朝贺,光武帝让群臣讲经,互相难诘,如有经义不通的,便把他的席位夺给通者。结果戴凭连坐五十余席。所以京师有谚语："说经不穷戴侍中。"

咸遵祖腊[①]　宽识天星[②]

[注释]

①咸：即陈咸，浚县（今安徽灵璧南）人，西汉末任尚书，掌律令。王莽专政，多改汉制度，咸颇不满，辞官归家。腊：年终祭祀名。②宽：即张宽，成都人。汉武帝时任侍中。

[解说]

西汉末，陈咸辞官乡居，王莽篡位，召之不应。年终腊祭，犹用汉朝制度。有人问他为什么，他说："我的祖先岂能知道王家腊祭？"

汉武帝到甘泉宫祭祀，路过渭桥，看见一女子在渭河中洗澡，其乳长七尺，武帝十分奇怪地问她，她说："皇帝后面第七车里的侍中知道我的来历。"这时张宽在第七车，回答说："这是天星主祭祀的，如果斋戒不严，则女人星现。"

景焕垂戒[①]　班固勒铭[②]

[注释]

①景焕：成都人，五代时后蜀隐士。②班固（32～92）：扶风茂陵（今陕西咸阳东北）人，东汉时文学家、历史学家，著《汉书》，官兰台令史。曾随征匈奴，任中护军。勒铭：战争凯旋时立碑记功。

[解说]

景焕著《野人闲语》一书，载有后蜀孟昶戒饬官吏的令箴二十四句，宋太宗摘编其中四句："尔俸尔禄，民膏民脂。下民易虐，上天难欺。"改名《戒石铭》，颁发州县立石铭刻。

东汉窦宪、耿炳率军万余，与北匈奴大战于稽落山，大破之，出塞三千里，登燕然山，让班固刻石勒铭，记汉之威而回。

能诗杜甫① 嗜酒刘伶②

[注释]

①杜甫（712~770）：唐代大诗人，字子美，巩县（今河南巩义）人。一生流亡不得志，写下大量反映民间疾苦的诗篇。他曾居住于长安郊外的少陵，自号少陵野老，故人称为杜少陵，又因他曾有检校工部员外郎的官衔，故人又称之为杜工部。他的诗作深刻反映了安史之乱前后的社会生活，展现了唐朝由盛转衰的历史过程，故被称为诗史，他本人亦被尊为诗圣。②刘伶：字伯伦，西晋初沛国（今安徽宿州西北）人，"竹林七贤"之一。

[解说]

唐朝杜甫，博览群书，善为诗歌，涵浑汪洋，千姿万状，被尊为诗圣。

刘伶，放情肆志，尤爱饮酒。尝坐用人推挽的小车，带酒一壶，使人背着铁锹跟随，说："死了就埋我。"妻子劝他戒酒，他说："可以，可祭神发誓戒酒。"于是妻子备酒肉祭神，刘伶跪下告神说："天生刘伶，以酒为名。一饮一石，五斗解酲。妇人之言，慎不可听。"祝罢，饮酒吃肉，陶然大醉。著有《酒德颂》一篇。

张绰剪蝶① 车胤囊萤②

[注释]

①张绰：唐咸通年间进士下第，游于江淮间。事见唐人著《桂苑丛谈》。②车胤：见四豪韵"车胤重劳"。

[解说]

唐朝张绰，有道术。尝养气绝粒，好酒耽棋。人请其饮酒，合意者即剪蝴蝶二三十枚，以气吹之，成队而飞，俄尔又回手中。人有求者，皆不许。后因醉剪纸鹤二只，以水喷之，遂飞翔而去。

车胤，字武子，风姿美好。太守王胡之对其父说："此儿聪慧不凡，必当光大门户，应让其致力学问。"胤专心向学，家贫无灯烛，夏月以纱囊盛萤火虫代烛继日。后被桓温引荐为博士。

九青

鸲鹆学舌① 鹦鹉诵经

[注释]

①鸲鹆（qú yù）：即八哥。

[解说]

晋司空桓豁镇守荆州，属下有一参军剪鸲鹆舌，让其学人语。司空大会宾客，让其仿在座人语，无不绝似。

《法苑珠林》："东都有人养鹦鹉，以其很聪明，便施给僧人，僧教鹦鹉念经。鹦鹉往往在架上不语不动，问它为什么？鹦鹉说：'身心俱不动，为求无上道。'"又唐玄宗宫中养一白鹦鹉，极聪慧，玄宗及贵妃称之为雪衣娘。玄宗与贵妃诸王博戏，稍不胜，即飞入局中乱其行。后死，埋苑中，号鹦鹉冢。

十 蒸

公远玩月① 法善观灯②

[注释]

①公远：即罗公远，唐代道士，隐居于山阳（今属陕西）之天柱山。玄宗喜道教，召罗公远、叶法善、张果老等道士进京，奉为天师。公远被后人美化为仙人，留下不少神话传说。②法善：即叶法善，括苍（今浙江丽水）道士，历事高宗、中宗、玄宗。开元中卒。

[解说]

罗公远有道术，中秋夜侍玄宗赏月，取拄杖掷之，化为长桥，引玄宗登桥，直达月宫游玩。见白衣仙女数十，歌舞于大桂树下，公远说："此霓裳羽衣曲也。"玄宗默记其曲调，回来后，召集梨园艺人谱成此曲。

开元十八年正月十五日夜，玄宗问天师叶法善："今日何处最瑰丽？"法善说："广陵。"便于殿前化出一座虹桥，楼阁栏杆如画。玄宗登桥，杨贵妃、高力士及乐官随行。一会儿便到广陵，由桥上向下俯看，陈设灯火之盛尽入眼中。地上士女仰头观看，都说："云中有仙人出现。"玄宗让乐官奏霓裳一曲。几天以后，广陵地方官奏报到京，说"正月十五日望见云中仙人奏乐"。

燕投张说[①]　凤集徐陵[②]

[注释]

①张说（667～730）：洛阳（今属河南）人。武后永昌（689）中策试第一，玄宗时官至尚书右丞相兼中书令，封燕国公。擅作文，朝廷重要述作多出其手，与许国公苏颋（tǐng）齐名，共称"燕许大手笔"。②徐陵（507～583）：字孝穆，东海郯（今山东郯城）人。南朝梁、陈时历任吏部尚书、太子少傅等职。主持朝廷重要文章草拟，其诗赋绮艳，与庾信同为宫体诗的代表作家，人称为"徐庾体"。

[解说]

张说母亲梦玉燕投怀，孕而生说。说早失父爱，其父常以奴仆待之，使杂于佣工之中。说尝搜集枯树，夜间焚光读书，遂至成名。

徐陵八岁能文，十三通老子、庄子之书。高僧宝志公尝摩其顶曰："此天上石麒麟也。"陵母臧氏梦五色云化为凤凰集于左肩，已而生陵。

献之书练[①]　夏竦题绫[②]

[注释]

①献之：即王献之，见一先韵"子敬青毡"。②夏竦（985～1051）：江州德安（今属江西）人。以父战死授丹阳主簿，后为郡守，抵御西夏有绩，治军极严。官至枢密副使，卒赠太师、中书令，谥文庄。

[解说]

晋朝羊欣,年十二岁,随父在乌程令任所。时王献之正担任吴兴太守,见到少年羊欣十分喜爱,有一次到乌程县去,看见羊欣白天躺在床上熟睡,身上穿着一件新制白练裙,丝质很好,一时高兴,便在裙上书写几处而去。羊欣本擅长书法,现得到大书法家王献之的手书,仔细揣摩,书艺遂大有长进。

宋朝夏竦考上制科,一个老太监看见他相貌不凡,便拿出一幅吴绫手巾请他题诗留念。夏竦题曰:"殿上衮衣明日月,砚中旗影动龙蛇。纵横礼乐三千字,独对丹墀日未斜。"翰林学士杨徽之见了这诗,称赞说:"真有宰相气势啊。"

安石执拗① 味道模棱②

[注释]

①安石:即王安石,见四支韵"安石求师"。②味道:即苏味道(648~705),赵州栾城(今属河北)人,有文名。武则天时任宰相多年,处事圆滑。后贬官为都督府长史,未到任而卒。

[解说]

王安石性不好华美,生活简朴,衣脏不换洗,脸脏不净面,很多人都称赞他人格高尚。独有苏洵不以为然,认为他不近人情,作《辨奸论》对他加以讥讽。安石性格强硬固执,遇事坚持己见,决不回头。所以人称他为拗相公。但他的议论奇高,能用渊博的知识和雄辩的口才来阐明自己的主张。所以宋神宗力排众议,对王安石十分倚重且加以重用。

苏味道在武则天当政时任宰相几年,没什么建树,遇事只是迎合和宽容。他曾对人说:"处世不必太明白,处理错了就会有悔恨,所以对事模棱两可便行了。"因此人们称他为"模棱手"。

韩仇良复① 汉纪备承②

[注释]

①韩：指战国时的韩国。良：即张良，见五微韵"张良辟谷"。②汉：指汉朝。备：即刘备（161~223），字玄德，涿郡（今河北涿州）人。先后依公孙瓒、曹操、袁绍、刘表等，后用诸葛亮为军师，联合东吴，败曹操于赤壁，又取西蜀和汉中，后称帝，国号汉，与魏、吴三分天下，谥昭烈皇帝，史称刘先主。

[解说]

张良的祖上五代人都是韩国的相国，秦灭韩后，张良立誓报仇，往见沧海君，招募力士刺秦始皇于博浪沙中，用铁锤击中副车，刺杀未能成功。张良后投刘邦，引兵进入咸阳灭秦。又立韩国贵族成为韩王，自任司徒。后来项羽杀韩王成，张良又归刘邦，策划灭掉项羽，始终为韩报仇。

刘备是西汉中山靖王刘胜的后代，尝奉密诏讨曹操，不克。曹丕篡汉，刘备乃称帝，继承汉统。

存鲁端木① 救赵信陵②

[注释]

①鲁：指鲁国。端木：指端木赐，字子贡，卫国人，孔子弟子。②赵：指赵国。信陵：指信陵君（？~前243），名无忌，魏安釐王之弟，封信陵君。与齐国孟尝君、赵国平原君、楚国春申君合称战国四公子。

[解说]

齐国的田常准备夺取齐国政权，但害怕齐国高、国、鲍、晏四家大臣的势力，于是便移兵征伐鲁国。孔子听到了消息说："鲁国是先人坟墓所在，不可不救。"子贡便请求去游说。他先到齐国说田常出兵伐吴，可是田常的军队已开始进攻鲁国了。于是子贡又去说吴出兵救鲁伐齐，吴国怕出兵后越国偷袭自己后方。子贡又去说服越国一同出兵，与齐兵战于艾陵，大破齐兵。吴王有心称霸，乘胜去伐晋国。子贡便去劝晋与吴战，后来讲和，几国诸侯会盟于黄池，晋定公和吴王夫差争当盟主，越王勾践却趁机出兵袭击吴国。孔子说："乱齐而存鲁，是我最初的愿望。增强晋国势力削弱了吴国，使吴国灭亡，越国称霸，是子贡游说的结果。"

秦兵围赵，信陵君用侯生的计谋，让魏王的妃子如姬偷出魏王的兵符，又请力士朱亥击杀不肯出兵的将军晋鄙，夺其军权，出兵救赵，秦兵闻知，匆匆退兵。

邵雍识乱[①] 陵母知兴[②]

[注释]

①邵雍（1011~1077）：字尧夫，其先范阳（今河北涿州）人，后隐苏门山，又迁居洛阳。北宋哲学家，著有《伊川击壤集》、《皇极经世》等书。谥康节，人称康节先生。②陵：即王陵（？~前181），沛县（今属江苏）人。秦末聚兵数千于南阳，后归刘邦。汉朝建立，继曹参为相，因反对诸吕，罢相，为太傅。

[解说]

宋仁宗至和年间，邵雍居于洛阳，偶然和客人在洛水上的天津桥闲步，忽听到杜鹃鸟鸣叫，不由担忧地说："天下将治，地气由北而南；将乱，地气由南而北。禽鸟得气之先，洛阳向来无此鸟，现在有了，是地气自南而北。国家必用南方人为相，恐怕要多事了。"

王陵率兵投奔刘邦，项羽把王陵的母亲抓了起来，想让她招降王陵。王陵派人来探望，陵母对来人说："请为我带话给王陵，要好好辅佐汉王，汉王是位长者，将来一定得天下，切不可因为我而怀二心。"说罢便伏剑而死。

十一尤

琴高赤鲤① 李耳青牛②

[注释]

①琴高：战国时赵国人，宋康公舍人，以善鼓琴被称为琴高。后被神化为仙人。②李耳：字伯阳，楚国苦县（今河南鹿邑东）人。春秋时思想家。曾任周守藏史、柱下史，著《道德经》。后被神化，尊为道教始祖。

[解说]

《列仙传》：琴高习涓子、彭祖之术，游于冀州、涿郡之间二百余年。后辞入涿水中取龙子，与众弟子约定日期说："到时可以洁斋等候，并在水边设立祠屋。"届时，琴高果然乘赤鲤鱼浮水而来，出坐祠中。观者万人，留月余，复乘赤鲤入水而去。

春秋时李耳，生李树下，因指树为姓，名耳。相传其母怀八十一年才生，生下来时就满头白发，故号老子。博通古今。孔子曾向他问礼，并赞叹说："老子其犹龙乎！"后见周衰，乃乘青牛西出函谷关。关吏尹喜见有紫气东来，知有真人至，求其术，老子乃授以《道德经》。后尹喜亦仙去。

明皇羯鼓① 炀帝龙舟②

[注释]

①明皇：即唐玄宗李隆基（685~762），谥号"至道大圣大明孝皇帝"，故唐人诗文中多简称为明皇。②炀帝：即隋炀帝（569~618），即杨广。著名荒淫暴君，游览江都时被宇文化及缢杀。

[解说]

唐明皇爱羯鼓，当时正在奏琴曲，还没弹完，明皇忽然大声斥责让停止,他说:"速召花奴来,为我解秽。"花奴,是汝阳王李琎(jīn)的小名,善羯鼓。

隋炀帝坐龙舟去江都游览,以左武卫大将军郭衍为前军,右武卫大将军李景为后军,文武官五品以上给护船,九品以上给专用小船,船队连绵二百余里。

羲叔正夏① 宋玉悲秋②

[注释]

①羲叔:唐尧时以羲氏、和氏四个儿子为分掌四时之官,制定历法,教民按时耕作。羲叔掌夏。②宋玉:战国时楚国人,屈原弟子。《汉书·艺文志》录其赋十六篇,今多亡佚。现存有四:《九辩》、《风赋》、《高唐赋》、《登徒子好色赋》。

[解说]

帝尧让羲、和二氏制定历法和授时,并进行分工。羲叔掌管夏季,所以让他居住在南方交趾地方。夏季时间长短、植物生长,其变化规律均要弄清,以教百姓利用。又在夏至那一天测定日影,确定夏至日必须是一年之中白昼最长的一天,黄昏时大火星应当处于南方天空正中。这样夏季就可准确定下来,从而教授百姓按时序耕作了。

宋玉是屈原的弟子,屈原被流放到湘江,宋玉非常想念老师,秋天到了,便写了《九辩》来抒发心中的悲愤。其中说:"悲哉秋之为气也!萧瑟兮草木摇落而变衰……鸠噰噰兮而南游,鹍鸡啁哳兮而悲鸣。独申旦而不寐兮,哀蟋蟀之宵征。"

才压元白① 气吞曹刘②

[注释]

①元白:指元稹和白居易。②曹刘:指曹植和刘桢,三国时著名文人。

见三江韵"鱼山惊植"和八庚韵"磨石刘桢"。

[解说]

杨嗣复在家中大宴宾客,元稹、白居易都到。每个客人都作诗一首,杨汝士[虢州弘农(今河南灵宝北)人,唐文宗开成初任兵部侍郎、川东节度使,终刑部尚书]最后写成,但都推他写的诗最好,元、白二人亦十分赞叹。汝士参加宴会回来,每每对人说:"我今天压倒元、白。"

唐代诗人元稹称赞杜甫的诗时说:"杜子美诗上薄风骚,下该沈宋,言夺苏李,气吞曹刘。掩颜谢之孤高,杂徐庾之流丽。诗人以来未有如子美者。"

信擒梦泽①　翻徙交州②

[注释]

①信:即韩信,见十三元韵"何奇韩信"。②翻:即虞翻(164~233),字仲翔,余姚(今属浙江)人。东吴学者。孙权时为骑都尉,流放交州。注《易》、《论语》、《国语》等书。

[解说]

汉初韩信有大功,被封为楚王,有人告发他谋反。汉高祖刘邦用陈平的计策,假装去游云梦。韩信依据礼仪,应当迎接晋见。刘邦在韩信来晋见时,将韩信擒获,带回长安。韩信叹息说:"人人说狡兔死,走狗烹;飞鸟尽,良弓藏;敌国破,谋臣亡。今天下已定,臣固当烹。"到长安后,韩信被赦免,降为淮阴侯。

三国时东吴虞翻,性耿直,敢于犯颜直谏。因触怒孙权,被放逐到交州。

曹参辅汉①　周勃安刘②

[注释]

①曹参(?~前190):沛县(今属江苏)人,原为沛县狱吏,随刘邦起

兵。汉朝建国，封平阳侯，惠帝时为丞相。②周勃（？~前169）：沛县人，随刘邦起兵，以战功升将军，汉朝建国，封绛侯，官太尉。与陈平定计诛诸吕，迎立文帝。后任右丞相。

[解说]

曹参在齐为相国，闻听丞相萧何去世，便令舍人准备行装，说："我当入都为丞相。"不久诏书果然来到，令其代萧何为相。凡事均依萧何制定规矩办事，人称"萧规曹随"。

汉绛侯周勃朴实少文，但能任大事。高祖尝与吕后论宰相人选，说："曹参可以代替萧何，王陵戆厚，陈平可以辅佐之，但能安刘的必然是周勃。"吕后去世，吕产、吕禄等企图夺取刘氏政权。周勃持节入北军中，悉捕诸吕斩之，汉室遂安。

太初日月① 季野春秋②

[注释]

①太初：即夏侯玄（209~254），字太初，三国魏时为黄门侍郎，后徙太常，因参与谋诛司马师，事泄被杀。②季野：褚裒（303~349），字季野，阳翟（今河南禹州）人。晋康帝皇后之父。历江州刺史、征北大将军等职。

[解说]

夏侯玄年少即有文名，为人清静温和。当时人评论他说："夏侯太初朗朗如日月之入怀。"有《张良论》、《乐毅论》等文传世。

东晋褚裒少时即有盛名，散骑常侍桓彝善于识鉴人物，评论说："褚季野有皮里春秋。"意思就是说他对人对事，态度深藏不露，表面上不指手画脚品评好坏，实际上内心有褒有贬观察十分清楚。

公超成市① 长孺为楼②

[注释]

①公超：即张楷，字公超，成都人。流寓河南，家贫无以为业，常乘驴

车入县卖药，后隐居弘农山中。桓帝时被捕入狱，狱中作《尚书注》。②长孺：即孙长孺，字思齐，宁都（今属江西）人。宋真宗时进士，知浔州，官至太子中允。好藏书。

[解说]

东汉张楷，通严氏《春秋》、古文《尚书》，门徒、宾客皆钦慕之，父党、宿儒皆登门求教，车马填街。楷迁居避之，学者总是随之不离，所居僻乡荒野，因此而成集市。华阴山南，有公超市。

北宋孙长孺，勤学问，爱聚书，经史百家皆备，建书楼藏之，人号其为"书楼孙氏"。

楚丘始壮① 田豫乞休②

[注释]

①楚丘：复姓，以地名为姓。春秋时鲁国人，仕鲁为占卜之官。②田豫：雍奴（今天津武清）人。三国魏文帝时任护乌丸校尉，威震沙漠，后为并州刺史。

[解说]

楚丘先生去见孟尝君田文，孟尝君说："先生老矣，年岁高矣，有什么教我的？"楚丘先生说："让我投石超距乎，追车赶马乎，逐麋鹿搏虎豹乎，那么我是老了。如果让我定深计思远谋，使我定犹豫决疑难，使我说正辞对诸侯，那我正当壮年，何老之有！"孟尝君听后感到羞愧，浑身出汗，连说："我错了，我错了。"

田豫在魏国做官，请求退休。司马懿以为田豫身体强壮并不老，不同意他退休。田豫便写信给司马懿说："年过七十而占着位置，好像钟声响了、更漏尽了还要夜行不休，是罪人也。"遂称病去职。

向长损益① 韩愈斗牛②

[注释]

①向长：字子平，朝歌（今河南汤阴南）人。东汉时隐士，通《老子》、《易经》，家贫不自给，人有馈之者，取足而还其余。②韩愈：见三江韵"韩比云龙"。

[解说]

向长，隐居不仕，个性平和。有次读《易经》，读到损卦和益卦时，不由叹息说："我已知道富不如贫，贵不如贱，但还不知道死不如生啊。"到办完子女的婚嫁事后，处理了家务，说："就当我已死了。"遂与友人出游五岳名山，不知所终。

唐朝韩愈写过一篇《三星行》词："我生之初，日宿南斗。牛奋其角，箕张其口。牛不见服箱，斗不挹酒浆。箕独有神灵，无时停簸扬。"用这来说明他出生时的星象。宋朝的苏东坡尝自称生时的星象和韩愈相似。韩愈的身宫在斗牛，而东坡的命宫亦在这里。所以苏东坡有赠术士谢正臣的诗说："生时宿值斗、牛、箕。"

琎除酿部①　玄拜隐侯②

[注释]

①琎：即李琎，唐玄宗之侄，封汝阳郡王。与贺知章等为诗酒友。官太仆卿。②玄：即王玄，汉景帝时隐士。

[解说]

唐汝阳郡王李琎，尝取云梦石甃泛春渠，用以蓄酒，做金银龟鱼沉浮其中，为酌酒具。自称酿王兼曲部尚书。杜甫《饮中八仙歌》"汝阳三斗始朝天"就是指他。

王玄，品行高尚，朝廷累召不至，就其山封侯，因名侯山。唐代宋之问诗"王玄拜隐侯"，宋代王安石诗"他年隐侯身亦老，为寻陈迹到烟萝"都源于此。

公孙东阁① 庞统南州②

[注释]

①公孙：指公孙弘（前200~前121），西汉菑川（今山东淄博）人。少时牧猪海上，年四十余始习《春秋》，六十为博士，贤良对策第一。受汉武帝重用，后为宰相。②庞统（179~214）：字士元，襄阳（今湖北襄樊）人。与诸葛亮齐名，号"凤雏"。后事刘备，任耒阳令，后为军师中郎将，为刘备主要谋士之一。后随刘备入蜀，中箭阵亡。

[解说]

汉武帝元朔中，公孙弘为丞相，封平津侯，开东阁以延请贤士参与国家大事的谋议。他把所得的俸禄都用到资助宾客上，家无余财。他生活简朴，吃小米干饭，盖粗布被子。有的官员认为他这样是虚伪，汉武帝因此对他更加厚待。公孙弘常说："人主最忌心胸不广大，人臣最忌处事不节俭。"

庞统是名士庞德公的侄儿，善于识鉴人物的学者水镜先生司马徽曾说庞统"是南州人物的冠冕"。刘备最初不了解庞统，让他去当耒阳县令。鲁肃写书信给刘备说："庞士元非百里之才，至少让他处于治中或别驾的职位上，才能施展出他的才干。"于是刘备便召庞统任治中从事。

袁耽掷帽① 仁杰携裘②

[注释]

①袁耽：字彦道，晋朝时阳夏（今河南太康）人。年少有才气，倜傥不羁。后随王导平苏峻叛乱有功，授建威将军、历阳太守，病故任所，年仅二十五岁。②仁杰：即狄仁杰，见一东韵"仁杰药笼"。

[解说]

袁耽少年时和桓温是好朋友，桓温去参加赌博，大输，债主一直来催逼。桓温无法，只好求救于袁耽。袁耽当时正守孝在家，立刻答应，没一点难色。立即换去孝服，把白布孝帽藏到怀里，随桓温来到赌场。袁耽博艺高超,很有名气,债主知道他但不认识。便调侃说:"您大概不会具备袁彦道那样的赌技吧!"遂入局赌起来,一掷十万,袁耽一直赢了百万,投下赌具,从怀中拿出布帽掷到地上,说:"您今天认识到袁彦道了吧!"

武则天赐给张昌宗一件名贵的集翠裘,又让狄仁杰和张昌宗赌裘。狄仁杰指着身上穿的紫袍说:"用这袍和他赌。"武后说:"这不如那裘值钱。"狄仁杰说:"这是大臣朝见和奏对时所穿公服,最为贵重。"结果昌宗连连败北,仁杰遂从容携裘,谢恩而出。

子将月旦[①]　安国阳秋[②]

[注释]

①子将:即许邵,字子将,汝南平舆(今属河南)人。以善识人闻名于时,爱品评地方人物,凡受他赏识的人,后多名显于世。曹操年轻无名时曾被其评为"清平之奸臣,乱世之英雄"。②安国:即孙盛,字安国,太原中都(今山西平遥南)人。东晋初为佐著作郎,后为长沙太守、秘书监等。著有《魏氏春秋》、《易象妙于见形论》、《晋阳秋》等。

[解说]

东汉末的许邵,年轻时便显得品格高超,不同一般。他与堂兄许靖爱在一起讨论评价地方人才,每月都要更换一次品评,致使汝南地方兴起"月旦评"的风俗习惯。许邵曾担任过郡功曹的职务,很受太守尊敬,司空杨彪打算荐举他为孝廉方正,被他谢绝。但他却十分注意识别和推选人才,小商人樊子昭、客居汝南的虞承贤、普通百姓李叔才、小吏员郭子瑜等经他品评提拔,都成为一代名人。

孙盛极爱读书,自小到老,手不释卷。著《晋阳秋》,被称为良史。大将军桓温看到书中写有自己北伐在枋头战役大败的事,不由大怒,把孙盛的儿子叫来说:"枋头一战,确实打败了,但不像你父亲说的那样严重。如果这种历史流传下去，将让你家门户毁灭。"孙盛的儿子哭着去见父亲，希望他顾及全家百口人性命，把书改一下。孙盛大怒，坚决不改。最后他儿子偷偷改了一下。

德舆西掖① 庾亮南楼②

[注释]

①德舆：即权德舆（759～818），字载之，天水略阳（今甘肃天水北）人，唐代文学家。由校书郎升至礼部尚书、同平章事，为宰相，不久罢。西掖：中书省的别称，唐时为中央最重要的行政官署，其最高长官为右相。②庾亮（289～340）：字元规。颍川鄢陵（今河南鄢陵北）人。东晋时历仕元帝、明帝、成帝三朝。历任中书令、征西将军和数州刺史等要职，手掌重兵。

[解说]

权德舆在西掖官署中任职八年，为人风流蕴藉，可称为绅士的表率。后来他住在练湖边上，宅畔荒草满径，却安然自得。常常游历胜境，每构思到一句好诗，怡然独笑，如获珍宝。唐宪宗元和年间为宰相，当时的贵人名士去世，十之八九都要请他来作墓志或碑记。为一代文章宗匠。

庾亮镇守武昌时，秋高气爽，夜色朦胧，他手下的属官殷浩、王胡之等几个文人登上南楼，在一块儿谈笑歌咏，正当音调遒劲时，庾亮忽然带着十余个随从走上楼来。诸文士都起身打算回避，庾亮止住他们，说道："老子对这兴趣同样不浅。"因而又让大家坐在交椅上，与殷浩等谈笑歌咏，整整一夜方散。

梁吟傀儡① 庄梦髑髅②

[注释]

①梁：指梁锽，唐代诗人，玄宗时为翰林学士、宫门执戟。②庄：指庄周，见四支韵"庄子涂龟"。

[解说]

梁锽《傀儡吟》一诗最为著名，诗云："刻木牵丝作老翁，鸡皮鹤发与真同。须臾弄罢寂无事，还似人生一梦中。"傀儡始造于汉朝的陈平，陈平造木偶舞于城上以解刘邦白登之围，后演变为戏。

庄子到楚国去，看见一具枯髑髅，就用马鞭敲打它说："你是为了贪生而违背情理才死的吗？还是因国家灭亡的战乱遭到刀斧砍杀而死的呢？"说完便把髑髅当枕头，躺下睡觉。半夜梦见髑髅对他说："先生所说的都是人生的祸患，人死了，便没有这些祸患了。上面没有君王，下面没有臣仆，也没有四季的冷暖酷热，毫不费力地与天地共长久，即使南面为王也没有这样的快乐啊！"

孟称清发[①]　殷号风流[②]

[注释]

①孟：指孟浩然，见三江韵"浩从床匿"。②殷：指殷浩（？~356），字深源，陈郡长平（今河南西华）人。年少有美名，善清谈玄理，初为庾亮征西参军，后任扬州刺史、建武将军，终为桓温所忌，被借故免职。

[解说]

唐朝诗人孟浩然，刻苦读书不为精通儒家经典，而是为了掇取精美的辞藻，作文不循古法，而追求别出心裁的佳句。有次偶然过秘书省，正值秋月新霁，诸位文人学士聚会吟诗，浩然亦咏曰："微云淡河汉，疏雨滴梧桐。"满座都叹为清新绝唱。后人评浩然，说他学文不为做官故成就迟，行为不修篇幅故似怪诞，游历不为名利故常贫穷。王士源为《孟浩然集》写的序言称赞他："导漾挺灵，实生楚英。浩然清发，亦其自名。"

晋朝殷浩，识度清远，为风流清谈者所推崇。闲居几十年，当时人将他比作管仲、诸葛亮。王濛、谢尚到他居处探望，从他言谈中推测东晋未来前途。常叹息说:"深源不被起用,怎能对得起天下苍生啊!"

见讥子敬① 犯忌杨修②

[注释]

①子敬:即王献之,字子敬,见一先韵"子敬青毡"。②杨修(175~219):字德祖,弘农华阴(今属陕西)人。好学能文,才思敏捷,任曹操主簿。曾助曹植谋立为世子,不成,为曹操猜疑,借故被杀。

[解说]

晋朝书法家王献之童年时候,他父亲的几个门生在掷骰赌博。献之在旁看了一会儿,脱口说:"南风不中了!"门生说:"这小孩子懂什么,不过是管中窥豹,只见一斑而已。"献之听了,非常恼怒,拂袖而去。

杨修有一次随曹操出征,途中看到一块《曹娥碑》,碑背面镌有八个字:"黄绢幼妇,外孙齑臼。"曹操问杨修:"知道这是什么意思吗?"杨修说知道。曹操说:"先别说破,容我想想。"又走了三十里,想出来后才让杨修解说。杨修说:"黄绢,是色丝,隐个绝字。幼妇,是少女,隐个妙字。外孙,是女子,隐个好字。齑臼,是受辛,组成个辤字。四字相连,为'绝妙好辤'。"(辤是辞的异体字)自此曹操深嫉杨修比自己聪明,后来借故将杨修处死。

荀息累卵① 王基载舟②

[注释]

①荀息:春秋时晋国大夫,曾向晋君献"假途灭虢"之计。②王基(?~261):东莱曲城(今山东招远)人。三国时仕魏,历任征南将军、中书侍郎、征东将军都督扬州诸军事等职。

[解说]

春秋时候晋献公建造一座九层楼台,三年没造成,人力都感到疲困。荀息说:"臣能累积十二枚棋子,上边还能再加九枚鸡蛋。"灵公说:"那危险极了。"荀息说:"不危。公建造九层高台,三年不成,以致男人不能去耕田,女人不能去纺织。比较起来哪个更危险?"献公方才醒悟,连忙向荀息致谢,将造九层台的工程停了下来。又一说为晋灵公事,疑误。晋灵公在位时荀息已死。

魏文帝曹丕频繁地建筑工程,王基上疏谏曰:"古人用水来比喻百姓说:'水能载舟,亦能覆舟。'颜渊说:'东野之子御马,马的气力已经使尽了,他还不停地驱马前进,这样下去,肯定要失败了。'如今百姓差役劳苦繁重,男女离旷不得安居,愿陛下深察东野败落的原因,留意水与舟的比喻。"

沙鸥可狎　蕉鹿难求①

[注释]

①这两篇寓言故事,均出自列御寇著《列子》一书。列御寇,战国时道家,郑(今河南郑州)人。

[解说]

东海边上有个爱好鸥鸟的人,每天驾船在海上与鸥鸟玩耍,鸥鸟落到他船上的不止数百。后来他父亲对他说:"我听说鸥鸟都和你一同玩耍,明日你可捉一只来给我玩玩。"第二天,这人又驾小船出海,神色紧张地窥伺,打算捉捕鸥鸟,可是鸟群都在高空飞舞,没有一只愿意飞下来了。所以说:最好的言语就是不言语,最好的作为就是不作为。唐朝诗人李商隐对这则寓言解释说:"海人心胸坦荡毫无智巧,所以鸥鸟不飞;海人心中使诈而产生谋划,所以鸥鸟都飞跑了。"

郑国有个樵夫去打柴,碰到一只鹿,他把鹿打死后,怕别人看见,便把鹿藏到一条沟里,用蕉叶遮盖起来。不久他去找鹿,却忘记藏鹿地点,没有找到,便以为是在做梦。在回家路上,他不断向人讲这个奇怪的梦,一个有心的人听了,便依他所说去找鹿,果然找到,便把鹿背回家去。樵夫回到家,夜里又做了个梦,梦见鹿被人拿走。第二天他按梦里的路线找去,真找到了鹿。二人争鹿不下,便去打官司。法官问了情况后说:"你们既然都在说梦话,现在既有了这头鹿,你们就一家分一半吧。"有人把这事告诉了郑国国君,国君说:"法官大概又要梦见给人分鹿了吧。"列子的这篇寓言阐述了道家"至为无为"的哲学思想。

黄联池上① 杨咏楼头②

[注释]

①黄:指黄鉴,字唐卿,建州浦城(今属福建)人。同乡杨亿善其文,罗置门下。累直集贤院,以母老通判苏州。②杨:指杨亿,见十一真韵"杨亿鹤蜕"。

[解说]

黄鉴,七岁不能言。其祖父喜其风骨俊美,尝遇物加以教诲。一日携往池上,祖父说:"水马池中走。"鉴忽开口对曰:"游鱼波上浮。"后任台阁。

杨亿祖父名文逸,梦怀玉山人来,觉而亿生。数岁尚不能说话。一日家人抱他登楼,误碰了他的头,他忽作诗说:"危楼高百尺,手可摘星辰。不敢高声语,恐惊天上人。"七岁即善作文,叔祖徽之常和他说话,赞叹曰:"兴旺我家门第的就是你了。"《金玉诗话》载有此诗,说是李白所作,其实都是民间传说。

曹兵迅速① 李使迟留②

[注释]

①曹:指曹操。见七虞韵"曹公多智"。②李:指李郃,东汉时南郑(今陕西汉中)人。通五经,能预知祸福。初为郡吏,后举孝廉。历任太常、

尚书令、司徒等官，顺帝时卒，年八十余。

[解说]

曹操以江陵存有许多军用物资，怕被刘备占据，便点起精锐骑兵五千急追刘备，一日一夜行三百里，在当阳的长坂将刘备杀得大败。诸葛亮去东吴说孙权曰："曹兵远来已经非常疲惫了，这就是所说的强弩之末，势不能穿鲁缟，故兵法忌之。他一定要失败。"孙权遂以水军三万与刘备合力抗拒曹操，在赤壁地方，用火攻大败曹兵。

李郃年轻时在汉中当小吏。当时大将军窦宪要娶小妾，各地官员纷纷前往京都送贺礼，汉中太守也打算送礼。李郃说："窦将军恃宠骄横，已到极危险的境地，请不要和他来往。"太守不肯听从，于是李郃便要求派他去送礼。在路上李郃故意拖延时间，结果还没到京师，窦宪已被皇帝处死。凡与窦宪交通的官员都被免职，唯汉中太守得平安无事，这都是李郃的功劳。

孔明流马[①]　田单火牛[②]

[注释]

[①]孔明：诸葛亮字，见十一真韵"羽扇纶巾"。[②]田单：战国时齐临淄（今山东淄博）人，用火牛阵败燕军，被齐襄王任为相国，封安平君。

[解说]

蜀汉后主建兴九年，诸葛亮出兵祁山，以木牛运粮，尽退敌军，射杀魏将张郃。十二年春天又兵出斜谷，用流马运粮，据武功五丈原，与司马懿对抗于渭南。

田单本临淄小吏，燕国攻齐，尽占齐地，齐仅剩莒、即墨二城。即墨人以田单有智谋，推为将军。田单尽收城中牛千余头，披以红绸，上画豹纹，又缚短刀于牛角，用芦苇捆于牛尾并浇上油脂。用火点燃牛尾，以五千精兵随于牛后，趁夜晚突袭燕营。牛负痛狂奔,直入燕阵,燕兵大乱败走,田单尽复齐七十余城。

五侯奇膳① 九婢珍馐②

[注释]

①五侯:汉成帝于同一天封其母舅王谭、商、立、根、逢时五人为侯,五人竞相奢华,时人称之"五侯"。②婢:女仆,侍女。

[解说]

西汉末,长安城内富贵官僚中,五侯最令人注目。但五侯之间热衷争名,互不相容,各自的宾客也不得往来。唯有能言善辩的楼护(字君卿)和善写公文书信的谷永(字子云)两人例外,同为五侯座上客。长安有谚语:"谷子云笔札,楼君卿唇舌。"以特长受五侯信用。每到正旦,五侯竞相罗致奇馐异馔争胜。楼护把五家送的菜肴合在一起,名为五侯鲭(zhēng),称世间奇味。

段文昌,唐穆宗时宰相,封邹平郡公。他精于饮食,家中厨房名叫炼珍堂,出去旅行亦带厨房,名叫行珍馆。家中有一老婢女掌勺,由她指导传授女仆。凡培训了上百婢女,仅有九婢可掌握其烹调技能。文昌又自著《食经》五十卷,当时人称为《邹平公食宪章》。

光安耕钓① 方慕巢由②

[注释]

①光:即严光,字子陵,一名遵,会稽余姚(今属浙江)人。东汉隐士。少与刘秀同学,刘秀称帝后被召至京师,不肯做官。回乡隐居于富春山江畔,此处户留有严子陵钓台。②方:即薛方,齐临淄(今山东淄博)人。西汉末曾为郡掾,后隐居不仕,以教授生徒为业。善属文,有诗赋数十篇,以清名显于时。巢、由,上古隐士,见四豪韵"巢父清高"。

[解说]

刘秀称帝,派使者邀严光,连去三次始将他请来。严光住在宾馆，光武帝去看他，他躺在床上不起。坚决不肯为官，不久辞归，耕钓于富春山，前临桐江，上有钓台，清丽奇绝，号锦峰绣岭。

薛方志向高洁，居家授徒。西汉末王莽当政，用车去迎接薛方，请他出山从政。薛方说："上有尧舜，下也有巢由。当今有明王想兴尧舜之德，就应允许我像巢父、许由一样实现隐居箕山之志。"王莽正在图虚名，便没再强迫他。

适嵇命驾[①] 访戴操舟[②]

[注释]

①嵇：指嵇康，见三肴韵"嵇懒转胞"。②戴：指戴逵（？~395），字安道，谯国铚（今安徽宿州）人。善文章，工书画，精弹琴，多才多艺，官府屡征不就。后隐居于剡溪（浙江曹娥江上游）。

[解说]

三国时魏国名士吕安，和嵇康是好友，每想见面，虽隔千里，也要动身前往。有次去看望嵇康，嵇康不在家，他哥嵇喜出来接待，邀请吕安进去，吕安不入，在门上题了一个"鳳"字而去。喜以为很好，嵇康回来后，指给嵇康看。嵇康说："鳳"字，凡鸟也。

王徽之是书圣王羲之的儿子，字子猷，风流倜傥冠于一时。在山阴居住时，夜雪初霁，月色清朗，他睡醒起床，开门赏景，让人备酒独酌，高吟左思作的《招饮》诗。忽然想起朋友戴逵，当时住在剡溪。徽之便连夜乘小船去探访，走了一夜方到，却不再上岸，让船返回。他说："乘兴而来，兴尽而返，何必见戴！"

篆推史籀[①] 隶善钟繇[②]

[注释]

①史籀：周宣王时史官，作大篆，著《史籀》十五篇。②钟繇（151~230）：字元常，颍川长社（今河南长葛）人。东汉末为侍中、尚书仆射，入

魏官至太傅，封定陵侯。钟毓、钟会之父。

[解说]

唐朝张怀瓘著《书断》说：古文者，黄帝史臣苍颉所造也。大篆者，周宣王太史籀所作也。又一种说法是：籀，是秦时占卜之士，变鸟迹为大篆，李斯变为小篆。

魏钟繇善隶书，少年时随刘胜往抱犊山学书三年，回来后在韦诞那里看到蔡邕的手书，苦求不给。等韦诞去世，便去盗他的坟墓，终于获得。他曾说："用笔者，天也；流美者，地也。这是平庸的人难以领会的。"他临终时取出一个袋子给儿子钟会，说："我精心学书，就是学其笔法结构。在人居住的地方，就在地上画字，画满几步内的地皮。躺在床上休息时，也要用手指在被子上画字，以至把被面都磨穿了。上厕所时想着笔画结构，以至忘记出来。看到世上万物都要画出其形象来。"他学书就是这样专心执著。

邵瓜五色[①]　李橘千头[②]

[注释]

①邵：指邵平，一作召平，故事源于《史记·萧相国世家》。广陵（今江苏扬州）人。②李：指李衡，三国时武陵（今湖南常德）人。仕吴为丹阳太守。

[解说]

邵平，秦时封东陵侯。秦亡，为百姓，种瓜于长安城东门外。其瓜有五色，非常好，世称为东陵瓜，因东门又名青绫门，又称青门瓜。

李衡去职家居，每想治家产，妻习氏不许。衡密派十人在龙阳县（今湖南汉寿）洲中建屋，种橘于洲中。临终，告诉儿子说："你母讨厌我经营家产，所以家中这么贫穷。我在氾洲有千头木奴，一年可生产绢千匹，足可供你生活了。"氾洲，在龙阳县湖中，长二十里。宋苏东坡诗"山中奴婢橘千头",就是用此典故。

芳留玉带① 琳卜金瓯②

[注释]

①芳:指李春芳,扬州兴化(今属江苏)人。明嘉靖状元,历任翰林学士、礼部尚书,官至内阁首辅(相当宰相)。②琳:指崔琳,贝州武城(今属山东)人。仕唐玄宗为中书令。参见六麻韵"三戟崔家"。

[解说]

明代李春芳,年少时读书于句容县崇明寺,嘉靖年间考中状元,寄诗给寺内方丈说:"年年山寺听鸣钟,匹马长安忆远公。异日定须留玉带,题诗未可着纱笼。"后果然成为首辅,遂留玉带于寺中,盖楼收藏,名玉带楼。宋苏东坡曾留玉带镇金山寺,佛印报以裙衲,千古韵事,春芳袭取仿之。

唐代崔琳,玄宗想任用为宰相,先写其名,覆于金盆下面。这时太子来到,玄宗对他说:"这里藏的是宰相名字,你以为应当是谁?"太子说:"是崔琳和卢从愿吗?"玄宗说是。当时二人有宰相名望。但玄宗以往任用的宰相各有所长,姚崇能公正,宋璟擅用法,张嘉贞懂吏治,张说善文章,李纮、杜暹爱节俭,韩休、张九龄性耿直,结果崔、卢二人终没被任用。

孙阳识马① 丙吉问牛②

[注释]

①孙阳:春秋时秦国人。一名伯乐。伯乐本天星名,掌管天马。孙阳善识马,故名。②丙吉(?~前55):西汉时鲁(今山东曲阜)人。初为霍光长史,后为御史大夫,汉宣帝时为相。为人宽厚,不扬己善。

[解说]

孙阳善于相马,凡是经他看过的马,立刻身价十倍。有一天他从虞坂地方经过，看见一匹千里马伏在盐车下面，孙阳便停下来去察看，看到千里马被用去拉盐，不由为马的不平遭遇而哭泣起来。千里马于是俯首喷气，昂头而鸣，声闻于天，为伯乐的知己而高兴！

汉宣帝时，宰相丙吉有一次到郊外去，路上看到有人在打架斗殴，产生了死伤，他并没有停车去问。走出郊外，听到路边的牛在喘气，便停下车，派人去问牛主人："赶牛走了几里了？"有人听到这件事，就嘲笑他轻重倒置。丙吉说："不然。百姓打架死伤的事，自有京兆尹去管辖处理。现在天气刚入春还不热，牛就喘气，恐怕天时不正，时气失调，我位列三公，有燮理阴阳的职责，气节不调是有关民生的大事，我怎能不担忧呢？"人们都赞叹他真正懂《礼》。

盖忘苏隙①　聂报严仇②

[注释]

①盖：指盖勋，敦煌安西（今属甘肃）人。出身官宦世家，有战功，东汉灵帝时为讨虏校尉，掌禁兵。后为京兆尹，严惩不法宦党，京师震动。②聂：指聂政，轵（今河南济源东南）人。战国时侠士。

[解说]

梁鹄为州刺史，欲杀从事苏正和，征求盖勋意见。盖勋与苏正和有隙，有人劝盖勋乘机报复，盖勋说："乘人之危，不仁。"因谏梁鹄止之。正和来谢，勋不见，说："我是为梁使君着想，不是为苏郎也。"

严仲子与韩相侠累有仇，听说聂政有勇力，便备了黄金百镒的厚礼，请聂政为他报仇。聂政因有老母在堂，不许。及母死，聂政潜行独剑刺杀侠累，自破面抉目而死。其尸被陈于市上，以求识者。其姐往哭之，说："此是轵里人聂政，我岂能怕死而埋没我兄弟的名声吗?"遂死于尸旁。

公艺百忍① 孙昉四休②

[注释]

①公艺:指张公艺,寿张(今河南范县与山东阳谷一带)人。据史书载,张公艺在北齐、隋、唐三朝俱受表彰。②孙昉:字景初,为士大夫发药不受谢,事见《山谷集》。

[解说]

张公艺,九世同居。唐高宗封泰山还,幸其宅,召见他询问能睦族之道,公艺请用纸笔来对,便连写一百多个"忍"字以进,高宗称善,赐绢百匹。

北宋太医孙昉,自号四休居士。黄山谷问:"是什么意思?"他回答说:"粗茶淡饭饱即休,补破遮寒暖即休,三平二满过即休,不贪不妒老即休。"山谷说:"此安乐法也。"

钱塘驿邸① 燕子楼头②

[注释]

①钱塘:地名。今浙江杭州。②燕子楼:在今徐州市,1985年在云龙公园知春岛上重建。

[解说]

宋代陶谷(见八庚韵"烹茶秀实")出使南唐,寓钱塘驿。南唐大臣韩熙载让妓女秦弱兰冒充驿吏女儿,侍候陶谷,弱兰求词,陶谷为写一首"风光好"词:"好姻缘,恶姻缘,奈何天,只得邮亭一夜眠,别神仙。琵琶拨尽相思调,知音少,再得鸾胶续断弦,是何年?"南唐国主李煜设宴招待陶谷,命歌妓歌唱此词,陶谷大为羞愧,即日北归。

张建封镇守徐州,有宠爱妓女关盼盼,住于燕子楼。建封去世,盼盼誓不他适,有《燕子楼诗》三百首,白居易序之,又作二绝附后云:"满窗明月满楼霜,被冷灯残拂卧床。燕子楼中霜月苦,秋月只为一人长。""今春有客洛阳回,曾到尚书冢上来。见说白杨堪作柱,争教红粉不成灰。"盼盼见诗,绝食十日而死。

十二侵

苏耽橘井① 董奉杏林②

[注释]

①苏耽:传说中仙人,桂阳郴县(今属湖南)人。据《太平广记》所载,为西汉文帝时人。②董奉:三国吴侯官(今福建福州)人,居庐山学道。其事详见葛洪所著《神仙传》。

[解说]

苏耽事母极孝,将成仙去,对母亲说:"明年天下大疫,庭中井水,檐边橘树,可以代药。井中水一升,橘叶一片,可疗一人。"说罢,有白鹤数十降于庭,遂仙去。后果然瘟疫流行,母用其法为人治病,患者皆愈。

董奉在庐山,为人治病不取钱,病大的令种杏五株,轻者一棵。数年成林。杏熟时做一仓储杏,买杏者随器之大小易以谷。奉得谷,尽数散给穷人。

汉宣读令① 夏禹惜阴②

[注释]

①汉宣:指汉宣帝刘询(前91~前49),汉武帝曾孙,曾生活于民间,昭帝无子,被迎立为帝。即位后,重视吏治,平理刑狱,减轻徭赋,汉之经济、文化均有发展。读:解释、宣扬。②夏禹:见四支韵"禹梦玄彝"。

[解说]

汉宣帝时,丞相魏相建议选择通经书、懂天文历法的人才四名,各管一季度的时令,明确他们的职责,顺应自然物理来整治国事。如汉高祖时,令赵尧规划春季,李辞规划夏季,倪阳规划秋季,贡禹规划冬季之类。宣帝听从了他的意见。

夏禹曾说过"人应当惜寸阴"。陶侃在担任荆州刺史时常对人说:"大禹是圣人,尚爱惜一寸光阴。至于我们,更应该爱惜每一分光阴。岂可逸游荒醉,生时无益于时代,死后无闻于后代,这叫自弃。"

蒙恬造笔[1]　太昊制琴[2]

[注释]

[1]蒙恬(?~前210):本齐国人,自其祖父起世代为秦名将。秦统一六国后,蒙恬率三十万大军驻守北边,击退匈奴。后被秦二世迫害,自杀。[2]太昊:亦作太暤、太皓,传说中古代部族首领。一说即伏羲氏。

[解说]

秦代蒙恬作毛笔,以枯木为管,鹿尾为柱,羊毛为被,与现在的兔毫竹管不同。此韩愈所著《毛颖传》一文说法,恐怕有误。许慎《说文》称:"楚称为聿,吴称为不律,燕称为弗,秦称为笔。"按此说法,则各国都有其制作。秦始皇统一六国,秦笔才因而统一了名称。也许蒙恬在原有基础上有所改进吧。《尔雅》以不律为笔,《博物志》又称舜始作笔,则古代早已有笔了。

太昊金天氏,就是伏羲,断桐为琴,绷丝为弦,弦二十七根,音乐随之兴起。陈旸《乐书》则说:"或谓伏羲作,或谓神农作,或谓帝俊使晏龙作。而详言制琴的制度,则是中古以后,不是伏羲最初的制度。"现在琴为七弦:宫、商、角、徵、羽加少宫、少商。

敬微谢馈① 明善辞金②

[注释]

①敬微：即宗测（？~495），字敬微，一字茂深，南阳涅阳（今河南镇平）人，宗炳孙同，隐居江陵。善书画，通音律，精《易》、《老》，朝廷屡召不赴。著有《续高士传》等书。②明善：即元明善（1269~1322），大名清河（今属河北）人。元朝文学家、史学家，官至翰林学士，卒后封清河郡公。

[解说]

南北朝时南齐宗测，性清静淡泊，不喜世俗，欲隐遁名山，带老子、庄子书自随。子孙悲泣送行，测长啸不顾而去，遂居于庐山。鱼复侯萧子响当时任江州刺史，得知宗测来到，备下丰厚的生活用品赠送给宗测，以示欢迎。宗测说："我少年时放荡不羁，寻山采药，来到这里，根据肚皮大小，吃些松籽充饥，根据身材高低，穿些草衣御寒，这对生性恬淡的我来说，已经十分满足了，怎能当得起您这样丰厚的赠予呢！"拒绝了萧子响的馈赠。

元明善曾以副使的身份随一个蒙古族的大使出使交趾，到回国时，交趾国送给丰厚的路费程仪。大使收下他的一份，元明善却不肯收。交趾国王对他说："大使已经收下了，先生为什么要推辞？"元明善说："他所以接受是安定小国的心，我所以拒绝是存大国之体。"

睢阳嚼齿① 金藏披心②

[注释]

①睢阳：本为地名，即今河南商丘。因唐朝张巡镇守睢阳，壮烈牺牲，故后人称张巡为张睢阳，以示尊敬。详见十一真韵"法变张巡"。②金藏：即安金藏，唐长安（今陕西西安）人。初为太常工人，后官至右骁骑将军，爵代国公。

[解说]

唐朝安禄山叛乱时，张巡与许远守睢阳，贼将尹子奇来攻，张巡每战奋力高呼，咬齿皆碎。后巡死，子尹视之，口中牙齿仅剩三四个了。所以苏东坡有文："张睢阳生犹骂贼，嚼齿穿龈；颜平原死不忘君，握拳透爪。"平原，指平原太守颜真卿。

武则天时，有人诬告皇太子谋反，武后让酷吏来俊臣审问工人安金藏。安大声疾呼："太子不反，公若不信，我愿剖心辨明。"说罢用佩刀自剖其腹，五脏皆出。武后急令抬入宫中，敷药救治，过了一夜才苏醒。武后叹息说："我有儿子还不能自明，更不知你有如此忠心。"遂下令停止审问此案，睿宗得以免死。

固言柳汁① 玄德桑荫②

[注释]

①固言：即李固言（？~859），赵郡（今河北赵县）人。唐文宗时为华州刺史，置豪强于法。后为吏部侍郎、同平章事，官至太子太傅。②玄德：即刘备，见十蒸韵"汉纪备存"。

[解说]

李固言未中进士时，从柳树下经过，听到弹指的声音，问："是谁？"回答说："我是柳神九烈君，已用柳汁染你衣服。如果将来获得蓝袍，应当用枣糕来供我。"不久，固言状元及第。

刘备少孤，与母以卖草鞋编苇席为生。家屋东南角有桑树，高五丈余，遥望亭亭如车盖。玄德少时与诸小儿玩耍于树荫下，说："吾必当为天子，而乘此车盖。"

姜桂敦复① 松柏世林②

[注释]

①敦复：即晏敦复（约1071~1141），抚州临川（今属江西）人。宰相晏殊曾孙。少时学于程颐，中进士，为吏部侍郎，代理吏部尚书兼江淮路经制使。立朝论事，无所畏避，曾痛斥主和派秦桧。②世林：即宗承，字世林，南

阳安众（今河南镇平东南）人。曾与曹操相识而薄操之为人，家居不仕。曹丕曾师事之，至丕即位，就家中拜为直谏大夫，明帝时欲以为相，以年老辞。事迹见于《世说新语》刘孝标注文中。

[解说]

宋朝时的晏敦复，最初任左司谏，两个月内便批评驳斥了二十四件事，他这样刚正不阿的作风，使举朝官员都产生了畏惧。秦桧派人向他致意说："先生如果肯委屈一下，那么重要官位旦夕之间就可以到手了。"敦复说："姜和桂的药性，是越老越辣，我岂能为了自身的利益而误国耶！"

东汉末，宗世林和曹操相识，而鄙薄曹的为人，所以不和曹操交往。后来曹操当了司空，总理朝政，以为自己官做大了，世林的态度会有变化，得意洋洋地问世林说："现在我们可以交朋友了吧？"世林回答说："松柏高洁之志永远不会改变。"

杜预左癖① 刘峻书淫②

[注释]

①杜预（222~284）：京兆杜陵（今陕西西安北）人。西晋初任征南大将军，镇守荆州，率军平吴。又晓律历，擅文章，有著作多种。②刘峻（458~521）：字孝标，平原（今属山东）人。家贫好学，南齐时为刑狱参军，梁时任户部参军，因病归，聚徒讲学。

[解说]

杜预勤奋好学，沉湎于经籍之中，编著了《春秋左氏经传集解》一书。又参考诸家所著有关春秋的著述，完成《春秋释例》、《春秋长历》等书，被后人视为注解《春秋左传》的经典著述。当时有个王济很爱马，又会相马，又有个和峤很能聚敛钱财。杜预常说王济有马癖，和峤有钱癖。这话被晋武帝听到了，便问杜预有什么癖好？杜预回答说："臣有《左传》癖。"

刘峻年轻时读书十分刻苦，常用麻编扎成火炬来照明，读书通宵达旦。有时瞌睡，火烧了头发，醒来后照旧读书不停。凡听说有罕见之书，一定要去商量借阅，所以当时著名的藏书家见刘峻如饥似渴地来借书看，就称刘峻为"书淫"。梁朝末期，刘峻隐居金华山，著《山栖志》，又校注《世说新语》，被认为是前无古人的杰出注本。

钟会窃剑[1]　不疑盗金[2]

[注释]

①钟会：见四支韵"毓会窃饮"。②不疑：即隽不疑，渤海（今河北沧州）人。汉景帝时，官御史大夫，封塞侯。后为京兆尹，严而不酷，有威望于吏民中。

[解说]

钟会是侍中荀勖母亲的侄子，但与荀勖关系不融洽。荀勖有一把价值百万的宝剑，由他母亲钟夫人收藏。钟会想得到这把宝剑，因擅长书法，便模仿荀勖的笔迹写了一封信找钟夫人取剑，遂窃去不还。荀勖要不回宝剑，常想报复。正好钟氏兄弟花了千万钱盖了一座新住宅，十分精美，还没搬进去住。荀勖善画，便偷偷到宅中，在大堂中间画了二钟父亲太傅钟繇的像，衣冠相貌栩栩如生。二钟来后见到像，大为感恸，宅遂空废。

隽不疑为小吏员时，与人同住一室。有一人请假回乡，误拿了另一同室人存有黄金的口袋。金主怀疑是同室的不疑偷走，便找不疑理论，不疑不想争辩，买黄金还给失主。后来拿错包的人来还金，丢金的人大惭。不疑因此事被人称为忠厚长者。

桓伊弄笛[1]　子昂碎琴[2]

[注释]

①桓伊：东晋时铚（今安徽宿州西南）人。性谦和，有武艺，多才干，

擅音乐,历淮南太守、江州刺史等职,授建威将军。②子昂:即陈子昂(656~695),梓州射洪(今属四川)人。唐代诗人。曾任麟台正字,直言敢谏。后为右卫参军。被迫害下狱,忧死。

[解说]

晋朝桓伊,善音乐,为江东第一。得蔡邕柯亭笛,常自吹之。有一次王徽之坐船泊于渡口,闻桓伊名而不相识,恰好桓伊车从岸上过,王徽之得知,派人请他说:"闻君善吹笛,请为一奏。"桓伊当时已做高官,也知晓王徽之的名声,便下车坐交椅上,为王吹笛三曲,吹罢上车而去,主客一句话也未说。

陈子昂初到京师,默默无名。有个卖胡琴的卖一琴,价百万。京师富豪显贵传看这琴,不知真假好坏,无人敢买。陈子昂买了下来,大家惊问。陈子昂说:"我善长这乐,如愿听者明天早晨可至宣阳里。"众人届时齐集,陈子昂笑说:"蜀人陈子昂,写有文章百轴,碌碌尘土,不为人知。演奏乐曲是贱工所为,不足我留心。"说毕,举琴摔得粉碎,将自己的诗文稿遍赠大家,遂在一天之内名震京师。

琴张礼意① 苏轼文心②

[注释]

①琴张:即琴牢,字子张,又字子开,春秋时卫国人,孔子弟子。②苏轼:见十灰韵"苏轼奇才"。

[解说]

琴牢和子桑户、孟之反三人是好友。不久子桑户死了,孔子派子贡去帮助办理丧事。琴牢和孟之反二人在那里抚琴歌唱说:"哎呀桑户啊,哎呀桑户啊!您已经返本归真了,而我们尚在人间啊!"子贡走到跟前说:"你们这样对着死人唱歌,这合乎礼仪吗?"二人相视而笑,对子贡说:"你哪里知道礼的真意?"子贡回去对孔子说了这事。孔子说:"他们是游于尘世以外的人,而我则是游于尘世以内的人,派你去吊唁,这是我的浅陋。"

宋朝苏轼的文章光芒万丈,雄视百代。他曾对书画家刘季孙说:"我生平没有什么值得快意的事,唯有作文,意之所到,则笔力曲折,无不尽意,自以为世上乐事,没有比这更好的了。"

公权隐谏[1]　蕴古详箴[2]

[注释]

[1]公权:即柳公权(778~865),京兆华原(今陕西耀县东南)人。唐代著名书法家。官至太子少师。[2]蕴古:即张蕴古,相州洹水(今河北临漳东南)人,唐太宗时任大理寺丞。

[解说]

唐穆宗见到柳公权的书法,十分喜爱,便提升他为右拾遗、侍书学士。穆宗问他字为什么写得那么好,公权回答说:"用笔在心,心正则笔正,笔正则一切才可合乎法则。"当时穆宗比较荒纵,所以公权才这样说。穆宗默然改容,领悟到柳公权是借此来劝谏。

张蕴古在唐高祖武德末年写了一篇《大宝箴》进献给皇帝,其大略意思是:"圣人承天命来拯救时世,所以君王以一人而治理天下,不是以天下去奉养一个人。在壮丽的九重宫殿里,容纳一个人不过用一小块地方就够了,可是昏庸无知的人,还要造瑶台、盖琼楼,不停地扩大建筑。陈列八珍百味于前,供人吃饱的不过很少的一部分,而狂妄糊涂的人,还想着要营造酒池肉林。圣人不受影响详察清浊明暗,虽有冕旒遮目也能看到无形之物,虽有丝麻塞耳也能听到无声之音。"

广平作赋[1]　何逊行吟[2]

[注释]

[1]广平:即宋璟(663~737),字广平,邢州南和(今属河北)人。唐

睿宗、玄宗时两度为相,能革前弊,选人才,宽赋役,省刑罚。②何逊:郯(今山东郯城)人。南朝梁时曾充庐陵王、建安王记室,有文名,与刘孝绰并称"何刘"。

[解说]

宋璟有文集行世。皮日休作序云:"广平为相,贞资劲质,刚态异状。疑其铁石心肠,不解吐婉媚辞。睹其文有《梅花赋》,清新富艳,得南朝徐庾体,殊不类其为人。"

南北朝何逊,仕梁为扬州法曹。公署内有梅一棵,何逊常吟咏其下。后居洛阳,思梅花不得,因请再任扬州。再到扬州日,正梅花盛开,乃招扬州名士于东阁赏花,尽醉而散。

荆山泣玉① 梦穴唾金②

[注释]

①荆山:在今湖北省。卞和抱璞处,《太平寰宇记》、《舆地纪胜》、《湖广通志》等书说法不一。②梦穴唾金:此传说见于南朝梁任昉《述异记》。

[解说]

楚国人卞和在荆山得到一块璞玉,献给楚王,楚王以为不是玉,将卞和以诈骗罪砍去左脚。后又献给楚武王,又以为诈,再砍去右脚。楚文王即位,卞和又抱璞痛哭而献,说:"臣不是悲脚被砍去,是因宝玉误当成石,忠心的人被当成诈,才为之哭泣。"文王让玉工琢之,果然得到玉璧。这玉被后人称为"和氏璧",雕为传国玉玺。

南康雩都县西,沿江有个石洞,被称为梦口穴。传说有个船家,遇到一个人穿一身黄衣,担了两笼黄瓜,要求搭船。船过石穴,那人吐唾盘上,下船进入石中。船家初为其乱吐而愤怒,后见其入石,始觉神异,看他所唾之物,都是黄金。

孟嘉落帽① 宋玉披襟②

[注释]

①孟嘉：东晋时江夏鄂（今湖北武汉）人。少有盛名，擅文章。太尉庾亮兼江州刺史，聘为从事，后为大将军桓温参军。②宋玉：见十一尤韵"宋玉悲秋"。

[解说]

桓温于重阳宴客于龙山，属下官佐都要穿戎装。大风吹落孟嘉帽子，孟嘉没有察觉。停了一会儿，孟嘉上厕所，桓温让孙盛写一文嘲笑他，将文放在孟嘉座位上。孟嘉回来看了短文，便请笔作答，文辞卓越不凡，四座传阅，赞叹不绝。

楚襄王在兰台宫中游玩，宋玉和景差在一旁陪侍。忽然一阵凉风刮来，襄王敞开衣襟迎受凉风，高兴地说："快哉此风，是寡人和百姓的享受！"宋玉说："这是大王风，庶民百姓焉能有这样的享受？风吹进深宫，经过洞房，清清泠泠，愈病解酒，聪明耳目，宁休安神，这就是大王的雄风。塕然起于穷巷之间，动沙块，吹死灰，殴温致湿，生病造热，这是百姓的雌风。"

沫经三败① 获被七擒②

[注释]

①沫：即曹沫，春秋时鲁国武士，即曹刿（guì）。②获：指孟获，建宁（今云南曲靖）人。三国时西南彝族首领，后任蜀汉御史中丞。

[解说]

鲁国人曹沫，以勇力事庄公。齐桓公伐鲁，鲁兵一连三次被打败，鲁庄公请求献地讲和，齐国才退兵。两国国君会盟于柯（今山东阳谷东），曹沫手持匕首劫齐桓公于坛上，让他返还鲁国被占的土地。齐桓公应允，曹沫才将他放开。齐国归还了鲁国三败被占的国土，诸侯认为齐国讲信用，都来归附。

三国时，诸葛亮讨伐孟获，马谡送行。对诸葛亮说："用兵之道，攻心为上，愿公伏其心。"诸葛亮到南中，收孟获。七纵七擒，诸葛亮还打算放他，孟获不肯离开，说："公，天威也，南人不复反矣。"于是悉收获等为蜀汉官属。

易牙调味① 钟子聆音②

[注释]

①易牙：名巫，雍人，故又称雍，春秋时齐桓公所宠侍臣。管仲死后，他与竖刁、开方共同专权。桓公死后，诸子争立，他与竖刁杀害群吏，立公子无亏，太子昭奔宋，齐国大乱。②钟子：指钟子期，楚国人，精音律，尝夜闻磬声而知击磬人心悲。

[解说]

易牙善调味，能辨淄、渑水质之不同。竖刁荐于齐桓公，桓公说："子善调味乎？吾已尝天下种种异味，唯没吃过蒸婴儿之味。"易牙遂将自己幼子杀掉蒸熟，献给桓公食用。遂有宠于桓公。

俞伯牙学于成连先生，善鼓琴，世无知音，唯钟子期知之。伯牙琴声志在高山，子期便说："巍巍乎若泰山。"琴声志在流水，子期说："荡荡乎若流水。"子期死，世无知音，伯牙遂碎琴绝弦，终身不再弹琴。

令狐冰语① 司马琴心②

[注释]

①令狐：指令狐策，晋时孝廉，梦立冰上，而为人做媒。后人因此故事，称媒人亦称作"冰人"。②司马：指司马相如，见四支韵"司马淹迟"。

[解说]

晋令狐策梦见自己站在冰上，和冰下面的人说话。去问占卜家索统，索为他解梦说："冰上为阳，冰下为阴。阳对阴说话，是有士人要求妻，将要请你做媒人了。"果然不久，太守田豹托令狐策去求张公徵的女儿为子妇。说媒成功，于仲春举行了婚礼。

司马相如外出求官，事不如意，经过临邛，因与临邛县令王吉是好友，遂暂住下。当地富商卓王孙设宴招待相如、王吉。酒酣，王吉请相如鼓琴自娱。卓王孙有女卓文君新寡，好音乐，故相如弹一曲《凤求凰》以挑之。文君心悦而爱之，遂夜奔相如寓所，相如遂携文君回成都，开一酒馆，文君当垆，司马卖酒。

灭明毁璧[①] 庞蕴投金[②]

[注释]

①灭明：即澹台灭明，字子羽，鲁国费（今山东鱼台西南）人。孔子弟子。②庞蕴：衡阳（今属湖南）人，唐宪宗元和年间北游襄阳，遂定居。举家修道，人称为庞居士。

[解说]

澹台灭明带了价值千金的玉璧过河，河神想得到玉璧，便掀起巨浪，并有两只蛟夹持船左右。灭明仗剑立于船头高呼说："可以义求，而不可以威劫！"遂左手执璧，右手仗剑，斩杀两蛟。蛟死波平，灭明投璧于河，河神不敢受，投三次跳出三次，灭明遂毁璧而去。

唐朝庞蕴，在家修道，曾造铁船，将家财金帛尽数载之，沉于海中。人问其故，回答说："历劫以来，为布施所累，如今沉之，以便修道。"

左思三赋[①] 程颐四箴[②]

[注释]

①左思（约250～约305）：字太冲，齐国临淄（今山东淄博）人。西晋文学家。出身贫寒，不好交游。著《三都赋》，又有《咏史》诗八首，为其代

表作。原有文集,已散佚,后人辑有《左太冲集》。②程颐:见四支韵"伊川传易"。

[解说]

左思构思十年,作魏、蜀、吴《三都赋》,赋成,时人并不重视。西晋大臣、学者张华对他说:"你的文章尚不为时人所重,应当请教于高明人士。"于是左思遂携赋往见皇甫谧,皇甫谧极为称赞,并为他写了序言。于是一夜之间,左思声名鹊起,原来瞧不起他的人也改而痛赞,都中人士争相传抄《三都赋》,一时洛阳纸价大涨。

程颐根据《论语》中孔子说的"非礼勿视,非礼勿听,非礼勿言,非礼勿动"作"视、听、言、动"《四箴》以自誓。朱熹认为讲得好,学者应认真玩味,身体力行,不可丢失。(《四箴》文长不转录)

十三覃

陶母截发① 姜后脱簪②

[注释]

①陶母:姓湛,新淦(今江西樟树)人。嫁吴扬武将军陶丹为妾,生侃。陶丹早故,家贫甚,湛氏与子陶侃相依为命。晋朝建立,侃为县吏,监管鱼梁城水产市场。有人送咸鱼一篓,陶侃托人送回家敬母。湛氏封篓退回,并写信痛斥陶侃。在陶母严格教育下,陶侃严操守,终成一代名臣。②姜后:齐国女,佐周宣王中兴。事见汉刘向所著《古列女传》。《诗经·小雅·庭燎》就是赞美周宣王早朝之诗。

[解说]

晋陶侃,家贫甚,一天孝廉范逵来访,正逢天降大雪,侃母湛氏乃抽去床上的稻草卧垫，剪短以喂范逵坐马，又剪去自己长发，让陶侃换酒待客。范逵得知后叹息说："非有这样的母亲不能有这样的儿子。"因荐陶侃为孝廉。后陶侃以平王敦、苏峻叛乱有功，拜太尉，封长沙郡公。

周宣王常起床很晚，姜王后遂卸去首饰、脱下礼服，到宫中监禁嫔妃的地方永巷中待罪，并派自己的贴身保姆向宣王报告说："妾不成材，使君王好色而忘德，失掉礼仪，常常晏起，以至产生祸乱，根源在我身上，特请求罪罚。"宣王说："寡人道德不足，这是我的过错，不是夫人的罪过。"自此以后勤于政事，早起晚退，终于使周朝得到中兴。

达摩面壁① 弥勒同龛②

[注释]

①达摩：亦作达磨。印度南天竺王子，出家为僧，南朝时来中国，后居于嵩山少林寺，被尊为禅宗初祖。②弥勒：佛名。龛：供奉佛像的楼阁状小盒。与弥勒同龛是对和尚的誉词。

[解说]

达摩大师是天竺（即印度）人，泛海到广州，梁武帝把他迎到金陵，谈佛理不谐，达摩遂渡长江北上，止于少林寺，面壁而坐，终日默然，历九年，传法给慧可。圆寂于千圣寺，葬熊耳山。

宋太宗淳化年间所刻法帖，名《淳化阁帖》。内收唐代书法家褚遂良书信一封云："法师道体安居，深以为慰耳。复闻久弃尘滓，与弥勒同龛，一食清斋，六时禅诵，得果以来，将无退转也。"

龙逄极谏① 王衍清谈②

[注释]

①龙逄：即关龙逄，夏末大臣。夏桀暴虐荒淫，龙逄多次直谏，被桀囚

禁后处死。②王衍（256~311）：字夷甫，琅邪临沂（今属山东）人。初为太子舍人，官至司徒、司空。八王之乱投靠东海王司马越，在撤往江南途中被石勒军包围，被杀。衍精老、庄之学，善谈玄，常清谈竟日不倦，人称"一世龙门"。

[解说]

夏桀暴虐，瞿山地裂及泉，桀使人凿之，称敢谏者死。关龙逢曰："人君节用爱人，今君用财若无穷，杀人若不胜，民心已去，天命不佑，何不悔改一下呢？"桀怒，遂囚龙逢杀之。汤使人往哭之，桀乃囚汤于夏台，久之始获释。

王衍，晋惠帝时为尚书令，善谈《老》、《庄》，世号"口中雌黄"。初为元城令，终日清谈，县事亦理。尝手执玉柄麈尾，与手同色。山涛见之，嗟叹良久，说："何物老妪，生此宁馨儿。"

青威漠北①　彬下江南②

[注释]

①青：指卫青（？~前106），河东平阳（今山西临汾西南）人。西汉名将。本平阳公主家奴，因姐卫子夫被汉武帝立为皇后，始得重用。曾七次出征匈奴，战功赫赫，官至大将军，长平侯。②彬：指曹彬，见六鱼韵"国华取印"。

[解说]

汉朝卫青，武帝朝拜大中大夫，出击匈奴，立大功，威震漠北，待士卒以恩，遇士大夫以礼。封长平侯。

宋朝曹彬奉太祖命下江南平南唐。彬缓师不急攻，希南唐主李煜来降。金陵城将克，曹彬忽称病。诸将前来问疾，彬说："余疾非药能治好，唯有诸位能诚心立誓，城破之后不妄杀一人，则我病自愈。"诸将应允，焚香立誓。明日城遂攻陷，李煜到军营投降，彬待之以宾礼。

遐福郭令① 上寿童参②

[注释]

①郭：指郭子仪（697~781），华州郑县（今陕西华县）人。唐朝大将。武举出身，安禄山叛乱时，为节度使，率兵平叛，收复长安与洛阳，因功升中书令，又封汾阳郡王。德宗即位，尊为尚父，罢兵权。②童参：宋朝瓯宁（今福建建瓯）人。

[解说]

郭子仪从军于沙漠。七夕的夜晚，他看见天空中红光灿灿，出现一辆挂着帷幕的马车，有个美女坐在车中，自天而降。郭子仪认为是织女，便遥遥拜祝请求指示。仙女笑着说："大富贵，亦寿考。"说罢，云车冉冉而去。郭子仪后为中书令，主持官员年考二十四次。家中佣人达三千人，原来的部下很多已贵为王公，他还毫不客气地指使他们办事。八子七婿都是高官，孙子辈有几十人，他也认不清。

宋朝的童参，性淳朴，隐于农耕。宋仁宗时，已一百零三岁，朝廷赐敕慰劳，次年去世。

郗愔启箧① 殷羡投函②

[注释]

①郗愔（yīn）：见七虞韵"郗氏文奴"。②殷羡：字洪乔，晋陈州长平（今河南西华东北）人。初为陶侃长史，后任豫章太守。

[解说]

郗愔的儿子郗超是桓温的心腹吏员，桓温从外地进京来朝见皇帝，大臣谢安和王坦之到桓温在京的住宅看望桓温，桓温让郗超躺到帐子里，窃听客人说话。风把帐子吹开，谢安看到郗超，笑着说："郗生这次真成了入幕之宾！"郗超病重将死，拿一小箱子交给门生说："我死以后，我父如果哀伤，可把这个箱子呈给他。"郗超死后,他父亲果然很伤心,门生便把箱子交上去。郗愔打开箱子看时,里面全是超与桓温来往的阴谋密信,郗愔大怒,连说:"死晚了!"便不再悲哀。

晋朝殷羡,被任命为豫章太守,就要到南昌去上任,京都人士托他捎的信有一百多封。他走到石头渚,便把这些信统统扔到水中,说:"沉者自沉,浮者自浮。殷洪乔是不能给人做邮送书信的人。"故石头渚又被称为投书渚。

禹偁敏瞻① 鲁直沉酣②

[注释]

①禹偁:即王禹偁(954~1001),济州钜野(今山东巨野)人,宋代诗人。官翰林学士,曾三次被贬。著有《小畜集》二十卷。②鲁直:即黄庭坚。见四支韵"鲁直彩缸"。

[解说]

王禹偁九岁能文,甚敏瞻,父以磨面为生。毕士安为州守,禹偁代父去送面,士安正命子侄辈学对句,出联说:"鹦鹉能言争似凤。"禹偁从一旁应声说:"蜘蛛虽巧不如蚕。"士安赞叹说:"你满腹文章,必当有名于世。"

黄庭坚,字鲁直,沉酣经史,文与苏轼齐名。尝云:"士大夫三日不读书,则礼义不交于胸中,对镜觉面目可憎,向人则语言无味。"

师徒布算① 姑妇手谈②

[注释]

①师徒布算:故事源于《旧唐书》卷一九一《方伎》。僧一行(673~727),俗家名张遂,巨鹿(今属河北)人,一说南乐(今属河南)人。精天文历法。制定《大衍历》等。②姑妇:婆媳。姑,丈夫的母亲,婆婆。妇,

指儿媳。手谈：围棋的别称。

[解说]

唐朝僧人一行为了求师，到了天台山国清寺，见一个院落里有古松十余棵，门前有流水。一行站在门屏之间，听到院内僧人在布算，向他的徒弟说："今天应当有弟子远来，要求我的算法，已该到门了。"随即又算了一下说："门前水当西流，弟子亦到。"一行乘其言而走进去，行礼请法。

王积薪，唐玄宗时为棋待诏，著名围棋国手。随唐玄宗入蜀时，在一条小溪旁边的农家寄宿。这家只存婆媳二人，夜晚王积薪听到隔壁婆媳在下盲棋，既无灯烛，亦无棋子，全靠口头对谈。过了一会儿，听见婆婆说："你已败了，我只胜了九个子。"第二天早上起来，王积薪便去向她们请教。那老妇人对儿媳说："这个人只可以教给他平常下法。"于是儿媳便指示王积薪一些攻防方法。自此以后王积薪围棋遂精妙绝伦，成为当时国内第一高手。

十四盐

风仪李揆[①]　骨相吕岩[②]

[注释]

①李揆（711~784）：陇西成纪（今甘肃秦安西北）人。官至礼部尚书同平章事。②吕岩：又作吕嵒，字洞宾。见十四寒韵"吕祖邯郸"。

[解说]

李揆，美风仪，善奏对，乾元中同平章事。唐肃宗对他说："卿门第、人物、文章当世第一。"故时有头头第一的说法。德宗朝，宰相卢杞很讨厌他，让他出使吐蕃，既至，诸酋长说："闻听中原有第一人李揆，公是否就是？"李揆害怕被留下，便扯谎说：

"那个李揆怎肯来这里?"回来路上,死于凤翔。

吕岩,字洞宾,出生于唐玄宗天宝年间,相貌像汉朝张良。在他还是婴儿时,高僧马祖见到他,说:"这小孩骨相不凡,将来遇庐就住下,见钟就叩头,一定要留心牢记。"后来他游玩到庐山,遇到钟离真人,得授天仙剑法,号纯阳子成仙而去。

魏牟尺缯① 裴度千缣②

[注释]

①魏牟:本为魏国公子,后隐居山谷间。庄子说他由前呼后拥的大国公子而去隐居于深山穴洞,这比一般百姓去隐居要难得多。魏牟有学识,哲学家公孙龙子曾请教于他。②裴度:唐大臣,见八齐韵"裴度还犀"。

[解说]

魏牟去见赵王,赵王正在让一个工匠给他制帽子,见魏牟来了,便问他应怎样治理国家。魏牟说:"大王如果能真诚地重视治国,就像重视这二尺丝绸用以治帽一样,则国家就治理好了。"赵王说:"国家社稷是十分重要的,却将它比作尺把丝绸,这是为什么?"魏牟回答说:"大王制作帽子,不让自己身边亲信去做,而去找能工巧匠来做,这是怕亲信不会做,而将帽子做坏。如今大王治国不去任用能人良士,而是依靠几个不懂治国之道的亲信去治理,这不是把国家看得比丝绸还轻吗?"赵王无法回答。

唐朝的皇甫湜善作文,与李翱、张籍齐名,后裴度聘请他任判官。后裴度要修建福先寺,求他写篇碑文,给的车马绸缎报酬很丰厚。皇甫湜大怒说:"自从我为《顾况集》写了一篇序言以后,再没答应过给别人写东西。现在写的碑文共三千字,一个字应是三匹丝绸,如今给的报酬太少,是瞧不起我!"裴度听到后笑了,说:"不羁之才也。"便补足了报酬。

孺子磨镜[①]　骑士织帘[②]

[注释]

①孺子：即徐稚，字孺子，南昌人。东汉末隐士，自耕而食，不受征召。郭林宗称他为"南州高士"。②骑士：即沈骑士，吴兴武康（今浙江德清）人。南朝宋、齐间隐士，聚徒讲学，注释经书多种。

[解说]

徐稚隐居不仕，但对曾举荐过他的人，均记忆不忘。江夏黄琼曾举荐过徐稚，黄琼去世，徐稚想去参加葬礼，但缺路费，遂置办磨镜器具带着，一路上为人磨镜，用其收入作为路费，得以前往。徐稚先后被多位名公荐举，他虽谢绝不往，但其去世，徐稚必往吊唁，即使远在万里，也必带只鸡絮酒往奠。祭毕即回，不见丧主。

沈骑士家贫，织帘贩卖以资读书，常口手并用不停，乡人称之为织帘先生。后隐余杭山中，从游生徒达数百人。

华歆逃难[①]　叔子避嫌[②]

[注释]

①华歆（157~231）：高唐（今山东禹城）人。三国时仕魏，历任尚书令、司徒、太尉等职。持身俭素，家无余财。谥敬侯。②叔子：即颜叔子，春秋时鲁国人，事迹见于《毛诗注疏》。《山东通志》称曲阜有颜叔子墓。

[解说]

三国时华歆和王朗一同乘船避难，有一男子要求附船，华歆有点为难，王朗说："幸好船上还有空地，为什么不行？"便让那人上了船。后来贼兵追来，王朗又想抛下那个搭船的人。华歆说："人所以要求搭船，正是为了避贼。我们既然接受了他，岂可在危急时又把他丢下不管？"遂带之如初。

颜叔子独居一室，夜里下大雨，隔壁一寡妇家房子塌了，那女人跑到叔子家避雨。叔子一直拿着蜡烛照明，蜡烛烧完，又烧火照亮,直到天明。其避嫌疑就是这样认真,这和鲁男子拒邻妇进门的故事可相媲美。

盗知李涉[①] 夏拒仲淹[②]

[注释]

①李涉:洛阳人。自号青溪子,唐代诗人。青年时与弟渤隐居庐山,唐宪宗时任太子通事舍人,遭贬职。文宗时为太学博士,不久又被流放康州(今广东德庆)。②仲淹:即范仲淹,见八庚韵"仲淹复姓"。

[解说]

李涉乘船过九江皖口,半夜遇盗抢劫。得知船上是李涉,盗首便说:"既是李博士,不用掠夺。久闻诗名,愿题一篇就足够了。"李涉欣然写了一首:"暮雨潇潇江上村,绿林豪客夜知闻。他时不用藏名姓,世上如今半是君。"盗贼很高兴,送李涉酒肉,再拜称谢。

宋朝范仲淹镇守延安,西夏人互相告诫说:"不要去打延安的主意,小范老子胸中有数万甲兵,不像大范老子那样好欺负。"大范指范雍,也曾镇守延安。

尾生岂信[①] 仲子非廉[②]

[注释]

①尾生:名高,春秋时鲁国人。一说即微生高。事见《史记·苏秦列传》。②仲子:即陈仲子,见八庚韵"灌园陈定"。

[解说]

尾生与一个女子约,在桥下相会,那女子届时没来,而河水暴涨,尾生想守信用,抱着桥柱不肯离开,遂被溺死。

明朝进士王象春,字仲木,他评论说:陈仲子与齐君同姓,他对族人争权篡位非常愤怒,而避开兄长离开母亲,逃到国外去隐居。赵威后接见齐国使臣时,说到陈仲子的为人,说他上不能做忠于国家的臣子,下不能治理好他的家族,中又不能结好诸侯,这种人对国家和百姓没有一点用处,为什么至今不把他杀掉呢?晋朝的桓温读《高士传》到陈仲子那篇,便把书扔了说:"谁能像他这样刻薄。"陈仲子实在不能算廉洁。

由餐藜藿[①] 鬲贩鱼盐[②]

[注释]

①由:即仲由,字子路,孔子弟子,鲁国卞(今山东泗水东)人。②鬲(gé):即胶鬲,殷商时人,初隐居商地。后周文王推荐他给殷纣王做大臣。其贤能为文王、纣王、武王所重。

[解说]

仲由年少时,家境非常贫穷,但很孝顺,自己吃野菜充饥,跑上一百里路去找米,背回来供父母吃。后来到楚国做官,随从车马上百,家里存粮几万担,坐处铺着厚厚的褥子,吃饭时摆着一排盛有各种美食的鼎。可是这时他父母都已过世,常常感慨地说:"我愿意仍然过着吃野菜的日子,而为父母背米吃,可是那种日子已经无法回来了。"孔子说:"仲由可谓父母生前能尽力侍奉,父母去后能时时处处怀念不忘。"

胶鬲是殷商末年的一位贤士,以贩卖鱼盐为生,周文王发现他是个人才,便推荐给纣王。到后来周武王伐纣,纣王让胶鬲去探听武王军队的动向,胶鬲在河口等到了武王,问武王领兵去哪里,武王说要到殷国都去。又问何时到,武王说:"甲子日到。你可按这日期向纣王报告去吧。"路上忽然下起大雨,日夜不停,武王仍然指挥军队在雨中快速前进。他说:"这是去救胶鬲,如甲子日不到,纣王会以为胶鬲报告不实,一定要杀死他。"终于在甲子日到达殷郊,殷兵已列阵等待。双方大战,武王得胜,遂灭掉殷。

五湖范蠡①　三径陶潜②

[注释]

①范蠡：楚国宛（今河南南阳西南）人。越王勾践主要谋士，在帮助勾践灭吴复国后，弃官浮海，改名鸱夷子皮。后来又迁居于陶，经商致富，称陶朱公。②陶潜：即陶渊明，见十灰韵"渊明赏菊"。

[解说]

范蠡帮助勾践灭掉吴国，勾践打算分给范蠡一部分国土，范蠡不受。携了西施泛舟于五湖，后来过海到齐国，变姓名，自号鸱夷子皮。当了几天齐相后又辞去，住于陶地，又经商积资巨万。越王勾践求他不得，便用好金子为他铸像，朝夕礼拜。

陶潜弃官回家，作《归去来辞》，其中有"三径就荒"的句子。这是形容陶潜在柴桑的旧居，因长期无人住，蓬蒿野草生得掩盖了路径，仿佛东汉时隐士张仲蔚杜门不出，三径蓬蒿过人高。

徐邈通介①　崔郾宽严②

[注释]

①徐邈（172~249）：燕国蓟（今北京）人。东汉末曾为曹操丞相府掾，后为陇西等地太守，魏明帝时为凉州刺史，官至司空。②崔郾（768~836）：清河武城（今属山东）人。唐敬宗时为中书舍人，后以礼部侍郎出为虢州观察使，又转鄂州、浙西等地观察使、检校礼部尚书。政宽事简，积财宁人。

[解说]

徐邈仕魏有威望。有人提出徐邈在曹操时被人公认为是平和通达的人，而自他从凉州刺史任上回京，又被人们认为行为独特不群，是为什么？吏部尚书卢钦说："以前毛玠、崔琰管事时，看重清寒朴素的人，使很多人更变了自己的服装和车，去博取好名声，而徐公不改其常，所以人们觉得他很通达。后来社会风气变了，追求奢靡，而徐公淡泊自如，不随波逐流，所以人又觉得他怪异独特。"

崔郾在治理虢州时，政宽事简，一月不处罚一人。到鄂州以后，变为严格执法，不宽恕任何人。有人问他："这是为什么？"他说："陕地土瘠民贫，安抚他们很容易。鄂州土地肥沃，民风剽悍，非威不能制，为政应知变通。"

易操守剑① 归罪遗缣②

[注释]

①此条故事源于《后汉书·王烈传》。王烈（141~219），字彦方，太原人。东汉末隐士，少年时师事陈寔，品德高尚，以孝义闻名于时。因董卓之乱避入辽东，深受辽东太守公孙度尊敬，曹操几次征召，不就。②归罪：自首，认罪悔过。此条故事源于《后汉书·陈寔传》。陈寔（104~187），颍川许（今河南许昌）人，东汉学者，历任闻喜长、太丘长。党锢祸起，自请入狱。党禁解，隐居不受征召，在士大夫中有盛名。

[解说]

王烈乡里有偷牛的人，被牛主抓获送官。盗牛者说："愿甘受刑罚，但不要让王彦方知道我偷牛的事。"王烈闻知这话后说："他不愿让我知道，说明他还有知耻之心，当能改过。"便派人去向偷牛人称谢，并送他布一匹。后来有位老人丢了一把剑在路上，有个过路的人见了，便守候在这里，等失主来寻，把剑还给了他。这个守剑的人，便是过去的偷牛人。在王烈的影响下，他已改易操行，成为一个品德良好的人。

陈寔为人公正坦率，所以乡里百姓有什么纠纷，都喜欢找陈寔来调解判正。乡里流行有"宁为刑罚所加，不为陈君所短"的俗语。有一次陈寔夜间读书，有个小偷进来躲在梁上，陈寔故意装作不知，而把子弟们叫来，对他们说："人不可不懂得自勉，做坏事的人，未必天生就是恶人，是环境和习惯改变了他的人性，这个梁上君子就是这样。"小偷听后惊慌下地，行礼认罪。陈寔说："大概是因贫穷才偷东西。"便给他两匹绢，让他走了。

十五咸

深情子野① 神识阮咸②

[注释]

①子野：即桓伊，字叔夏，小字子野。见十二侵"桓伊弄笛"。②阮咸：见十三元"阮咸曝裈"。

[解说]

桓伊小名野王，或称子野。擅长音乐，歌唱和器乐技巧都绝妙，一时之间没有人能比得上他。每当他听到歌唱，都要认真聆听，想着歌唱得怎么样。谢安说："子野可谓对音乐一往情深。"有一次孝武帝宴会群臣，桓伊让乐工吹笛，他自己抚筝高歌曹植的《怨诗》："为君既不易，为臣良独难。忠信事不显，乃有见疑患。"当时谢安正被人诬陷，闻听此歌不禁泪下，快步越过席位走到桓伊跟前，捋着他的胡须说："使君音乐之道真个不凡啊！"

晋尚书令荀勖于政务之暇，喜欢研究音律，校正乐曲。每当演奏，阮咸一定会说律调有差误。荀勖因此很不高兴，遂将阮咸调出去任始平太守。后来有个农夫在耕田时挖出一支周代玉尺，荀勖用它来校正自己所制乐器，发现都短一黍，这才钦服阮咸的神识。

唐朝的元澹得到一件从古墓里出土的铜器，形似琵琶，声正圆。元澹说："这是阮咸所造的乐器。"命工匠进行修理，加上木弦，演奏起来，声音清越。这种乐器遂被称作阮咸。

公孙白纻① 司马青衫②

[注释]

①公孙：指公孙侨（？~前522），字子产，春秋时郑国政治家，贵族出身。先为卿，后为郑相，秉国政达四十年，改革内政，发展农业，不毁乡校，倾听国人意见，铸刑鼎公布法律，郑国大治。孔子称他为古之遗爱者。②司马：指白居易，见十一真韵"香山诗价"。

[解说]

吴国派使臣季札到鲁国访问，告诉立王储的事，此后又访问了齐、郑、晋等国。在郑国见到了子产，二人好像老相识一样。季札送给子产一条丝织的腰带，子产回赠一件苎麻上衣。这是因为吴地贵丝，郑地贵麻，所以各献自己所贵，表示损己而不贪对方之利。

唐朝时白居易被贬为江州司马，他非常高兴地说："早就向往庐山了，如今得以来到这青山绿水的地方，做风月主人，真是幸运之极。"一天夜里他送客人到江边渡口，听到邻舟有琵琶声，问知是一个长安老妓女，因为她作了一首《琵琶行》长诗，其末句是："凄凄不似向前声，满座重闻皆掩泣。座中泣下谁最多？江州司马青衫湿。"

狄梁被谮① 杨亿蒙诮②

[注释]

①狄梁：指狄仁杰，卒后赠梁国公，故后人称其为狄梁公。见一东韵"仁杰药笼"。②杨亿：见十一真韵"杨亿鹤蜕"。

[解说]

武则天曾对狄仁杰说："卿在汝南时，有人诬陷你，你想知道是谁吗？"狄仁杰说："陛下如果认为是我的过错，我当改正。如果认为我无过，那是我的幸运。至于诬陷我的人是谁，我不愿知。"又，宋朝吕蒙正刚当上宰相，在上朝时有个官员在背后指着他说：

"这人也能当宰相?"吕蒙正装作不知道,同列的官员却为之不平,要追查是谁说的,吕蒙正制止说:"一旦知道其姓名,就会终生不忘,不如不知道为好。"

宋朝翰林学士杨亿有文名,性耿直,因而当政权臣很忌恨他,而监察御史又趁机对他攻击不停。为此杨亿在辞职申请书中说:"已掉进沟壑,还有人不停往下扔投石块;已被蒺藜扎伤,还有人拉开弓弦准备射呢!"

布重一诺① 金慎三缄②

[注释]

①布:即季布,秦汉之际著名游侠,曾为项羽部将,多次围困刘邦。项羽灭后,刘邦重赏通缉季布,后赦免,任为中郎将、河东太守。②金慎三缄:孔子见金人故事,见《孔子家语》、《孔子集语》、《新序》等书,其词句及地点略有不同。

[解说]

季布为河东太守,向窦长君说曹邱生的坏话。曹邱生知道后,来见季布说:"楚地有谚语说:'得黄金百斤,不如得季布一诺。'况且我是楚国人,您也是楚国人,我宣扬您的名声于天下,难道这不重要吗?为什么对我成见那样深呢?"季布听后很高兴,给曹邱生以丰厚的赠赏,于是季布的名声更大了。

孔子到周都洛阳,进后稷庙参观,看到一个铜人,嘴上有三个封条。背上刻有铭文"古之慎言人也。勿多言,多言必败;勿多事,多事患。安乐必戒,无所行悔。勿谓何伤,其祸将长;勿谓何害,其祸将大"云云。又"君子知天下之不可上也,故下之;知众人之不可先也,故后之"云云。孔子回顾弟子们说:"你们要记住,这些话是很实在又合乎情理的。"

彦升非少① 仲举不凡②

[注释]

①彦升:见七阳韵"彦升白简"。②仲举:即陈蕃,见十五删韵"陈蕃下榻"。

[解说]

任昉,字彦升。八岁就会作文,王俭、沈约都很推誉他的文章。梁武帝时为黄门侍郎,出任义兴新安太守。为政清省,所著文章有几十万言。褚彦回对任昉的父亲说:"您有这么个好儿子,大家应当为之贺喜,所谓一百个不嫌多,一个不嫌少。"任昉因此名声更大。

东汉薛勤任汝南郡功曹时,陈蕃才十五岁,有次他父亲让他送一封信给薛勤,薛勤对他作了考察。第二天薛勤到他家拜访,陈蕃的父亲出迎,薛勤说:"你有个很不凡的儿子,我特来拜访他,不是来看你的。"当时庭院杂草丛生,薛勤对陈蕃说:"小孩子为什么不洒扫庭院以招待宾客?"陈蕃说:"大丈夫当扫除天下,岂能只在一室上下工夫!"使薛勤更加惊奇,与他谈论了整整一天。

古人万亿 不尽兹函

[解说]

古人是多得数不清的,学问也是无穷尽的。人应当博学多识,学无止境,不是仅读这部书就可满足了。

图书在版编目(CIP)数据

龙文鞭影/张万钧,韩富荣注译.—郑州:中州古籍出版社,2010.4(2012.2 重印)
(国学经典)
ISBN 978-7-5348-3321-2

Ⅰ.①龙… Ⅱ.①张…②韩… Ⅲ.①汉语-古代-启蒙读物②龙文鞭影-注释③龙文鞭影-译文 Ⅳ.①H194.1

中国版本图书馆 CIP 数据核字(2010)第 055001 号

出版社:中州古籍出版社
　　　(地址:郑州市经五路66号　邮政编码:450002)
发行单位:新华书店
承印单位:河南大美印刷有限公司
开本:640mm×960mm　1/16　　印张:19.75
字数:130千字　　　　　　　　印数:5 201-10 000 册
版次:2010年4月第1版　　　　印次:2012年2月第2次印刷

定价:26.00元
本书如有印装质量问题,由承印厂负责调换。